Kotzebue, Aug.

August von Kotzebues ausgewaehlte prosaische Schriften.

15. Band

Kotzebue, August von

August von Kotzebues ausgewaehlte prosaische Schriften.

15. Band

Inktank publishing, 2018

www.inktank-publishing.com

ISBN/EAN: 9783750126527

August's von Kotzebue

ausgewählte

prosaische Schriften,

Enthaltend:

Die Romane, Erzählungen, Anekdoten und Miszellen.

———▷◯◁———

Fünfzehnter Band.

———▷◯◁———

Wien, 1842.

Verlag von Ignaz Klang, Buchhändle

Kleine Romane,

Erzählungen, Anekdoten

und

Miszellen

August's von Kotzebue.

Zweiter Theil.

Wien, 1842.

Verlag von Ignaz Klang, Buchhändler.

Die

Frucht fällt weit vom Stamme.

—— ⸺

Ein Roman in drei Büchern

von

August von Kotzebue.

————>•§O§•<————

Wien, 1842.

Verlag von Ignaz Klang, Buchhändler.

Die
Frucht fällt weit vom Stamme.

Erstes Buch.

1. Das Erntefest.

Einen Städter auf dem Lande kann man nicht besser unterhalten, als durch städtische Vergnügungen, denn Landleben ist das letzte was er dort sucht. Eigentlich will er nur die gewohnten Zerstreuungen an einem andern Orte genießen, weil da veränderte Umgebungen den Reiz erneuern; so wie es einem Menschen, der zu Hause keinen Appetit mehr hat, an fremden Tafeln recht wohl schmeckt, wenn sie auch schlechter besetzt wären als seine eigene. Das wußte Amtmann Knipperdolling, der Schlaukopf, sehr wohl.

Man konnte den Mann nicht eigentlich einen Bauernschinder nennen, denn zum Schinden gehört eine Haut, und schon sein Vorfahr hatte den Bauern keine Haut mehr gelassen; er sah sich daher genöthigt, in das Fleisch selbst zu schneiden, welches freilich nicht immer ohne Geschrei des Patienten ablief. Da nun die fürstlichen Domainen, welche Amtmann Knipperdolling verwaltete, sehr nahe bei der Hauptstadt einer Provinz lagen, so war dann und wann das Hinüberschallen einiger Schmerzenstöne nicht zu vermeiden. Auf daß aber Niemand dadurch geweckt würde, ersann Herr Knipperdolling verschiedene Mittel, als da sind: Rehböcke in die Küchen, Weine in die Keller, auch wohl Dukaten in die Beutel. Als Eines der wirksamsten hatte er seit vielen Jahren ein Erntefest befunden, wozu er im Monat August alle seine Gönner nebst Familien aus der Stadt einzuladen pflegte, wo aber freilich von einer Ernte nichts weiter zu merken war, als daß seine eigene sehr ergiebig sein mußte, weil man in Champagner schwamm und die ausgesuchtesten Leckerbissen aus Silber verzehrte. Vormals hatten wenigstens die Bauern einen Erntekranz mit bunten Bändern geschmückt, unter Vortretung eines Dudelsacks, den Gästen überreichen müssen; seitdem sie aber nur noch in geflickten Röcken erscheinen konnten, und ihr Sackpfeifer die Schwindsucht hatte, war auch diese Ceremonie unterblieben.

Das Erntefest bestand eigentlich aus einem Schmaus und Ball, bei dem die Bauern — jedoch nur durch einige Deputirte — zusehen durften. An Tänzerinnen war selten Mangel, da die Ehebetten der Gönner aus der Stadt reichlich Töchter lieferten; aber an Tänzern gebrach es bisweilen, weshalb Herr Knipperdolling gewöhnlich die Offiziere aus der Garnison einlud. Doch gegen das Ende des achtzehnten Jahrhunderts begab es sich, daß die tanzenden Krieger sämmtlich ausmarschirt waren, um einen Todtentanz mit der sogenannten großen Nation zu beginnen, und in dieser Noth sah sich der Herr Amtmann gezwungen — was er fürwahr nicht gern that — mehrere Einladungskarten an junge Herren zu schicken, die nicht auf Bäumen saßen (ich meine auf Stammbäumen), sondern die sich blos auf eine gemeine Weise durch Artigkeit der Sitten auszeichneten. Zu diesem gehörte diesmal auch T h e o d o r , ein junger Arzt, der, nachdem er lange den Armen umsonst, oder, was gleich viel gilt, um Segen gedient, vor Kurzem durch eine glückliche Kur an der alten Katze der Frau Gouverneurin sich einen gewissen Ruf erworben hatte.

Der feierliche Tag war angebrochen. Im Amthause zu Schönsee standen schon in Reih und Glied die Torten, auf deren weißen Zuckerflächen duftende Blumen sich wiegten. Kleine Schiefertafeln in Silber gefaßt, waren an die Flaschenbatterie befestigt, und der Finger eines lüsternen Lesers konnte auf ihnen, vom Rhein über Frankreich und Spanien bis zu den canarischen Inseln, ja bis zum Vorgebirge der guten Hoffnung reisen. Die gesammte Dienerschaft prangte wohlgepudert mit silbernen Achselbändern auf hellblauen Röcken, und die Musikanten probirten seit frühem Morgen Walzer für den Tanz, Symphonien für die Tafel. Als die Sonne am höchsten stand, und der Bauer, mit der Sense auf dem Rücken, schwitzend heimkehrte zu seinem schwarzen Mehlbrei; da rollten nach und nach die schwankenden lackirten Wagen vor das Amthaus; hübsche Mädchen hüpften heraus jungen Herren in die Arme; alte Damen klammerten sich an stämmige Bediente; feiste Männer kullerten hinterher. Die Galanterie des Herrn Amtmanns hatte im Vorhaus einen großen Spiegel aufgestellt, vor dem die Damen sich in Eil ein wenig zurechtmachten, und sodann dem weißbehandschuhten Führer folgten, noch auf der Treppe mit ihrem Putz beschäftigt. Die Flügelthüren des Speisesaales rauschten auf, Schüsseln dampften, Stühle schurrten, Teller klapperten, Musikanten bliesen, Stöpsel flogen, Bediente rannten gegeneinander, Kleider wurden begossen, kurz, alles ging seinen gehörigen Gang.

Theodor war unglücklicherweise unten an der Tafel

neben den Pfarrer gerathen, der auch nur einmal im Jahre
der Ehre theilhaftig wurde, bei dem Herrn Amtmann zu
speisen, und der übrigens Jahr aus Jahr ein mit der Gicht
behaftet war. Der gute Mann wollte die seltene Gelegen=
heit, einem Arzt seine Leiden zu klagen, nicht vorbeigehen
lassen, darum machte er es, wie viele seines Gleichen, un=
eingedenk, daß, wenn der Arzt zu Gaste geht, er gern
mit der Schilderung des Elends verschont sein mag,
die ohnehin sein tägliches Zugemüse ist. Theodor indes=
sen gehörte zu den wenigen Aerzten, bei welchen das
gewohnte Schauspiel fremder Leiden das Gefühl noch nicht
abgestumpft hat; oder vielmehr, er war noch zu jung
dazu; darum hörte er gefällig den Gichtbrüchigen an, hielt
ihm, während der ganzen Tafel, Vorlesungen über Diäte=
tik (bei welchen der Pfarrer sehr andächtig drei Bouteillen
Portwein ausleerte) und versäumte darüber, auch nur einer
Einzigen von allen den hübschen Mädchen unter den Stroh=
hut zu schielen. Doch war er keineswegs ein Mädchenver=
ächter, und darum herzlich froh, als man endlich nach vier
langen Stunden die Stühle rückte, denn beim Tanz hoffte
er das Versäumte einzuholen.

2. Der Schlagfluß.

Ein Unstern verfolgte ihn. — Alle die hübschen Mäd=
chen waren ihm unbekannt. Als sie nun nach dem Tanzsaal
strömten, und dort längs der Wand auf Stühlen harrten,
bis die Musikanten ihre Instrumente gestimmt, und die
jungen Herren die Touren verabredet hatten, da ließ er

feine Blicke über die Blumenflor schweifen, um sich eine Tänzerin zu wählen, deren Physiognomie ihm etwa anzöge. Sein Auge ruhte bald auf einem schönen Gesicht, das, wenn es lächelte, Friede und Freude gab, und, wenn es ernst war, zu gebieten schien. Das Grazienhafte zog ihn näher, das Junonische stieß ihn zurück. Er überblickte noch einmal den bunten Kreis, um ein Gesicht zu finden, das ungemischte Wirkung auf ihn hervor brächte; es gab auch manche allerliebste Stumpfnäschen darunter, die gar nichts weiter zu sagen schienen, als: Komm, wir wollen fröhlich sein; doch wider seinen Willen kehrte sein Auge stets zu der Gebietenden zurück, deren Freundlichkeit ein wenig der fürstlichen Herablassung glich. Schon hub er den Fuß sich ihr zu nähern, als ihn Herr Knipperdolling auf die Schulter klopfte, und ihn ersuchte, mit der Tochter des Präsidenten zu tanzen. Theodor, der von dem Amtmann mit vornehmer Nachlässigkeit empfangen worden, begriff nicht leicht, wie er zu dieser Ehre kam; doch bald wurde ihm der Grund des Vorzugs klar, als er das kleine bucklichte Fräulein erblickte, dessen schwarze Augen nach einem Tänzer brannten, das aber von jedem höflich vermieden wurde. Der aufmerksame Wirth hielt für seine Schuldigkeit, die Tochter seines hohen Gönners nach Wunsch zu versorgen; die adelichen jungen Herren durfte er mit solchen Zumuthungen nicht behelligen; er wandte sich daher an einen Bürgerlichen, der, für die Ehre, die ihm heute wiederfuhr, sich, wie er meinte, wohl aufopfern könne, und äußerte in einem Tone, der keinen Widerspruch vor-

ausfetzt: er hoffe, Theodor werde für den ganzen Abend
das Fräulein zu seiner Hälfte wählen. Der gefällige, schüch=
terne Jüngling verbeugte sich und gehorchte.

Die kleine Stieftochter der Natur reichte mit vieler Güte
das dürre Pfötchen. Schon stellte man sich zum ersten Tanze.
Der Zufall führte Theodor neben einen jungen Incroyabel,
der des schönen Mädchens Tänzer war; das schöne Mäd=
chen stand folglich dem Arzte gegenüber. Er machte diese
Bemerkung in demselben Augenblicke, in dem ihr großes
blaues Auge sich auf ihn heftete, und nie war er mit seinen
eigenen großen blauen Augen so verlegen gewesen. Er wußte
in der Geschwindigkeit nicht wohin damit, und warf sie fast
zärtlich auf seine Tänzerin, die ihm Aufmunterung zublitzte.
Das schöne Mädchen ließ einen Blick über die Nachbarin
gleiten; Theodor wurde noch verwirrter, denn der Gedanke
stieg plötzlich in ihm auf: man glaubt wohl gar, ich sei in
den kleinen Unhold verliebt? — Warum der Irrthum ihm
nicht gleichgiltig war, das wußte er selbst noch nicht.

Der Tanz hub an. Das kleine Knochenwesen hing wie
Blei an seinem Arme; die Nachbarin schwebte wie ein
Zephyr über Blumen. Theodor tanzte sonst recht gut, aber
heute machte er seinem Meister keine Ehre, und mehr als
einmal brachte er Verwirrung in die Touren, besonders
wenn er die Hand der schönen Nachbarin berühren mußte.
Sie hatten nun eben bis an die Spitze der Colonne figurirt,
und der Incroyabel stand im Begriff, mit seiner Juno durch
die Reihen zu walzen; da ging einer der Gäste an ihnen
vorüber, und rief einem Andern zu: »den alten Klumm

hat der Schlag gerührt." — In demselben Augenblicke fiel das schöne Mädchen dem bucklichten Fräulein ohnmächtig in die Arme. Diese, nicht stark genug die Bürde zu tragen, rief ängstlich ihren Tänzer zu Hilfe, und alsobald fing Theodor kniend die Ohnmächtige auf. Todtenblässe hatte ihre Wange überzogen, das Auge war geschlossen, der Busen schien ein lebloser Marmor; dennoch war sie unaussprechlich reizend. Theodor rief, man müsse sie an die frische Luft tragen; warum rührte er sich denn aber nicht von der Stelle? — Erst als die kreischende Stimme seiner Tänzerin ihn erinnerte: »wohlan, so tragen Sie sie doch." Da raffte er sich auf, und wollte mit der schönen Last an das geöffnete Fenster eilen. Herr Knipperbolling trat ihm in den Weg. »Kommen Sie geschwind," sagte er hastig, »den Bankdirektor Klumm hat der Schlag gerührt, er liegt sprachlos. Sie sind hier der einzige Arzt, helfen Sie."

Theodor antwortete durch einen verlegenen Blick auf die Ohnmächtige. »Mamsell Klumm wird sich schon erholen," fuhr Knipperbolling fort, »bei dem Vater ist Ihre Hilfe nothwendiger."

Unterdessen waren auch ein paar alte Tanten hinzugeeilt, die das Mädchen ihm aus dem Arme hoben, und der Amtmann zog ihn aus dem Saale. Herr Klumm, der sogenannte reiche Bankdirektor, ein wohlgemästeter, korpulenter Mann, hatte sich bei der Tafel die hitzigen Weine zu wohl schmecken lassen, gleich nachher sich an den Kartentisch gepflanzt, und war, als er eben mit der Spadille stach, vom Tode erinnert worden, daß unser Leben nur ein Spiel

sei. Theodor ließ ihm sogleich zur Ader. Nach und nach
erholte er sich, konnte zwar noch nicht sprechen, schien aber,
gemächlich auf dem Sofa ausgestreckt, die ängstlichen Be=
mühungen des fremden jungen Arztes wohlgefällig zu er=
kennen. Daß diese Aengstlichkeit eigentlich seiner schönen
Tochter galt, kam ihm gar nicht in den Sinn, sondern er
schob sie blos, auf die natürliche Besorgniß für das Leben
eines so angesehenen Mannes, dessen Rettung Theodors
Ruf noch fester begründen konnte. Gern wäre der junge
Aeskulap entschlüpft, um der schönen Ohnmächtigen Hilfe
zu leisten, aber die Umstehenden ließen ihn nicht fort, und
vergebens erwartete er, so oft die Thür sich öffnete, zu ihr
gerufen zu werden. Nach ihr zu fragen, schämte er sich —
so weit war es schon mit ihm gekommen — er belog sich
aber selbst durch den Vorwand, er unterlasse die Frage
nur, um den kranken Vater nicht zu erschrecken.

Wie er nun so da saß, mit dem Puls des Bankdirek=
tors zwischen den Fingern, und aus Ungeduld mehr Schläge
zählte, als wirklich zu zählen waren, da flogen endlich die
Thüren auf, und das schöne blasse Mädchen stürzte herein,
mit flatterndem Haar und gelüstetem Busen. Der letztere
Umstand war von schrecklichen Folgen. Ihres Vaters Hand
nämlich lag auf dessen Brust. Theodor hatte, wie gesagt,
des Kranken Puls gefaßt. Da nun die betäubte Schöne
sich gerade auf ihren Vater warf, so geschah es, daß ihr
Busen Theodors Finger berührte, wodurch er in den Wahn
gerieth, dem Alten sei plötzlich ein sehr heftiges Fieber zu=
gestoßen. Es waren aber nur seine eigenen Pulse, die so

entſetzlich ſtark klopften. Indeſſen wollte er ſchon einen
zweiten Aberlaß anordnen, als der Alte noch zu rechter
Zeit die Sprache wiederfand, um ſein geängſtetes Kind zu
tröſten und zu verſichern, daß er, bis auf eine unbedeutende
Mattigkeit, ſich wieder recht wohl befinde. Erſt nach dieſer Zu=
ſicherung erholte ſich Ottilie. Die jungfräuliche Scham,
von der kindlichen Liebe auf einen Augenblick verdrängt, trat
mit dem Blute auf ihre Wangen zurück, und ein flüchtiger
Blick auf den enthüllten Buſen ſchmückte ſie mit Aurorens
glühendſten Farben. Sie entſprang in das nächſte Kabinet.

3. Die Mondſteine.

Theodor rieth jetzt dem alten Klumm, nach Hauſe
zu fahren, da deſſen Kräfte es zu verſtatten ſchienen, und
wunderte ſich, als ihm der Patient erklärte, vor Morgen
früh ſei daran nicht zu denken. Eine alte Muhme mit ſpi=
tziger Naſe ziſchelte dem Arzt in's Ohr:

»Ehe er dem lieben Töchterlein eine Gelegenheit zu
glänzen raubt, ſtirbt er lieber.«

Dieſen Wink benutzte Theodor, weniger aus Beſorg=
niß für den Kranken, als aus Neubegier, das ſchöne
Mädchen zu erforſchen. Er nahte ſich Ottilien ſchüchtern
(die jetzt auch ihr großes blaues Auge nicht mehr ſo unbe=
fangen auf ihn heftete, als zuvor), er theilte ſein mediziniſ=
ſches Gutachten ihr mit, ſammt der Weigerung des Vaters
und dem vermuthlichen Grund derſelben, daß er nämlich
ſeiner Tochter Freude nicht ſtören wolle. Ohne zu antwor=

XV.   2

ten, flog Ottilie hinaus, und er hörte mit geheimen Ver=
gnügen, wie sie draußen dem Bedienten befahl, so schnell
als möglich anspannen zu lassen. Der Alte gab nach.

Es war ein schöner Abend, die Sterne funkelten; aber
Luna, die Vertraute der Liebenden, hatte noch auf der
andern Hälfte der Weltkugel Geschäfte, und folglich war
die Nacht dennoch ziemlich dunkel. Ottilie äußerte Furcht,
mit dem kranken Vater allein zu fahren, da ihm unter=
wegs leicht etwas zustoßen könnte. Alsobald erbot sich
Theodor zum Begleiter. Man wechselte höfliche Worte:
man wollte sein Vergnügen nicht unterbrechen; er aber
versicherte hastig, daß, wenn er ihr auch nur e i n e n ängst=
lichen Augenblick ersparen könne, er nie in seinem Leben
ein schöneres Vergnügen genossen habe. Ottilie erröthete,
wandte sich schnell zu ihrem Vater und machte ihn mit
dem gefälligen Erbieten des Herrn Doktors bekannt. Der
Titel H e r r D o k t o r aus d i e s e m schönen Munde hätte
ihn fast verdrießlich gemacht, denn es war ja nicht der
Arzt, der ihr den Vorschlag that. »Am Ende,« dachte
er, »b e z a h l t sie mich noch obendrein dafür,« und bei
dem Gedanken, Geld aus Ottiliens Händen zu empfangen,
überlief es ihn eiskalt. Sie konnte wohl gar die schimpf=
liche Vermuthung hegen, er wolle den Zufall benutzen,
um eine Kundschaft in ihrem Hause zu erschleichen. Fast
wäre er zurückgetreten, allein der Vater hatte sein Erbieten
schon dankbar angenommen, und er mußte sich durch den
Entschluß beruhigen, so bald als möglich, dem Vater wie
der Tochter, durch Uneigennützigkeit andere Begriffe von

seiner Denkungsart beizubringen. Ob Herr Klumm wirk=
lich solche Gedanken hegte, ist unbekannt, Ottilien aber
that er Unrecht, denn die war Mädchens genug, um sich
auf den ersten Blick ein Betragen zu erklären, das mehr
herzlich als höflich war.

Der Wagen fuhr vor. Der Herr Amtmann bedauerte
— man führte den Patienten durch den Tanzsaal — die
ganze Gesellschaft bedauerte, ließ sich aber keinen Augen=
blick in ihrer Freude stören. Nur zwei Personen meinten
es ernstlich mit dem Bedauern, der Incroyabel nämlich,
von dem wir bald mehr vernehmen werden, und Fräulein
Buckelingen, die gern noch getanzt hätte.

Zum Unglück war der Wagen nur zweisitzig, hatte aber
vorne noch ein Bänkchen, das man aufschlagen, und auf
dem man im Nothfall sitzen konnte. Eigentlich war es eine
Marterbank für die Knie, die nirgends Platz fanden, als
etwa am Kinn dessen, dem sie zugehörten. Der Alte wurde
natürlich, so breit und bequem als möglich gesetzt, und
wegen der kühlen Nacht noch mit allerhand warmen Zube=
hör umgeben, wodurch der Wagen so beengt wurde, daß
es unmöglich schien, noch zwei Menschen hinein zu zwän=
gen. Ottilie wollte sich auf das Bänkchen setzen, allein
Theodor erklärte so ernstlich, daß er lieber zu Fuß neben=
her traben werde, daß sie endlich nachgab, und sich neben
den Vater drückte. Nun stieg Theodor ein. Kopf und Leib
fanden noch so ziemlich Raum, seine Füße aber waren ihm
jetzt lästiger, als einer chinesischen Dame die ihrigen.

2 *

Wagenrecht! sagte der Alte, welches die Erlaubniß andeutete, herkömmlicher Maßen die Füße mit denen
des Nachbars gegenüber zu verschränken. Um keinen Preis
würde er diese Erlaubniß benutzt haben, wäre nur irgend
eine Möglichkeit vorhanden gewesen, seine Füße, die doch
nun einmal nicht zurück bleiben konnten, auf andere Weise
unterzubringen. Ein Glück, daß er bei der Dunkelheit
Ottiliens Schamröthe nicht gewahr wurde, sie würde ihm
sonst vollends den letzten Rest von Fassung geraubt haben.

Zwei gute Stunden hatte man nöthig, um die Stadt
zu erreichen; denn auf dem sandigen Wege fuhr man
meistens Schritt vor Schritt. Der Raum zwischen den
Köpfen der jungen Leute war nicht größer, als ein H a u c h
bedarf, um f ü h l b a r zu werden, und die Knie berührten
sich bei dem leisesten Schwanken des Wagens. Gefährlicher
ist wohl auf Erden keine Lage zu erdenken, für einen jungen Arzt, der eben von einer Krankheit befallen worden,
für die auf keiner Apotheke sich Mittel finden. Feierliche
Stille herrschte in der ersten Viertelstunde, nur dann und
wann durch einzelne Worte des Alten unterbrochen, die
doch auch immer sparsamer wurden, weil das Schaukeln
ihn schläfrig machte, bis er endlich wirklich in einen sanften Schlummer fiel. Die stillen Gefährten hörten seine
stärkern Athemzüge und wurden noch stiller. Doch keiner
von beiden empfand den geringsten Trieb, dem Schläfer
Gesellschaft zu leisten.

Der Jüngling dachte: »das weibliche Geschöpf mir
gegenüber ist dasselbe schöne Mädchen, das mich heute vor

Allen anzog; dasselbe, das bei der Nachricht von des Vaters Lebensgefahr in Ohnmacht fiel; dasselbe, das mit
dem rührendsten Ausbrucke kindlicher Angst sich auf ihn
warf, dann, beruhigt, von holder Scham erglühte, dann
so hastig den fröhlichen Ball der kindlichen Liebe opferte.
Es ist ein s ch ö n e s Mädchen, und muß fürwahr auch ein
g u t e s Mädchen sein.« Ottilie dachte: »der Jüngling mir
gegenüber ist derselbe, dessen sanfte geistreiche Physiognomie
mir schon bei der Tafel auffiel; der hernach, im Tanz
mein Nachbar, mit so interessanter Schüchternheit mich
betrachtete, der meinem kranken Vater zu Hilfe eilte, ihm
half, ihm vielleicht das Leben rettete, und endlich so bereitwillig den frohen Zirkel verließ, um mich — um meinen
Vater auf einer Marterbank zu begleiten.«

Diese Gedanken erzeugten gegenseitiges Wohlwollen,
und man fand sich nach und nach gelassen in die Unbequem-
lichkeit, sich alle Augenblicke mit den Füßen berühren zu
müssen. »Wie sie doch jetzt aussehen mag?« dachte e r.
»Was doch jetzt in ihm vorgehen mag?« dachte s i e. Um
diese Neubegier drehte sich natürlich der Wunsch, daß der
Mond aufgehen möchte, der aber nicht aufgehen k o n n t e,
weil er im letzten Viertel stand. Indessen ist der Mond nun
einmal den Liebenden so hold, daß er ihre Wünsche hört,
und auch dann zu erfüllen strebt, wenn er gerade selbst
nicht in Person erscheinen kann. Er sandte nämlich plötzlich einen seiner berühmten S t e i n e auf die Welt herab;
eine F e u e r k u g e l flog den Horizont entlang, und beleuch-

tete während einer Minute die Gegend so hell, daß Theo=
dor das schöne Gesicht, und Ottilie die zärtlichen Augen
klarer sahen, als bei dem Schimmer der Wachskerzen im
Tanzsaale.

Ottilie fuhr zusammen, und hätte fast laut aufgeschrien,
denn sie hatte noch blutwenig von solchen Lufterscheinungen
vernommen. Theodor faßte sich schneller, und fing an, ihr
flüsternd zu erklären, was es damit für eine Bewandtniß
habe. Die Materie war bald erschöpft, allein das Flü=
stern hat einen eigenen Reiz. Wenn Jünglinge und Mäd=
chen in der Dämmerung erst einmal zu flüstern beginnen,
so nimmt das Flüstern so bald kein Ende. Von den Mond=
steinen verirrten sie sich in die Sternkunde. Theodor kannte
die vornehmsten Sternbilder, und zeigte sie der schönen
Nachbarin, hier den Orion, dort die Cassiopeja, und dort
das flimmernde Siebengestirn. Das konnte nun nicht wohl
geschehen, ohne die Köpfe an das offene Fenster zu schieben,
bei welcher Gelegenheit ihre Locken an seiner Wange auf
und nieder wallten. Da sie auch nicht immer sogleich das
angezeigte Sternbild fand, so mußte er natürlich mit dem
Finger darauf deuten, und dann erhob sie gleichfalls ihren
Finger und folgte der Richtung des seinigen. Die Folge
von diesem astronomischen Unterrichte war, daß ihre Fin=
ger sich einige Male berührten, und weil nach dem gemeinen
Sprichwort Jeder, dem man einen Finger erlaubt, nach
der ganzen Hand greift, so faßte auch Theodor plötzlich,
vom Drange seiner Gefühle überwältigt, des schönen Mäd=
chens weiche Hand, drückte sie mit Ungestüm an seine

Lippen, und hielt fie fo feft, als ob fie fchon ganz fein Eigenthum wäre.

Vergeffen waren in diefem Augenblicke die zahllofen Welten über ihnen, und der Mond hätte feine Steine auf ihren Wagen herabregnen können, fie würden es kaum gehört haben. Das Geflüfter verftummte, tiefe Stille herrfchte. Ottilie machte einige fchwache Verfuche, die Hand zurück zu ziehen, als fie aber fah, daß Alles ver= gebens war, fand fie fich in ihr Schickfal, und war nur froh, daß nicht wieder eine Feuerkugel ihre fchamrothe Wange beleuchtete.

So langten fie endlich zu ihrer großen Verwunderung vor des Bankdirektors Wohnung an, denn fie hatten noch gar nicht bemerkt, daß der Wagen zum Thore hinein fuhr. Bis jetzt hatte fich Ottilie nun wohl gehütet, die unzähli= gen Händedrücke auch nur ein einziges Mal zu erwiedern; als aber der Bediente den Kutfchfchlag öffnete, der Vater erwachte, und man fich trennen mußte, da zog fie, faft ohne es zu wiffen, mit einem leifen Druck ihre Hand aus der feinigen. Vom Alten empfing Theodor die verbindlich= ften Dankfagungen, und eine freundliche Einladung, ihn am andern Morgen zu befuchen. Ottilie fagte kein Wort. Die Undankbare! —

---

4. Der Egoift.

Herr Klumm war der einzige Sohn wohlhabender Eltern. Die Natur hat bei den meiften Menfchen, vorzüg= lich bei den Müttern, die wohlthätige Einrichtung getroffen, daß eine jede ihr Kind für das erste und einzige auf Erden zu halten pflegt. Allerdings eine große Wohlthat, denn im Grunde sind Kinder in mancher Hinsicht ein so lästiges Geschenk, daß Liebe allein sie schwerlich ertragen würde, wenn nicht die Eitelkeit zu Hilfe käme, die fast bei jeder Liebe eine Hauptrolle spielt. Was oft an fremden Kindern unerträglich dünkt, wird am eigenen Sprößling allerliebst gefunden. Dieses älteste Privilegium in der Welt (denn Gott ertheilte es der Eva, als sie den Kain gebar), wurde von der Mutter des Bankdirektors ein wenig mißbraucht, und sein Vater that, was die Väter gewöhnlich thun; er sah zu. Für jede Untugend des kleinen Christian hatte die blinde Mutter einen Tugendtitel in Bereitschaft. Eigensinn war Anlage zur Festigkeit des Charakters; Neid ein edler Trieb der Nacheiferung; Lügenhaftigkeit der Keim zum Dichter, und der empörendste Egoismus Gefühl des Menschenwerthes. Ach! Egoismus gleicht der Schmarotzerpflanze, die, den lebendigen Baum umschlingend, in dessen Rinde sich einsaugt, nach und nach das Mark verzehrt, dann steht der Baum da, mit fremdem Grün überzogen, von innen abgestorben! — Gegen Kinder hatte der kleine Christian nie Unrecht; gegen Erwachsene war es freilich dann und wann nicht zu läugnen, aber dann hieß es, er sei krank, oder noch zu jung, man müsse ihm etwas zu Gute halten. Alles, was im Hause vorging, jedes Wort, das er aufschnappte, trug er der Mutter zu. Sie nannte das kindliches Vertrauen, und meinte, er würde nie ein solcher

Range werden, als der römische Papirius, der seiner Mutter etwas weißmachte. Die Bedienten nannten ihn nur ihren Hauskobold, denn es war seine größte Freude, irgend ein Unheil anzustiften, wovon er sie als die Urheber angab, und wurde er auch einmal der Lüge überwiesen, so fand die Mutter ihn doch erstaunend witzig. Nie durfte sich der Vater unterstehen, ihm zu widersprechen; die Mutter hingegen that sich viel darauf zu Gute, daß er ihr nur sel= ten über den Mund fuhr, denn sie hielt ihn für außeror= dentlich folgsam, weil sie allen seinen Wünschen zuvorkam.

So reifte nach und nach eine Frucht, die von außen der Melone glich, welche Hüon einst so fröhlich der ver= schmachtenden Amande brachte, die aber auch, wie jene, unter der glatten Schale, ekelhafte Fäulniß barg. Noch ein böser Umstand trat hinzu: seine Geburtsstadt war eine Universität. Erfahrung lehrt, daß wo Fremdlingen Geistesnahrung blüht, die Eingebornen größtentheils ver= pfuscht werden, weil sie zu frühe die Rolle unabhängiger Musenstürmer spielen, und, wenn es gut geht, allerlei Kenntnisse aufraffen, die sie nicht zu verdauen wissen.

Nicht minder verderblich für Herz und Sitten wurde ihm die Geringschätzung für das zartere Geschlecht, die er, als einen Modeartikel unsers Jahrhunderts, sich zu eigen machte, und die freilich auf Universitäten bisweilen zu recht= fertigen sein mag, denn die etwaigen Ausnahmen ent= ziehen sich meistens dem Umgang der Studenten. Christian ermangelte nicht, seiner eigenen Mutter zu beweisen, daß die Weiber, gleich andern gezähmten Hausthieren, nur geschaffen wären, um durch unbegrenzte Hingebung dem edlern Geschöpfe, M a n n genannt, etwas mehr Bequem= lichkeit zu verschaffen. Das betrübte zwar die Mutter, aber sie mußte es doch am Ende glauben, denn ihr Sohn, ihr Christian hatte es ja gesagt. Bald begnügte er sich aber nicht mehr mit dem bloßen S a g e n, sondern er ging zu der hübschen ehrlichen Tochter eines ehrlichen Bürgers, und überredete diese, einen lebendigen Beweis von seinen Grundsätzen zu liefern. Das überraschte freilich die neue Großmutter ein wenig, aber sie beruhigte sich augenblick= lich, als er sie versicherte, er sei bereits in Gefahr gewesen, durch die Folgen einer allzustrengen Keuschheit v e r r ü ck t zu werden, wie vor Zeiten die Anachoreten in den thebai= schen Wüsten. Das Kind starb glücklicher Weise bald, und dessen Mutter fand Ersatz für die verlorene Ehre in einem Freudentaumel, der sie gerades Weges zum Lazareth hin= taumeln ließ.

Nach dieser alltäglichen Begebenheit wünschte Madame Klumm doch für die Zukunft solchen kleinen Unregelmäßig= keiten vorzubeugen, und zugleich die Gesundheit ihres Lieb= lings zu sichern. Sie schlug ihm daher eine Heirath vor. Er hatte nichts dagegen, denn er fühlte Kraft in sich, des Ehestands Blumenfesseln, so oft es ihm beliebte, abzu= schütteln. Madame Klumm ließ alsobald die scharfen Mut= teraugen unter den Töchtern des Landes umherspaziren, und endlich mit Wohlgefallen verweilen auf einem hübschen sanften Mädchen von fünfzehn Jahren, das einen Oheim beerben sollte, der den goldbewachenden Greifen ihre Schätze entwandt zu haben schien. Christian ließ sich das abermals recht gern gefallen, weil er früh begriffen hatte, daß er, während seiner irdischen Laufbahn, vieles Geldes bedürfen werde. Das Mädchen selbst war bald gewonnen, denn Christian war schön gewachsen, kleidete sich nach der neue= sten Mode und tanzte gut; mehr Eigenschaften fordert ein Mädchen von fünfzehn Jahren selten. Der Oheim hinge= gen hing noch an einigen alten, verjährten Begriffen von Bescheidenheit, Sittsamkeit, Solidität, und wie die alten Tugenden alle heißen, die man heut zu Tage unter dem Ekelnamen der ökonomischen begreift. Nun war vom jungen Klumm ihm allerlei zu Ohren gekommen, was, trotz der Ehre, die es dem Jüngling unter seinen Zeitge= nossen brachte, doch dem graugewordenen Jüngling aus dem ersten Viertel des vorigen Jahrhunderts nicht recht in den Kopf wollte, und sicher würde er den lustigen Freiwer= ber sogleich förmlich abgewiesen haben, hätte nicht die an= gestammte Liebe zum Golde ihn schwankend erhalten. Der junge Klumm war eine reiche Partie, und es ist bekannt, daß reiche Eltern immer am hitzigsten darauf ausgehen, ihre Töchter an reiche Männer zu vermählen, sie mögen übrigens sein wie und was sie wollen. Der Oheim versagte folglich seine Einwilligung nicht unbedingt, sondern meinte nur: seine Nichte sowohl als ihr Liebhaber wären noch zu jung, der Letztere müsse erst die Hörner ein wenig ablaufen, und zu diesem Behuf brachte er eine Reise in Vorschlag. Wenn nach Jahr und Tag der junge Mann gebildeter und solider zurückkehre, so lasse sich weiter von der Sache sprechen.

Christian und seine Mutter lächelten zwar über die Blindheit des Alten, denn sie wußten Beide, daß man unmöglich gebildeter sein könne; indessen war die Idee, zu reisen, dem jungen Herrn sehr willkommen; er fand es nicht blos angenehm, sondern auch verdienstlich, fremde Länder aufzuklären, fremde Völker über manchen Irrthum zu belehren; er sprach von dem Erstaunen, das er überall durch seine Kenntnisse erregen werde, und brachte der schon längst erstaunten Mutter einen so hohen Begriff von der Apostelwürde bei, die ihm unfehlbar zu Theil werden müsse, daß sie mit Freuden einwilligte, und nur bedauerte, ihn nicht begleiten zu können, um Zeugin seiner Triumphe zu sein. Man kaufte ihm einen eleganten Reisewagen, man miethete einen Spitzbuben von Bedienten, der französisch und italienisch sprach, man borgte zehntausend Thaler auf ein unverschuldetes Gut, und so ausgerüstet, folgte er dem Posthorn. Mutter und Braut gaben ihm heiße Thränen, Vater und Oheim christlichen Segen mit auf die Reise. Er aber lachte der Thränen und spottete des Segens.

---

5. Bildung auf Reisen.

Anfangs konnte Christian gar nicht begreifen, daß man in großen Städten so wenig auf ihn achtete. Vergebens kramte er an Wirthstafeln die neuesten Philosopheme aus, die nicht allein in seinem Geburtsort, sondern auch in gelehrten Zeitungen (und folglich, nach seiner Meinung,

in der ganzen Welt) so viel Lärm erregten; hier schien ein
Jeder sich mehr um die nächste Bratenschüssel zu beküm=
mern, ja es gab Leute unter ihnen, die nicht einmal die
allgemeine deutsche Bibliothek gelesen hatten, welche eben
damals in erster Jugendkraft um sich schlug. Vergebens
besuchte er die Schauspielhäuser, um Stücke auszupfeifen,
die er gar nicht kannte, von welchen er aber aus seiner
Aesthetik wußte, daß sie unmöglich etwas taugen konnten,
weil die Personen der Verfasser zu keiner ästhetischen
Clique gehörten. Gleichsam ihm zum Trotz applaudirte
das halsstarrige Publikum. Mit Erstaunen hörte er oft
Männer loben, deren Namen der Herr Professor auf sei=
nem Katheder nur mit einem spöttischen Lächeln genannt
hatte, und andere tadeln oder gar verachten, die er als die
größten Genies zu verehren gewohnt war.

Das Resultat, welches er aus allen diesen Beobach=
tungen zog, war nicht: „man könnte bei mir zu Hause
doch wohl Unrecht haben,” sondern: »das Publikum ist
noch zu dumm, zu unempfänglich für eine höhere Bil=
dung.” Ein süßer Trost, der schaale Köpfe, die gern auch
etwas gelten möchten, nie verläßt. Zu seiner völligen
Beruhigung fand er auch bald ein anderes Mittel, die
Leute reden zu lassen, wie und was er wollte. Er machte
nämlich großen Aufwand, hielt eine leckere Tafel, bat
die Widerspenstigen zu Gaste, und hatte das Vergnügen,
zu finden, daß sie alle seiner Meinung waren. Nur mit
einer Klasse von Menschen wollte es ihm nicht gelingen,
nämlich mit.den Höflingen, die in ihrem Kreise blos

die gewandte Lebens-Philosophie zu erlangen strebten, und den bürgerlichen Klumm ein wenig über die Achsel ansahen, vielleicht, weil sie den reichen Bürgerssohn beneideten. Nun gehörten zwar schon längst Hof und Adel zu den Lieblings-Materien, über welche Christian gar zu gern bittern Spott ausgoß, aber als er in der Fremde gewahr wurde, daß die Höflinge sich wenig darum bekümmerten, und daß oft Leute sich vor dem Adel bückten, die kurz vorher des Spötters witzige Einfälle belacht hatten; so beschloß er vor der Hand, wie die Meisten thun, seine Philosophie in Zeit und Umstände zu schmiegen, und, was etwa der behaglichern Existenz seines Ich im Wege stand, für's Erste fahren zu lassen.

Es beliebte ihm daher, sich in einen Baron von Sonnenstern umzuschaffen, und dieser glänzende Name, von einer glänzenden Equipage unterstützt, verschaffte ihm Zutritt an manchen kleinen Höfen, wo man es so genau mit der Ahnen-Probe nicht nimmt, und oft der unverschämteste Fremdling dem verdienstvollen, aber anspruchlosen Landeskinde vorgezogen wird. Das ging eine Weile ganz vortrefflich, bis die Ebbe in den Beutel trat. Zwar führte die mütterliche Zärtlichkeit noch einige Mal die Flut zurück; doch endlich konnte Madame Klumm dem geliebten Söhnlein nicht länger bergen, daß er wohl thun werde, in fremden Landen ihr etwas weniger Ehre zu machen, indem sein schönstes Erbgut bereits dermaßen verschuldet sei, daß so wohl die Sonne als die Sterne, die seinen neuen Namen bildeten, nur noch auf verhypothecirte Felder schienen.

Christian flehte vergebens. Nach Hause wollte er nicht, und seine Lebensart fortsetzen konnte er nicht. Man mußte auf Mittel denken, um andere Ströme in ein Bett zu leiten, in welchem der Bach der mütterlichen Freigebigkeit vertrocknet war.

Das Bequemste schien ihm das Spiel. Er war mit Einigen von jenen Freibeutern in Bekanntschaft gerathen, für welche es leider kein See=Recht gibt, die mit ihren Prisen ungehindert in jeden Hafen einlaufen, ja unter den Kanonen einer jeden Macht Schiffe entern dürfen; kurz, gegen welche die Algierer und Tuneser die ehrlichsten Leute von der Welt sind. Er selbst hatte anfangs ein beträchtliches Lehrgeld zahlen müssen, doch seine Auslagen verzinsten sich bald; sein Genie enthüllte ihm die Geheimnisse der edlen Kunst, und er brachte es in Kurzem zu einer Vollkommenheit, die ihn zum Liebling aller Bäder machte.

Nun lebte er prächtiger als jemals, und bei so abelichen Beschäftigungen wagte Niemand den leisesten Zweifel gegen seine freiherrliche Geburt. Aber zu seinem Unglück gelang ihm einst ein Meisterstreich. Der Sohn des Ministers, ein Jüngling, eben so unerfahren als lüstern nach Erfahrung, wurde von dem Baron von Sonnenstern und seiner Bande in einer einzigen Nacht, nicht allein seines Taschengeldes, sondern auch der von seiner Mutter gestohlenen Juwelen beraubt. Diese Kleinigkeit erregte Aufsehen. Hundert verirrte Söhne wackerer Eltern waren schon geplündert worden, und es hatte kein Hahn darnach gekräht: aber der Sohn des Ministers! das schrie um Rache! —

Der regierende Vater vertraute dem Gesandten, unter
dessen Schutz Christian sich begeben, daß der nicht regierende
Fürst gesonnen sei, die falschen Spieler beim Kopf nehmen
zu lassen, und der Gesandte hatte nichts dagegen, denn der
Herr Baron von Sonnenstern war ihm gleich anfangs
verdächtig, und er hatte ihn blos geduldet, weil der Spieler,
wie leider überall gewöhnlich, in den ersten Häusern willkommen war. Er überließ ihn also seinem Schicksal, und
es war um ihn geschehen, wenn nicht sein Kartenfreund,
der Gesandtschaftssekretär, ihm noch bei Zeiten einen Wink
gegeben hätte. Erschrocken packte er in Eil den Raub zusammen, belebte durch Gold die Gebeine magerer Postpferde, und
floh in derselben Nacht, in welcher die Polizeibeamten seine
ausgeräumte Wohnung zu spät durchstöberten. Titel und
Wapen, die Sonne sammt den Gestirnen, hielt er für gut
so lange bei Seite zu legen, als er in einem undankbaren
Staate sich befand, in welchem der erste Minister langhän-
dig, trotz einem Artarerres war. Der stolze Baron verwandelte sich in einen bescheidenen Kaufmann, und die Him-
melskörper in einen Schneider. Kaufmann Schneider
nannte er sich, in Handelsgeschäften reisend. So kam er
glücklich über die Grenze, und nun erst ging er mit sich zu
Rathe, was er beginnen solle.

Auf einer Seite lockte ihn das gährende Leben hinter
der eingeschnittenen Tafel, deren grüner Teppich goldene
Früchte trug; auf der andern schimmerte das Bild der
Heimath und sandte ihm freundliche Winke herüber. Diese
Winke kamen eben nicht aus den zärtlichen Augen der

Mutter, die sich Christian immer nur als seine Haushälterin dachte; sondern das hübsche fünfzehnjährige Mädchen, das er vor Jahr und Tag aufblühend verlassen hatte, schwebte vor ihm aufgeblüht in Jugendfülle, zum Genuß einladend. Nebenher konnte er die Bewohner seiner Vaterstadt durch fremde Pracht in Erstaunen setzen, und von ihrer Bewunderung sich kitzeln lassen. Wurde er diese Heldenspeise etwa überdrüssig, und stumpfte der Genuß den Stachel der Begierden ab, so stand es ja noch immer in seiner Willkür, abermals in die weite Welt zu gehen. Daß weder Gattin noch Mutter ihn davon abhalten würden, verstand sich von selbst, und darum konnte er die Rückkehr ohne Bedenken wagen. Nach dieser reiflichen Ueberlegung schlug er wohlgemuth Krebels europäische Reisen auf, lernte daraus den nächsten Weg in sein Vaterland, und rollte, in lüsterne Träume gewiegt, der Heimath zu.

6. Einfalt und Unschuld.

Noch mochte er etwa dreißig Meilen von dem Wohnort seiner Eltern entfernt sein, als er an einem Sonntag-Morgen durch ein Dorf fuhr. Schon von ferne hatten die öden Felder und das Glockengeläute ihn erinnert, daß heute der Ruhetag der Schöpfung gefeiert werde. Als er die engen Gassen des Dorfes erreichte, wallten ihm die braunen, reinlich gekleideten Dirnen mit Gesangbüchern entgegen, und die Männer trugen dicke Blumensträußer in der Linken,

XV.　　　　　　　　3

indem sie mit der Rechten den breiten Messingkamm durch die glatten Haare zogen.

Er befahl dem Postillon Schritt vor Schritt zu fahren, und sein blitzendes Auge schweifte unter den Dirnen, die ihn mit bescheidenem Kopfnicken grüßten. Plötzlich sah er von Ferne eine schlanke Gestalt, die sich durch ihr Gesicht, blendender als ihr weißes Gewand, und durch gelocktes Haar, ein wenig phantastisch mit Kornblumen bekränzt, von den Bauermädchen unterschied. Er bewaffnete sein Auge sogleich mit doppelten Gläsern, und als sie näher kam, traf ihn ein freundlicher Blick, der seinen Zauber nicht zu kennen schien, aber so schnell und tief die ganze üppige Gestalt in den Schlamm von Christian's Seele prägte, daß der Athem ihm verging, und ein liederlicher Fluch ihm auf der Zunge erstickte. Wie vom Zitteraal berührt, ließ er die Hand mit der Lorgnette sinken, starrte gedankenlos vor sich hin, und griff endlich nach der Reisemütze, das schöne Mädchen zu grüßen, als es schon längst vorüber war. Doch der Eindruck würde schnell verloschen sein, hätte nicht ein böser Dämon die Hand im Spiel gehabt.

In dem Lande, durch welches er eben reiste (vielleicht war es Sachsen), hatten die Postillons die löbliche Gewohnheit, auf halbem Wege ihre Pferde und sich selbst zu füttern, die Station mochte kurz oder lang sein. Gerade in diesem Dorfe war ein solcher Ruhepunkt; der Schwager hielt am Ende desselben vor einem schlechten Wirthshause, und traf die beliebten Anstalten, die bekanntlich so manchen Reisenden zur Verzweiflung bringen. Auch Christian

pflegte sonst nicht ohne kräftige Flüche dies sächsische harte
Schicksal zu ertragen, doch diesmal schien er sich darob zu
freuen, sprang munter aus dem Wagen, drückte dem Po=
stillon einen Gulden in die Hand, vermahnte ihn, sich güt=
lich zu thun, und erklärte mit frommer Heuchelei, er wolle
indessen in die Kirche gehen, weil er am Sonntag nie den
Gottesdienst zu versäumen pflege.

Er ging, und der spitzbübische Bediente grinste ihm
nach. Als er die Kirche betrat, stand der Pfarrer, ein ehr=
würdiger Greis, schon auf der Kanzel, und erzählte den
Bauern die Geschichte des barmherzigen Samaritaners, die
er mit mancher herzlichen Ermahnung, Nothleidenden hilf=
reich beizustehen, begleitete. Christian hörte das alles nur
mit halben Ohren, suchte dagegen mit ganzen Augen und
fand das liebliche Geschöpf, das auf der Straße ihn bezau=
bert hatte. Sie wurde es bald gewahr, daß seine Gläser
auf sie gerichtet waren, und seine brennenden Blicke nicht
von ihr wichen. Jungfräuliche Scham überzog Wange
und Busen, um ihre Andacht war es geschehen. Zwar
hütete sie sich wohl, das Köpfchen aufzuheben, oder auf
geradem Wege dem Fremdling einen Blick zuzusenden:
aber dann und wann verstohlen über ihn hin zu gleiten,
verwehrte sie den Augen dennoch nicht. Von diesen wurde
jedesmal der Bericht ihr abgestattet: es sei ein schöner jun=
ger Mann, der mit so hartnäckiger Aufmerksamkeit sie
betrachte. Christian seiner Seits entdeckte mit jedem Au=
genblicke neue Reize, und seine geübte Einbildungskraft

3 *

ahnete deren noch mehrere. Bald setzte die schlüpfrige Fan=
tasie alle seine Lebensgeister in so heftige Bewegung, daß
er, eben als der Pfarrer Amen sprach, den Teufel be=
schwur, ihm das Mädchen in die Arme zu liefern, wär' es
auch um den Preis von beider Seelen.

Wer sie sei, vermuthete er schon, doch um Gewißheit
zu erlangen, stellte er sich neben einen alten Bauer, unter
dem Vorwand, mit ihm in das Gesangbuch zu sehen, und
nachdem er mit heller Stimme, zu großer Erbauung des
Alten, die ersten Verse mitgesungen hatte, benutzte er ein
Zwischenspiel der Orgel, um seinen Nachbar zu befragen.
»Unsers Pfarrers Tochter, Malchen,« war die Ant=
wort. — Sogleich entwarf der Verführer seinen Plan.
»Mir wird schlimm,« flüsterte er dem Manne zu, »habt
Ihr nicht etwas stärkendes bei Euch?« Der Alte bot ihm sei=
nen Blumenstrauß. Christian roch daran, allein ihm wurde
immer schlimmer. »Ich muß hinaus in die frische Luft,«
sagte er mit gebrochener Stimme, hielt das Schnupftuch
vor das Gesicht, und wankte aus der Kirche. Draußen
auf dem Kirchhof suchte er sich ein Grab am Wege — es
war zufällig das Grab von Malchens Mutter — und legte
sich darauf in der Stellung eines Leidenden. Der Gottes=
dienst ging zu Ende. Die Bauern strömten aus der Kirche,
und als sie den Fremden schmachtend liegen sahen, versam=
melten sie sich um ihn, zum Theil aus Neubegier, doch grö=
ßeren Theils um Hilfe ihm anzubieten. Er stellte sich, als
sei er der Sprache kaum noch mächtig und lallte blos un=
verständige Töne.

Bald erschien auch Malchen, stutzte, als sie ihn gewahr wurde, ging vorüber mit zagenden Schritten, stand zwei= mal im Begriff wieder umzukehren, eilte aber endlich, von jungfräulicher Schüchternheit gezogen, hastig nach ihrer Wohnung.

Schon fing Christian an zu fürchten, daß seine List fruchtlos bleiben werde, als sämmtliche Bauern plötzlich ihre Hüte abzogen, und den dichten Kreis trennten, um ihrem geehrten Pfarrer Platz zu machen. »Sind Sie krank, mein Herr?« fragte ihn der Greis mit freundlichem Mit= leid. — »Ach ja, recht sehr!« wimmerte Christian, »ein Reisender — meine Brust — ich kann nicht weiter — ich muß hilflos hier sterben!«

»Da sei Gott für!« erwiederte der Alte, »was ich eben gelehrt habe, das übe ich auch nach meinen Kräften. Ueber= dies liegen Sie da auf dem Grabe meiner Frau, die ein Muster christlicher Tugenden war, und schon dieser Um= stand allein macht Sie zum willkommenen Gast in meinem Hause. Die Selige hat mir Sie zugeschickt. — Kinder, tragt den Fremden in meine Wohnung, aber sanft.« Die Bauern griffen zu. Der Pfarrer ermahnte sie langsam zu gehen, und eilte voraus, um seiner Tochter zu befehlen, daß sie ein weiches Bett für den Kranken bereite. Neben= her schalt er sie aus, daß sie gefühllos an einem Nothlei= denden vorüber gegangen, der noch dazu auf ihrer Mutter Grabe gelegen. »Ach! es wäre nicht geschehen,« dachte Malchen, indem sie zitternd und schweigend ein bequemes Lager bereitete, »es wäre gewiß nicht geschehen, wenn er

nicht zuvor in der Kirche mich so angegafft hätte.» — Ein
reinliches Stübchen, mit Fenstern von Weinlaub umrankt,
war zur Aufnahme des Fremden bereit, als die gutmüthigen Bauern das Unglück über des Hauses Schwelle trugen.
Christian ließ sich zu Bett bringen. Seine bleiche Farbe, die
Wirkung durchspielter und durchschwelgter Nächte, unterstützte den Betrug. In abgebrochenen Worten unterrichtete
er den Pfarrer, daß er ein wohlhabender Kaufmann sei,
mit Namen Schneider; daß er eine geliebte Schwester
besessen, die an der Schwindsucht gestorben; daß er durch
allzutreue, unvorsichtige Pflege, sich Ansteckung zugezogen;
daß ihm die Aerzte zu einer Reise gerathen; daß aber die
Erschütterung, vielleicht auch der Kummer, zu heftig auf
seine kranke Brust wirkten, und daß er fühle, ihm sei Ruhe
und guter Menschen Trost vonnöthen, ehe er es wagen
dürfe, auch nur die nächste Stadt zu erreichen.

»Ruhe und guter Menschen Trost soll Ihnen in meinem Hause werden,» sagte der Pfarrer mit frommer Zuversicht, und sandte sogleich nach dem Wirthshause, um des
Fremden Wagen und Bedienten holen zu lassen. Dem Letz-
teren versiegelte ein Wink seines Herrn den Mund, und Alles
schien sich zu vereinen, um des Wollüstlings lasterhafte
Wünsche zu befördern. Vater und Tochter mühten sich um
die Wette, dem Kranken Hilfe zu leisten, und der Alte
bedauerte wohl zwanzigmal des Tages, daß seine gute Ma-
riane nicht mehr lebe, weil sie es so trefflich verstanden, Leidende sanft zu pflegen. Unter dem Vorwand Arznei zu holen,
sandte Christian den Bedienten nach einem nahen Städt-

chen, und ließ sich ein Bündel Fernambukholz bringen, das er verstohlen kaute, und dann in Gegenwart seines besorgten Wirths, nach einem trockenen Husten, rothgefärbten Speichel, als Blut von sich gab. So oft Malchen das sah, erblaßte sie, und helle Zähren traten in ihre schönen Augen. Das sanfte Mitleid, so oft der Liebe Vorläufer, bahnte ihr auch hier den Weg zu einem unerfahrnen Herzen. Der Tochter unschuldvolles Hingeben, des Vaters argloses Vertrauen, machten dem Bösewicht leichtes Spiel. Das arme Malchen wurde der Verführung Beute, ohne es zu wissen, und ohne einmal Gefahr zu ahnen. Diese reizende Unschuld, die er komische Einfalt nannte, war ihm so pikant, daß er, wider seine Gewohnheit, länger als zwei Monat Genuß in des Mädchens Armen fand. Der Alte freute sich herzlich seiner augenscheinlichen Besserung, und dankte Gott, daß er ihn gewürdigt, die Zahl der barmherzigen Samariter zu vermehren.

Vielleicht würde Christian noch länger seiner Bosheit Früchte ruhig genossen haben, wenn nicht bedenkliche Folgen, für Malchen noch ohne Bedeutung, ihm aber wohl bekannt, zur schnellen Abreise ihn bewogen hätten. Briefe aus seiner Vaterstadt meldeten ihm, wie er vorgab, den Tod seiner Mutter. Um die Erbschaftsangelegenheit mit Geschwistern, die er gar nicht hatte, auseinander zu setzen, war seine Gegenwart durchaus nothwendig. »Gott und Ihnen sei gedankt!« sagte er zu dem wackern Pfarrer, »daß ich, gänzlich wieder hergestellt, meine Reise fortsetzen kann.«

»Gott! nicht mir,« antwortete der Greis, »ich that nur meine Pflicht.«

Dem guten Malchen schwammen freilich, wo sie ging und stand, Thränen im Auge; doch der Schwur des Geliebten, daß er gleich nach vollbrachtem Geschäft zurückkehren, und als sein liebes Weib sie heimholen werde, beruhigte sie. Nur einen reichen Verwandten — so vertraute er ihr — hatte er noch zu schonen, und darum bat er sie, ihr Einverständniß vor der Hand dem Vater zu verschweigen, weil es sich nicht geziehme, daß er die erste Nachricht davon aus einem andern als des Freiwerbers Munde erfahre. Aus ähnlichen Gründen verlangte er, sie solle ihre Briefe nicht an den Kaufmann Schneider, sondern an seinen Bedienten adressiren, der sie von der Post abholen werde. Seine erste Antwort sollte auch die schriftliche Anwerbung bei ihrem Vater mitbringen.

So ergab sie sich mit ziemlicher Fassung in die kurze Trennung. Daß hier Falschheit möglich sei, kam ihr eben so wenig in den Sinn, als daß die Bibel auch wohl irren könne.

Mit einem Beutel voll Goldstücke wollte Christian des Pfarrers brüderliche Aufnahme und dessen nahen Jammer bezahlen; allein der Greis lehnte jedes Geschenk mit Ernst und Würde ab, und als sein Gast in den Wagen stieg, ertheilte er ihm seinen Segen mit solcher Herzlichkeit, daß nur ein verstockter Egoist unzerknirscht bleiben konnte. Malchen stand schluchzend am Fenster, und hob beide Hände für ihren Mörder betend zum Himmel hinauf. Einer gewissen Unbehaglichkeit konnte sich Christian dabei dennoch nicht erwehren, denn selbst der tiefste Schlaf des Gewissens ist nur Fieberschlummer eines Kranken, der sich auf seinem Lager wälzt. Erst als er das Dorf im Rücken hatte, schöpfte er freier Athem, und da die Stimme in der Brust noch immer nicht schweigen wollte, so lachte er überlaut, um jene zu betäuben. Beim ersten Pferdewechsel war Alles vergessen, nur nicht der Entschluß, die arme Betrogene nie wieder zu sehen, und keinen ihrer Briefe zu beantworten.

7. Die Schlachtopfer.

Mit so völlig ausgebildeten Anlagen trat der junge Herr Klumm auf's neue in seiner Vaterstadt auf. Eine vortheil=hafte Gestalt, ein oberflächliches Wissen, ein imponirender Ton, überraschten seine Mitbürger, entzückten die Mut=ter, täuschten die Braut. Ob der kluge Oheim der Letztern die wurmstichige Frucht in der glatten Schale nicht erkannt haben würde, ist eine Frage, die unentschieden blieb, denn schon seit mehreren Monden war der Biedermann zu sei=nen Vätern versammelt worden, und hatte seine liebens=würdige Nichte ganz verwaist, Herr seines großen Ver=mögens wie ihrer Person hinterlassen. Sie war ein sanftes Mädchen, mit mehr Herz als Kopf begabt, folglich zu einer vortrefflichen Ehefrau geschaffen, weil in einer glück=lichen Ehe der Kopf des Weibes zwar nicht fehlen, doch auch beileibe nicht die Hauptrolle spielen darf.

Die ohnehin abgekürzte Trauerzeit ausgenommen, stand Christians Wünschen kein Hinderniß im Wege; die Ver=

mählung mit der reichen Erbin wurde prachtvoll gefeiert, und der verschwenderische Wollüstling sah sich im Besitz eines schönen Weibes, deſſen anſehnliche Reichthümer keine verächtliche Zugabe waren, um ſo mehr, da ſeine Aus= ſchweifungen der Eltern Gut verſplittert hatten. Die Mut= ter, jetzt Witwe, wähnte ſich auf dem Gipfel eines längſt erträumten Glücks, und in der That übertraf die Gefäl= ligkeit der ſanften Schwiegertochter alle ihre Erwartungen. Hatte ſie aber gehofft, auch von Chriſtian den Lohn ihrer mütterlichen Zärtlichkeit zu ernten, ſo ſah ſie ſich bitter getäuſcht. Aus dem vergötterten Liebling einen Egoiſten zu bilden, war ja ſtets ihr unkluges Bemühen, und der vollen= dete Egoiſt vergalt es ihr jetzt durch tiefe Geringſchätzung. Seine Mutter war die erſte Magd im Hauſe; ihr Wort galt nichts, ihre Bequemlichkeit noch weniger als nichts. Bei Gaſtgeboten, die er häufig anſtellte, durfte ſie nicht einmal erſcheinen, weil ſie an einer Tafel, wo man gelehrt und witzig war, ihm Schande mache. Sie ſaß dann ein= ſam auf ihrem Zimmerchen, deſſen Fenſter in den Hühner= hof gingen, und aß was übrig blieb, wäre auch wohl bis= weilen ganz vergeſſen worden, hätte nicht die Schwieger= tochter, das fremde Kind, für ſie geſorgt. Mehr als ein= mal entſchlüpfte ſogar dem Böſewicht der Vorwurf, daß ſie das Gnadenbrot in ſeinem Hauſe genieße, ſie, die ſeinen eitlen Launen alles geopfert hatte.

So beweinte die arme Alte ihre Thorheit im Stillen, und ſeufzte zu Gott, daß er wenigſtens die Schwieger= tochter ihr erhalten wolle, die wahrlich auch nicht auf Ro=

sen sich gebettet hatte. Zwanzigmal des Tages mußte sie
von ihrem Manne hören, daß sie dumm sei, daß sie in
der großen Welt eine alberne Figur spiele, und er vor sei=
nen Gästen sich ihrer schämen müsse. Gern hätte er auch
sie von der schwelgerischen Tafel verbannt, hätte sie nicht
einmal, von Unmuth überwältigt, das Herz gefaßt, ihn
zu erinnern, daß, wo nicht Liebe, doch ihres Oheims
Gold ihr den Platz an seinem Tisch erkaufe. Diese abge=
drungene Bemerkung verschlimmerte zwar ihr häusliches
Verhältniß, hielt aber doch für's Erste den Uebermüthigen
vor der Welt im Zaume. Der Gattin liebendes Herz konnte
freilich der äußere Schein nicht befriedigen, und so wurde die
Frucht unter diesem Herzen mit stillem Jammer genährt.

Unterdessen kamen häufig Briefe aus dem entweihten
Wohnsitz der Gastfreiheit. Der schurkische Bediente trug
die Seufzer der Entehrten seinem Herrn treulich zu. An=
fangs klangen Malchens Briefe blos schwermüthig, allein
mit Hoffnung und Zuversicht auf des Geliebten Schwur,
schlossen sie alle. Nur zu bald folgten Klagen über sein un=
begreifliches Schweigen, Besorgnisse um seine Gesundheit,
tödtliche Angst um sein Leben. Dann wieder ein heiterer
Augenblick, denn sie hatte sich des drückenden Geheimnisses
gegen den Vater entladen, und der Greis — selbst zu red=
lich — hatte ihr mit einem Wahrlich! (das war sein
höchster, seltener Schwur) die Versicherung ertheilt: be=
trügen könne der Mann sie nicht, dem ihre Pflege das
Leben gerettet, dem ihre Unschuld sie vertraut habe.

Christian lächelte der frommen Einfalt und warf die

Briefe in den Kamin. Endlich schrieb sie zum letzten Mal: ihre Niederkunft sei nahe, und beschwor ihn, um des ungebornen Kindes willen, sie von Verzweiflung zu retten. »Mein alter Vater,« schrieb sie, »geht mit gefalteten Händen und starren Blicken im Hause umher. Begegnet er mir, so zwingt er sich zu lächeln; aber sein blasses Gesicht, sein hohles Auge, bezeugen seinen tiefen Jammer. Einmal habe ich ihn belauscht, als er in seinem Stübchen auf den Knien lag, und Gott mit Thränen bat, ihn seines Kindes Schande nicht überleben zu lassen. Diese Thränen brennen auf mein Herz; das Wort S ch a n d e klingt mir unaufhörlich vor den Ohren. Bald, bald muß es anders werden, oder ich verklage dich vor Gottes Richterstuhl!« —

Die Bewegung, welche dieser Brief — es war ihr letzter! — auf Christian hervorbrachte, glich dem Z o r n e. Hastig siegelte er ein Päckchen mit Dukaten zusammen, schrieb des Pfarrers Namen darauf, und gab es auf die Post. Jetzt verstrichen einige Wochen, in welchen er nichts mehr von dort vernahm, und das ließ ihn hoffen, mit der Rolle Dukaten sei nun Alles abgethan, und er werde an die flüchtige Galanterie nicht mehr erinnert werden. Nur Eine lästige Folge — so schien es ihm — war von jener Begebenheit zurück geblieben, nämlich die Unverschämtheit des Bedienten, der sich im Besitz mehrerer wichtiger Geheimnisse wußte, und, darauf pochend, sich unerträgliche Anmaßungen erlaubte. Lange ertrug der befehlende Schurke den dienenden Schurken, der nicht selten Drohungen verlautbarte; lange schmeichelte er ihm, und sah zu allen seinen Spitzbübereien durch die Finger, weniger besorgt, seine gute Frau durch eine solche Entdeckung zu kränken, als in dem Urtheil der Welt zu verlieren. Endlich aber machte der Kerl es doch zu arg. Da schloß sich Christian mit ihm ein, zahlte ihm seinen Lohn dreidoppelt, schwur ihm aber auch, daß er ihn ermorden werde, wenn er sich unterstehe, auch nur eine Silbe von jenem Abenteuer laut werden zu lassen. Und so jagte er ihn zum Teufel.

Zurückgehaltene Wuth machte den Bösewicht tobten-bleich, aber er grinste wie ein verstockter Mörder unter dem Galgen, und so verließ er seinen würdigen Herrn, ohne eine Silbe zu antworten.

»Ich weiß, du konntest den Menschen nicht leiden,« sagte Klumm am Abend zu seiner Gattin, »und darum habe ich ihn fortgejagt.« Das gute Weib war gerührt von diesem seltenen Beweis, wo nicht der Liebe, doch der Auf-merksamkeit für ihren jetzigen Zustand. So legte sie es aus, und auch dafür dankte sie dem finstern Manne mit einer herzlichen Umarmung.

Wirklich hatte des Menschen Entfernung auf ihre häusliche Ruhe Einfluß; sie wagte sogar zu hoffen, daß, von ihm geleitet, ihr Gatte oft härter geschienen, als er im Grunde sei. Diese Hoffnung gab ihr einige Heiterkeit, und da in den ersten Tagen eben nichts vorfiel, was den süßen Wahn zerstören konnte, so sah sie ihrer nahen Ent-bindung fröhlicher entgegen.

Aber eines Morgens — ihr Gatte war mit lustigen Brüdern auf die Jagd geritten — trat jener Bösewicht

plötzlich in ihr Zimmer, und überreichte ihr mit satani-
schem Lächeln einen Brief. Erschrocken, doch zu stolz,
gegen einen solchen Menschen ihre Bewegung zu verrathen,
warf sie einen Blick auf den Brief, den er ihr in die Hand
geschoben, und las die Adresse des Bedienten.

»Was soll ich damit?« sagte sie mit kaltem Ernst, »der
Brief ist ja an Ihn gerichtet?«

»Erbrechen Sie nur,« erwiederte der Mensch, »er ist
an Dero Herrn Gemahl; ich habe deren wohl schon zwanzig gebracht.« —

»Ist er an meinen Mann,« versetzte sie, »so gebührt
mir um so weniger, ihn zu erbrechen. Nehme Er ihn
zurück, und verlasse Er augenblicklich das Haus.«

»Wollen Sie ihn nicht öffnen,« antwortete der Kerl
gelassen, »so darf ich es doch, denn meine Adresse steht
ja darauf.« Mit diesen Worten nahm er den Brief, riß
das Couvert davon, warf ihn höhnisch auf den Tisch, verbeugte sich noch höhnischer, und verschwand.

Die junge Frau stand betäubt, warf das Auge schüchtern auf den unglückschwangern Brief, und entwich in das
nächste Zimmer, als ob sie der Gefahr, ihn zu lesen, entrinnen wollte. Bald aber suchte sie sich zu überreden, es
sei wohl nur ein Schurkenstreich von dem weggejagten
Bedienten, den müsse sie ihrem Manne verheimlichen, ihm
Aergerniß ersparen, und, um das zu können, sei es doch
wohl nothwendig, den Brief zu lesen, damit man doch
erfahre, was der Kerl eigentlich im Schilde führe. So

ihrer Neugier einen Vorwand leihend, kehrte sie zurück, und ergriff das unselige Blatt. Es war von Malchens Vater.

»Ich schreibe diese Zeilen," hub er an, »zwischen dem Sarge meiner Tochter und der Wiege ihres Kindes. Die arme Mutter ist unter schweren Leiden, doch selig verstorben, denn Gott hat mir Kraft gegeben in der Stunde der Anfechtung, daß ich durch Gebet und Trost ihre Seele von Verzweiflung gerettet habe. Nun liegt sie neben mir und lächelt im Schlafe, denn sie hat überwunden und ihrem Mörder verziehen. Amen! Friede sei mit ihrer Asche!"

»Aber in seiner Wiege lächelt auch das schlafende Kind, unwissend zu welchem Jammer es geboren worden. Ich habe es durch die heilige Taufe der Barmherzigkeit Gottes empfohlen; nicht allein mit Wasser, auch mit Thränen habe ich es getauft; es waren die letzten, die ich vergossen, denn jetzt weine ich nicht mehr, und halte der züchtigenden Hand Gottes stille. Er hat gegeben, er hat genommen, sein Name sei gelobt! — Sie, mein Herr, habe ich lange todt geglaubt, denn ich meinte, ein Mensch, der zu solchem Jammer schweigt, ist gewißlich todt; und davon habe ich auch die Selige überredet, daß sie freudiger gestorben ist. Nun aber kommt mir Geld, ich weiß nicht woher; das machte mich stutzen, ich ahne Böses. Darauf berichtet mir ein Ungenannter, daß Sie sich bereits vermählt."

»Ich will nicht richten — Gott richte zwischen dieser Leiche und Ihnen! — In unlöblicher Aufwallung wollte ich das Sündengeld zurücksenden; aber darf ich es dem Kinde rauben? — Als einen Noth = Pfennig lege ich es zurück, denn es ist vielleicht die erste und letzte Gabe, die es von einem Vater empfängt, der ihm keinen Namen gab. So lange Gott, um meinen Gehorsam zu prüfen, mir noch das Leben fristet, soll es dem Kinde an nichts fehlen, und ich will es in der Furcht des Herrn erziehen. Aber ich bin arm, und wenn Gott mein Flehen um einen baldigen Tod erhört, so bleibt das Kind bei den Lilien auf dem Felde, bei den Vögeln unter dem Himmel. Getrost! auch da wird der himmlische Vater es kleiden und speisen! — Doch meine Pflicht erheischt, Ihnen, mein Herr, von alle dem Meldung zu thun. Ich werde Sie mit keinem zweiten Briefe belästigen. Haben Sie noch nicht ganz die Menschheit ausgezogen, und wollen Sie keinen Fluch auf Ihre Ehe laden, so werden Sie die Stimme der Pflicht hören."

»Morgen begrabe ich meine Tochter, und wenn der Sarg in die Gruft hinabschurrt, und wenn ich segnend die letzte Hand voll Erde darauf werfe; so will ich auch das Schwerste vollbringen, und für den Zerstörer meines stillen Glücks beten, daß Gott sein Herz erweiche."

Tief erschüttert sank die junge Frau zurück auf dem Sofa — jede Nerve bebte, ein Fieberschauer ergriff sie heftig; sie weinte, aber keine Thränen erleichterten die beklommene Brust. Ach! es ist schon hart genug, wenn man dem Gefährten des Lebens keine Achtung schenken kann, aber zehnfach schrecklicher, wenn man plötzlich einen Gegenstand des Abscheus in ihm erblicken muß. Ihre Einbildungskraft arbeitete fürchterlich; immer stand sie zwischen dem

Sarge und der Wiege; immer hörte sie den Fluch, den der unglückliche Vater ihrer Ehe drohte. — „Ach!" rief sie schluchzend, »der Fluch ist schon in Erfüllung gegangen! aber warum an mir! an mir!"

Drei einsame Stunden so verjammert und verwimmert, zerrütteten Seele und Körper so gewaltsam, daß sie gegen Abend die Vorboten einer beschleunigten Niederkunft spürte, und bald nachher unter unaussprechlichen Leiden ein todtes Kind zur Welt brachte, welchem der Arzt durch die sorg= fältigsten Bemühungen den schwachen Lebensfunken kaum wieder anzufachen vermochte.

Jetzt kam Herr Klumm halbberauscht nach Hause, erfuhr die Niederkunft seiner Frau, das schwache Leben seines Kindes, und taumelte vor das Bett der Wöchnerin. Durch einen Blutfluß, den keine Mittel stillen konnten, war sie bereits eine halbe Leiche. Christian wurde doch nüchtern, als er sie erblickte. Sie winkte den Umstehenden, hinaus zu gehen, zog des Pfarrers Brief aus ihrem Busen, und überreichte ihn dem Manne. Er stand vom Blitz ge= troffen und murmelte einen Fluch zwischen den Zähnen. Doch es gibt Augenblicke, in welchen die verworfensten Menschen unter der scharfen Klaue des Gewissens zucken. Nicht der unverschämteste Egoismus, nicht der betäubende Glaube an ein Dasein ohne Gott, rettete Christian jetzt von einer Erschütterung, die sein Eingeweide zusammen= schnürte, und alles Blut aus den Wangen zu dem ver= stockten Herzen trieb. Der Jammer des Greises, der so

XV. 4

einfach rührend aus dem Briefe heraufstöhnte, und das
Wimmern der halben Leiche, die vor ihm lag, packten ihn
so gewaltig, daß er vor dem Sterbelager in die Kniee sank,
und die Hand der Dulderin krampfhaft in die seinige schloß.

„Du bist erschüttert," sagte sie leise, »Gottlob! —
Dieser Sturm wird deine Seele reinigen. Mache wieder
gut, was du vermagst. Hole das Kind und erziehe es mit
dem unserigen. Versprich es mir in meine kalte Hand."

Er versprach, er schwur, stürzte hinaus, verschloß sich
in sein Zimmer, warf sich auf's Bett, und fühlte zum
ersten Male, daß ein Gott ist, dem kein Bösewicht ent=
rinnt. Dumpfbrütend lag er so bis nach Mitternacht, da
wurde leise an seine Thüre geklopft, und er hörte vernehm=
lich schluchzen. »Was gibts?" rief er mit rauher Stimme.

»Ach!" jammerte draußen die alte Mutter, »ich bringe
dir das letzte Lebewohl von deiner guten Frau!" — Er
sprang auf und öffnete die Thür. Die Alte wankte herein,
fiel kraftlos auf den Sessel, und Thränen herber Wehmuth
verstatteten ihr kaum den Bericht zu wiederholen, daß ihre
gute Schwiegertochter ausgelitten habe. Kurz vor ihrem
Ende habe sie noch einmal nach ihm verlangt, doch den
Wunsch sogleich widerrufen, dann einen Brief verbrennen
lassen, die Hände gefaltet, und kaum noch vernehmlich
diese letzten Worte gesprochen: »er hat geschworen — er
wird es halten."

Christian hielt sich an den Pfosten seines Bettes, und
gräßlich war der Anblick des zweifachen Mörders. Ein
Grinsen verzerrte sein todtenbleiches Gesicht, von schwar=

zen, ſtruppichten Haaren beſchattet; auf ſeiner blauen Lippe
ſtand ein Schaum, und ſeine Knie ſchlotterten. Er forderte
endlich Wein, ſtürzte eine Flaſche hinunter, rannte aus
dem Hauſe, und ſuchte im Schneegeſtöber einen finſtern
Tannenwald — da wurde ihm beſſer.

8. Der ehrliche Mann.

Wohl mag der Sturmwind einen See aufrühren, den
Schlamm aus der Tiefe heben, daß er in dicken Wellen
wogt; doch iſt der Sturm vorüber gebrauſt, ſo ſenkt der
Schlamm ſich wieder zu Boden, und die Molche rühren
ſich wie zuvor. Chriſtians Herz glich einem ſolchen See.
Kaum war die gute Frau begraben, kaum hatte er aus
ſeinem Hauſe Alles verbannt, was nur läſtige Erinnerun=
gen an die Verſtorbene erzeugen konnte; ſo fing er auch
ſchon an, ſeiner eigenen Schwachheit zu ſpotten. Zwar in
den erſten Tagen gedachte er noch bisweilen ſeines Schwures,
und des verlaſſenen Geſchöpfs, dem er in der Fremde das
Daſein gab, ſetzte ſich auch wirklich einmal nieder und
ſchrieb einen höflichen Brief an den Pfarrer, in welchem
er des Kindes Verſorgung übernahm; als er aber den
Brief verſiegeln wollte, drängten ſich klügere Betrachtun=
gen ihm auf. »Was ſoll ich mit dem Kinde machen? unter
welchem Namen ſoll ich es erziehen? was wird die Welt
davon urtheilen? und, wenn es heran wächſt, welche
Bürde! — Oder welch ein Schickſal kann ich ihm berei=
ten? überall wird ſeine zweideutige Geburt ihm im Wege

4 *

50

stehen. Besser, es bleibt wo es ist, der alte Großpapa wird schon dafür sorgen, daß es zum Soldaten oder zu einer tüchtigen Haushälterin erzogen werde. Ist es ein Bube, Futter für Pulver, wie Fallstaff sagt. Ist es ein Mädchen, so frage ich wohl einst nach ihr, und gebe ihr ein Stück Geld, mit dem sie eines armen Pächters Wirthschaft aufhelfen kann." So zerriß er den Brief, und schlug es vor der Hand sich aus dem Sinne.

Bald fand er auch, daß der Tod seiner Frau eine Wohlthat für ihn gewesen. Ihrer Reize war er ja ohnehin längst überdrüssig; von ihrem Vermögen blieb er durch das Kind unumschränkter Erbe, und die Vorstellungen, die ihre Sanftmuth dann und wann sich erlaubte, belästigten ihn nun nicht länger. So wurde sie dann von Niemand mehr vermißt, außer von ihrer alten Schwiegermutter, die jetzt ganz allein in ihrem Hinterstübchen saß, von dem Gesinde im Hause nachlässig versorgt wurde, oft in mehreren Wochen des Sohnes Antlitz nicht sah, und keine andere Freude hatte, als mit der kleinen Enkelin zu spielen, um deren Gegenwart sie doch nicht selten vergebens bat, weil die hübsche eigensinnige Wärterin aus leicht zu erachtenden Gründen, mehr im Hause galt, als die Großmutter. Das währte denn auch nicht lange, so zehrte der Gram das Bischen Lebenskraft vollends auf, und die für ihre Thorheit hart bestrafte Alte entschlummerte in den Armen einer Magd.

Dadurch sah Herr Klumm sich auch vom letzten Zwange befreit, und lebte nun ganz nach seinem Gelüste. Bei offener Tafel in seinem Hause, bei Spiel, Trunk und

Wollust, verschwelgte er Tage und Nächte. Um Ottilien, seine Tochter, bekümmerte er sich wenig, ließ das Kind unter den Domestiken, gab dessen Erziehung dem Zufall Preis. Doch eben der Zufall meinte es besser mit dem armen Mädchen, als der Vater. Eine edle Französin, die Witwe eines ausgewanderten Offiziers, durch Armuth gezwungen, Dienste zu suchen, übernahm Ottiliens Bildung, wurde dem Kinde eine zweite Mutter. Hätte das Schicksal ihr vergönnt, die Erziehung zu vollenden, Ottilie würde das Muster ihres Geschlechts geworden sein, denn es fehlte ihr an keiner Anlage zur Vortrefflichkeit. Aber noch hatte sie das vierzehnte Jahr nicht erreicht, als der Tod ihr auch diese Stütze raubte, und der Vater hielt für überflüssig, die Stelle zu ersetzen; denn er hörte ja, daß seine Tochter sehr gut französisch sprach; er sah, daß sie sich mit Geschmack zu kleiden wußte; was bedurfte es mehr? — Zum Glück hatten Lehre und Beispiel der Entschlafenen so tief in der jungen Brust gewurzelt, daß des Vaters Mehlthau ihre schönen B l ü t e n wohl dann und wann vergiften, doch dem gesunden S t a m m e nicht mehr schaden konnte.

Seine unbesonnene Verschwendung hatte endlich auch die reiche Erbschaft seiner Frau erschöpft, und mit Schrecken sah er auf dem Boden seiner Kasse einen Ueberrest, der zwar für einen genügsamen Hausvater noch immer hinreichend gewesen wäre, ein stilles, bequemes Leben zu führen, der aber, bei s e i n e r Wirthschaft, höchstens noch ein Jahr den Untergang verzögern konnte. Der Gedanke, in seiner Vaterstadt (wo man, wie überall, einen Jeden ehrte, der

sich Ehre zu erkaufen wußte) in Zukunft eine unterge=
ordnete Rolle zu spielen, war ihm unerträglich, und er
sann Tag und Nacht auf Mittel, dieser Vernichtung
zu entgehen.

Bis jetzt hatte er seine Ungebundenheit nie durch einen
Dienst im Staate verlieren wollen; denn er sah ja täglich,
daß der nützlichste Mensch weniger geachtet wird, als der
reiche Tagedieb, der — außer der Kunst, zu verzehren,
was Andere fleißig erwarben — nichts versteht. Doch nun
blieb ihm keine andere Aussicht übrig. Zwar konnten seine
Kenntnisse ihm keinen Anspruch auf Staatsämter leihen,
und selbst die dürre Philosophie, die ihn einst so stolz über
Jeden erhob, der durch irgend eine praktische Wissenschaft
nützlich zu werden strebte, hatte er längst vergessen. Allein
darauf kam es ja auch nicht an. Er kannte die Residenz
und die schöne breite Heerstraße, die dort zu Beförderun=
gen führte. Als nun der alte Bankdirektor in seiner Vater=
stadt starb, kehrte er sich nicht daran, daß der vieljährige
Gehilfe desselben, ein wackerer Greis, der allgemeinen
Sage zufolge, die erledigte Stelle erhalten werde, weil er
sie redlich verdient habe, sondern er raffte ganz im Stillen
die Trümmer seines Vermögens zusammen, reiste damit
in die Residenz, und kam nach wenigen Wochen, zum
Erstaunen seiner Mitbürger, als Bankdirektor zurück. Der
brave Alte, den er vom Amte verdrängt hatte, wurde bald
durch Kummer auch aus der Welt verdrängt. Nun stand
er allein, an der Spitze von Geschäften, die einen ehr=
lichen Mann im ganzen Sinne des Wortes fordern, und

er selbst begriff wohl, daß, um das theuer Erworbene ruhig
zu genießen, er wenigstens ehrlich scheinen und für ehr=
lich gelten müsse, denn mehr ist leider in der Welt nicht
nöthig. Darum entwarf er jetzt einen andern Lebensplan,
der um so leichter ihm auszuführen wurde, da manche
Sünde schon freiwillig den Erschöpften verlassen hatte.
Ein stilles, bequemes Wohlleben trat an die Stelle der
Schmausereien; Begierde, zu den Matadors der Stadt
gerechnet zu werden, an den Platz der Wollust. Diesen
Zweck zu erreichen, gab ihm seine kalte Schlauheit manche
Mittel an die Hand. Er that Gutes, wenn er sicher war,
daß es nicht verborgen bleiben werde; er half mit den ihm
anvertrauten Geldern einem verarmten Kaufmann wieder
auf, der mit der halben Stadt verwandt, und von der
ganzen Stadt geliebt war; er subscribirte zu Luther's Denk=
mahl, und brachte in Kriegsnöthen dem Staate ein patrio=
tisches Geschenk; er kaufte sich einen Kirchenstuhl, ließ sich
oft mit erbaulichen Geberden darin erblicken, und bat
auch dann und wann die Herren Geistlichen zu Gaste.

Kaum hatte er das einige Jahre so getrieben, so war
kein Mann so ehrlich im ganzen Lande, als der Bankdirek=
tor Klumm. Denn die Menschen vergessen das Böse wie
das Gute; dieses freilich schon heute, jenes aber doch auch
morgen oder übermorgen, und wer nur Jahre lang, trotz
aller Widersprüche, Geduld hat, fort zu schreien: ich bin
ein ehrlicher Mann! dem glaubt man's endlich, hätte
er auch gleich seine Mutter ermordet.

Indeffen wurde Herr Klumm bald genug gewahr, daß die rechtlichen Einkünfte seines Amtes zu dem bequemen Wohlleben nicht hinreichten. Der Eltern wie der Gattin Erbe war verschleudert, das Spiel ihm untreu geworden, vertrug sich auch nicht mit seiner jetzigen Ehrenfestigkeit. Doch er mußte Mittel, sich zu helfen, und wenn die Zukunft dann und wann ihm Sorgen zu machen drohte, so warf er einen Blick der Hoffnung auf seine hübsche Tochter. Die väterliche Eitelkeit überredete ihn leicht, daß es solchen Reizen, solchen Talenten nicht fehlen könne, den reichsten Mann im Lande zu erobern, der sodann jede Wunde, welche die Noth der Pflicht geschlagen, durch Goldtinktur leicht heilen werde. Darum lebte er wohlgemuth d'rauf los, und weil Jedermann von dem ehemaligen Reichthume seiner Eltern, wie von der Mitgabe seiner Frau unterrichtet war, so wurde er allgemein für einen sehr wohlhabenden Mann gehalten.

In diesem Irrthum ließ er auch Ottilien, versagte ihr keinen Wunsch, gewöhnte sie viel zu brauchen, und wandte große Kosten auf Ausbildung ihrer Talente, größere noch auf äußern Schmuck ihrer Reize.

Nicht väterliche Liebe machten ihn so freigebig; seine Empfindung glich der Sorge eines Gärtners für Früchte, die er verkaufen will. Daß Ottilie auf diese Weise ein wenig eitel, stolz und sorglos werden mußte, ist begreiflich, und, Dank sei es ihrer wackern Erzieherin, daß sie nicht schlimmer wurde.

Die Zeit war nun gekommen, wo Herr Klumm seine Tochter, und mit ihr seine Pläne reifen sah. Er musterte im Stillen die heirathsfähigen Jünglinge, und seine Blicke haffteten auf dem Kammerassessor von Stolzenbeck. Dieser junge Incroyabel war der Sohn eines Ministers aus der Residenz, der, um Gewandtheit in Geschäften zu erlangen, auf einige Jahre in die Provinz geschickt worden, und der noch nicht recht mit sich einig war, ob er seinen Uebermuth mehr auf des Vaters Rang und Reichthümer, oder auf seine eigene Gestalt und auf seinen ansehnlichen Backenbart gründen sollte. Der Bankdirektor hingegen war vollkommen mit sich einig, seinen Plan blos auf das erstere zu gründen. Gelang es ihm, Ottilien mit diesem Manne zu vermählen, so war er geborgen; denn des Ministers Ansehen schützte ihn vor Verantwortlichkeit, und, im schlimmsten Falle, mußte das verschwägerte Haus um der Ehre willen ihn retten. Freilich sah er, vor dem Einlaufen in diesen Hafen, noch manchen Sturm voraus; der ahnen‑stolze Minister konnte und mußte eine Verbindung seines Sohnes mit Mamsell Klumm sehr ungebührlich finden: aber der schlaue Rechner baute auf die ungeheure Eitelkeit des jungen Herrn, die ihn sicher in das Netz verstricken werde, und sei es ihm nur einmal über den Kopf gewor‑fen, so werde seines Vaters Affenliebe den Ahnenstolz auch wohl zufrieden sprechen.

Herr Klumm zog unvermerkt den Kammerassessor in in sein Haus, behandelte ihn mit großer Auszeichnung, schmeichelte seiner Eitelkeit, brachte ihm oft sogar das

schwere Opfer des eigenen Egoismus. Ottilien unterrich=
tete er von seinem Plan, in so fern er sie anging, munterte
sie auf, durch seine Koketterie den Gimpel in's Netz zu
locken, und pries das Glück ihrer Zukunft, wenn es ihr
nach Wunsch gelänge. Mehr als diese Vorstellung wirkte
bei Ottilien die Versicherung, daß auch ihres Vaters Glück
an dieses Band geknüpft sei (obgleich sie das nicht recht
begriff), und da ihr Herz noch völlig frei war, so lieh sie
sich, wiewohl nicht ohne ein geheimes Widerstreben zu
dem falschen Spiele, that aber bei weitem nicht so viel,
als ihr Vater täglich begehrte. Doch auch das wenige,
was tiefgewurzelte, jungfräuliche Sittsamkeit ihr zu thun
erlaubte, war mehr als hinreichend, um einen Gecken zu
fesseln, und die süße Ueberzeugung ihm einzuflößen, das
schönste Mädchen in der Stadt habe sich sterblich in ihn,
den schönsten Mann, verliebt. Natürlich glaubte auch er
von Amors Pfeil verwundet zu sein, denn — rief er oft
mit Achselzucken — Liebe erzeugt Gegenliebe. Mit
jedem Tage wurde die Verbindung enger; mit jedem Tage
rückte Herr Klumm näher an das Ziel seiner Wünsche. —
So standen die Sachen, als Theodor Ottilien eine Vor=
lesung über die Sternkunde hielt.

---

9. Die Freunde.

Nicht schreitend, sondern schwebend, und jede Straßen=
laterne für eine Sonne haltend, kam Theodor spät in der
Nacht nach Hause. Der alten Magd, die auf sein ungestü=
mes Klopfen ihn einließ, drückte er einen harten Gulden in

die Hand, und als sie, dankbar für die ungewohnte Gabe, ihm auf die Treppe hinauf leuchtete, umarmte er sie auf der letzten Stufe. Dann betrat er mit großem Geräusch das Zimmer, wo sein Stubengefärte, Florio, schlief, warf sich zu dem auf's Bett, ergriff den Schlafenden bei den Schultern, und schüttelte ihn gewaltig. Der starke Florio, betäubt erwachend, griff ihm sogleich nach der Gurgel, schrie Mörder! Diebe! und schleuderte ihn aus dem Bett.

Als er endlich seinen Irrthum gewahr wurde, rief er mit komischem Zorn: „Zum Teufel, Herr Doktor! welch ein Fieber = Paroxysmus hat dich ergriffen?"

„Ja, Florio, ein Fieber, das meiner Kunst spottet, und das ich auch nicht heilen möchte, wenn die Kur mich gleich zum ersten Leibarzt machen könnte. Ich liebe — ich liebe! ich liebe!!"

„Halt! halt! es ist an Einem Male genug. Armer Theodor! bist du endlich auch ein Narr geworden?"

„O laß mich dir den Gegenstand beschreiben —"

„Gott bewahre! ich kenne den breiten Stil der Verlieb= ten. Da würden wir vor Morgen früh nicht fertig, und ich bin sehr schläfrig. „Ueberdies weiß ich auch schon Alles."

„Du weißt?"

„Ohne Zweifel. Ist es nicht ein Mädchen schön wie ein Engel?"

„Ja."

„Klug wie Minerva?"

„Allerdings."

»Die Krone aller hiesigen Frauenzimmer?«

»Ganz gewiß.«

»Nun siehst du, daß ich sie schon kenne, d'rum gute Nacht, morgen thue ich dir wohl den Gefallen das übrige zu hören.«

„Aber morgen mit dem Frühesten muß ich meine Pa= tienten besuchen.«

»Das thu' um Gottes willen nicht! morgen schlägst du sie Alle todt.«

Vergebens wickelte Florio den Kopf in die Kissen und fluchte auf die Liebe, den gebornen Feind des Schlafs. Theodor ließ ihm keine Ruhe, er mußte hören, und zwan= zigmal das nämliche hören, und ergab sich endlich geduldig in sein Schicksal.

Da Theodor ihm nichts erzählen kann, was der Leser nicht schon wüßte, so wird es gut sein, diesen Florio, und seine Verhältnisse zu dem jungen Arzt, unterdessen näher kennen zu lernen.

Theodor war ein Waise, dem ein redlicher Vormund von einem kleinen Vermögen gerade so viel erhalten hatte, daß er davon studiren konnte. Mit seiner kümmerlichen Lage vertraut, und an Entbehrung jeder Art von Jugend auf gewöhnt, schlüpfte er an der Hand der Musen wohlge= muth über des Mangels Dornenpfade hinweg, und weder sein Beutel noch sein Fleiß erlaubten ihm, sich den Zirkeln der lustigen Brüder beizugesellen. Er gehörte zu keiner Landsmannschaft, zu keinem Orden, wich häufigen Ein= ladungen klüglich aus, wurde deshalb geneckt, gehaßt;

vermied forgfam alle Händel, konnte aber dennoch diefem Schickfal nicht entgehen. Denn als er eines Tages auf öffentlichem Markte von einem betrunkenen Ordensbruder vorfätzlich befchimpft wurde, lief die Galle ihm über, und durch einen derben Fauftfchlag rächte er die Ungezogenheit. Alfobald wurde er zum Zweikampf gefordert, den er, nach den unfeligen Begriffen von Studenten = Ehre, nicht aus= fchlagen konnte. Man beftimmte ihm ein Dorf zum Sam= melplatz. Er ging mit fchwerem Herzen, obfchon er den Degen zu führen verftand. Er ging allein, denn er gehörte Niemanden an. Als er die bierduftende Wirthsftube betrat, fand er die fämmtlichen Ordensbrüder fchon halb beraufcht verfammelt. Man empfing ihn mit fchnödem Hohn; man erfuchte ihn, einen Winkel einzunehmen, und fo lange zu warten, bis der angefangene Landes = Vater geendigt fei. Mit peinlichem Gefühl fetzte fich Theodor, fah dem Unwefen zu, und heftete fein Auge befonders auf den Gegner, der ihn mit fcheuen Blicken maß; ja, deffen blaße Farbe verrieth, daß fein neulicher Uebermuth nur eine Wirkung des Raufches gewefen.

Die ältern Renomiften tranken dem jungen Bruder fleißig zu, um deffen Muth zu ftärken. Während des Ge= lags trat noch ein Student im Jagdkleid mit der Flinte herein, und wurde mit lautem Jubel bewillkommt, denn er war der liederlichften Einer, als folcher allgemein bekannt, und gerade von ihm hatte fich Theodor immer am forgfäl= tigften entfernt gehalten. Er trank fogleich zum Willkom= men drei Birkenmeier aus, warf fich zum Vorfänger

auf, und nahm von Theodor im Winkel gar keine Notiz.
Als endlich die durchlöcherten Hüte von dem Degen wieder
herabgesunken waren, schritt man zu dem blutigen Ge=
schäfte, zu dem die Versammlung sich eingefunden. Jener
Liederliche, den blos der Zufall hergeführt, hatte nichts
davon gewußt, und maß mit großen Blicken jetzt zum er=
sten Male den einsam stehenden Jüngling. Als die Gegner
sich zum Zweikampf stellten, nahmen die übrigen dampfend
und schweigend auf den Bänken rings umher Platz, und
das Gefecht begann.

Theodor bemerkte sogleich, daß er seinem Feinde über=
legen war, doch fest entschlossen, nicht mehr zu thun, als
seine Ehre und eigener Schutz erforderten, schränkte er sich
so lange auf bloße Vertheidigung ein, bis ihm irgend eine
Blöße einen sichern Stoß nach des Gegners Arm erlauben
würde. Als die Ordensbrüder gewahrten, daß ihr Neuling
sich eben nicht mit Ehren aus dem Handel ziehen werde,
riefen sie ihm von allen Seiten zu: »halt dich brav! rück
ihm auf den Leib! stoß zu! renn ihn durch und durch!« —
und das trieben sie so arg, daß ihr Geschrei endlich in ein
Gebrüll ausartete, wodurch Theodor, der sich ganz allein
unter dieser Horde befand, nothwendig die Fassung ein
wenig verlieren mußte.

In dem Augenblicke, da er das fühlte, und dies Ge=
fühl ihn noch verwirrter machte, hörte er eine gewaltige
Baßstimme, die das ganze laute Chor plötzlich durch den
Ausruf zum Schweigen brachte: »halt! wer noch ein=
mal das Maul aufthut, der ist ein Schurke!«

Alle verstummten, Theodor sah sich nach den Brüller um — es war der Bruder Lieberlich im Jagdkleide, der nach einer Pause fortfuhr: »wir sind unserer mehr als zwanzig, der Herr ist ganz allein. Er hat sich gestellt, wie es einem braven Burschen geziemt; nun laßt ihn in Ruh, oder, hole mich der Teufel! ihr habt's mit mir zu thun!«

Niemand antwortete, keine Stimme erhob sich mehr. Theodor ritzte seinen Gegner in den Arm und die Sache war abgethan. Der löblichen Sitte gemäß, mußte er nach=her mit sämmtlichen Anwesenden Brüderschaft trinken. Als er an den Jäger mit der Stentor = Stimme kam, schüttelte ihm der die Hand, und sagte: ich heiße Florio; und seit diesem Augenblick trug Theodor den Namen Florio im Herzen.

Die Jünglinge näherten sich einander, trotz der Ver=schiedenheit ihrer Neigungen, und Theodor erkannte in der rauhen Rinde ein Herz, wahrer Freundschaft fähig und würdig. Florio war auch eine Waise, hatte sich auch durch die Welt geschlagen, aber ein heißes Blut, ein ungebun=dener Geist, hatten ihn auf Abwege geführt. Er sollte Theologie studiren, das war ihm unmöglich. Er versuchte es Reih herum mit allen Fakultäten; es gelang in keiner, weil man in allen Kollegien eine ganze Stunde sitzen mußte, welches er kaum dann auszuhalten vermochte, wenn er seinen Pudel bei sich hatte, den er zum Zeitvertreib in die Ohren kneipen konnte.

Endlich entdeckte er, daß ihm die Natur das Organ der Tonkunst in einem hohen Grade verliehen, denn in die=

ser Wissenschaft allein schmiegte sich sein Genie in Bande
der Regeln und des Fleißes. Er brachte es in Kurzem so
weit, daß der Entschluß immer fester bei ihm wurde, seinen
künftigen Unterhalt durch diese Kunst zu erwerben. Sie
war zugleich ein Band, das ihn näher an Theodor knüpfte,
denn dieser — ein Schwärmer für Musik — blieb der
Einzige, der ihm unermüdet Stunden lang zuhörte, wenn
er auf dem Flügel fantasirte.

So lebten sie zwei Jahre mit einander, und ihre
Freundschaft wurde immer enger. Zwar gelang es dem stil-
len Theodor nicht, seinen Freund von der lustigen Brüder-
schaft ganz abzuziehen, eben so wenig, als dieser ihn zum
Mitgesellen anzuwerben vermochte: aber dennoch suchten
sich beide immer wieder, wenn der Eine vom nächtlichen
Schwärmen, der Andere vom nächtlichen Fleiß erschöpft,
Erholung bedurfte.

————

10. Das Taschenbuch.

Als nun die Zeit heranrückte, wo Beide die Universität
verlassen sollten, und Theodor für die Zukunft nur sehr
geringe Aussichten, Florio aber noch gar keine hatte; da
trug es sich eines Tages zu, daß ein junger Graf, der nebst
seinem Bruder, auch zu den akademischen Bürgern gehörte,
beim Baden ertrank. Die Brüder liebten sich, der übrig-
bleibende war trostlos, wenn gleich, durch des Bruders
Tod, die Aussicht, ein regierender Herr zu werden, sich
ihm öffnete. Sein Kummer schien so tief und rührend in
seine Züge gegraben, daß Florio, der ihm zufällig einst

begegnete, schnell und bewegt nach Hause eilte, dort einige
Strophen weniger dichtete, als aus bewegtem Herzen ein=
fach niederschrieb, und sie dann mit einer Melodie beglei=
tete, die, sanft klagend, Jeden, der sie hörte, mit Wehmuth
füllte. Gedicht und Musik waren der reine Erguß seiner
Empfindungen, er hatte nichts damit beabsichtigt, als sei=
ner eigenen Rührung Luft zu machen. Um so mehr er=
staunte er, als der Graf einige Tage nachher ihm ein Ge=
schenk zusandte, nebst einem herzlich dankenden Billet.

»Den Streich hast du mir gespielt," sagte er zu Theo=
dor, und hatte es errathen; denn, von der gelungenen
Kleinigkeit entzückt, meinte Theodor, dem trauernden
Grafen (der selbst Musik liebte und verstand) werde sie
noch weit höhern Genuß gewähren, und hatte gleich an=
fangs vergebens darauf bestanden, daß Florio sie ihm
schicken sollte. »Ich bin ein armer Teufel, das sähe aus
wie eine Bettelei," war Florio's Antwort. — Da nun
Theodor ihn durchaus nicht überreden konnte, so erlaubte
er sich den kleinen Verrath, das Blatt heimlich abzuschrei=
ben, und es durch die dritte Hand an den Grafen zu bringen.

Fast wäre Florio im Ernste böse geworden, nur die
Delikatesse, mit welcher des Grafen Billet geschrieben war,
beruhigte ihn wieder; allein das Geschenk an Gelde nahm
er durchaus nicht an, und selbst ein artiges Taschenbuch
erst nach langem Weigern. Dies Benehmen machte ihn
dem Grafen interessant, der ihn zu sich einlud, ihn kennen
lernte, spielen hörte, und so großes Behagen an seinem

XV.   5

Umgang, wie an seinem Spiele fand, daß er ihm vor=
schlug, ihn mit sich zu nehmen, und in seiner kleinen Resi=
denz mit reichlichem Gehalt bei seiner Hofkapelle anzustel=
len. Theodor wünschte ihm Glück dazu. Florio schüttelte
den Kopf: »da soll ich wohl mit dem Haarbeutel bei Hofe
erscheinen? und aufspielen, wenn die gnädigen Herrschaften
speisen? Lieber wollte ich mit böhmischen Musikanten auf
Jahrmärkten herumziehen.«

Vergebens stellte sein Freund ihm vor: es sei doch ein
gewisses Stück Brot. »Brot! Brot!« wiederholte er hastig,
»gehörst du auch zu den Alltagsmenschen, die da meinen,
man sei geborgen, wenn man nur Brot genug hat? Als
wäre immer nur vom M a g e n die Rede, nie vom K o p f e,
nie vom H e r z e n? — Unmäßig essen oder gar nicht essen,
das gilt mir gleich. Und dann — die Grafschaft liegt in
Osten, du ziehst nach Westen; so müßten wir uns ja auf
ewig trennen? da sei Gott für! — So lange du mir bleibst,
was du jetzt mir bist, so lange gehe ich dir nicht von der
Seite.«

»Aber ich? was kann ich für dich thun?«

»Was du bisher gethan; mir das Leben froh machen.
Kurz und gut, dem Herrn Grafen großen Dank; er mag
sich einen andern Geiger für seine Kapelle suchen.«

Und dabei blieb es. Florio zog mit Theodor in dessen
Vaterstadt. Er wußte, daß der Freund, dessen ausübende
Kunst anfangs noch keinen goldenen Boden hatte, ihn
nicht unterstützen konnte, und hätte er das nicht gewußt,

so wäre er nicht mit ihm gezogen; er rechnete darauf, sein
Talent geltend zu machen, in der Musik zu unterrichten,
in Concerten sich hören zu lassen. Er hatte sich auch nicht
verrechnet, denn kaum war ein halbes Jahr verstrichen, als
bereits kein Concert ohne Florio vollständig zu sein
schien, alle seine Stunden mit reichlich zahlenden Lehrlingen
besetzt waren, und seine Einnahme die des jungen Arztes
um das Doppelte überstieg. Oft lachte er herzlich darüber,
daß die Leier mehr einbringe als der Schlangenstab; es
ging ihm aber auch wie jenem Bänkelsänger: Was ich
am Tage mit der Leier verdien', das geht bei
Nacht in den Wind, Wind, Wind. Sparen und
sammeln war seine Sache nicht. Cantores amant humo-
res. Er trank gern ein gutes Glas Wein, und scheute nebenher auch nicht verliebte Abenteuer. Sein ehrliches Gemüth, seine drollige Lustigkeit, hatten ihm, nicht minder
als sein Talent, Häuser und Herzen geöffnet. Er war
überall willkommen, und unter seinen Schülerinnen gab
es manche allerliebste Mädchen. Da spann sich hie und da
dies und jenes an, er wußte selbst nicht wie. Ein paarmal
glaubte er in allem Ernst verliebt und geliebt zu sein; da
er aber kein Schwärmer war, seine Gefühle nicht überspannte, und weder viel zu schwatzen noch lange zu schmachten verstand, so nahmen es die Mädchen nicht gar zu genau
mit ihm; meinten, eine Liebe ohne Seufzer und Schwüre
sei im Grunde nur Scherz, und erlaubten sich bei erster
Gelegenheit ohne Bedenken kleine Untreuen. Kaum hatte

5 *

Florio ein paarmal solche Erfahrungen gemacht, als er so fort, nach herkömmlichem Brauch, das ganze Geschlecht für Basilisken erklärte, und von Stund an mit den Weibern, wie mit der Liebe, nur seinen Spott trieb. Seinen Freund, zu dem er in's Haus gezogen, pries er glücklich, daß er noch nie die Macht dieser Thorheit empfunden.

»Wohl dem Manne,« sprach er oft, »der sich überzeugt, daß die Weiber nur musikalische Instrumente sind, zuweilen recht wohltönend besaitet, öfter noch von außen glatt und elegant verziert; aber doch immer nur Instrumente, auf welchen Jeder nach Belieben spielt. Kommt eine kunstreiche Hand darüber, so lockt sie wohl dann und wann recht süße Töne hervor, und ich habe nichts dagegen, daß dem Künstler sein Spiel Vergnügen mache, Genuß gewähre; nur bilde er sich nicht ein, er allein sei die Sonne, in deren Strahlen Memnon's Säule lieblich erklingt; so bald er sich entfernt, erscheint ein anderer und bewirkt dasselbe.«

So entstand bisweilen zwischen beiden Freunden ein drolliger Zwist. Theodor nahm sich der gekränkten Schönen redlich an. »Willst du sie ja mit einem Instrument vergleichen,« pflegte er zu sagen, »so möge es die Aeolsharfe sein, die, ohne berührt zu werden, geistige Töne hervorbringt.«

Dann lachte Florio aus vollem Halse. »Ja, ja, die Aeolsharfe, du hast Recht. Der Wind mag blasen woher er wolle; je mehr Wind, je folgsamer die Harfe. Da siehst du, warum ein Windbeutel mehr Glück bei Weibern macht, als der schlichte ehrliche Mann."

»Mit nichten," erwiederte Theodor, »die Weiber lieben nur ein wenig ihre Bequemlichkeit. Auf den Windbeutel sehen sie herab, am schlichten ehrlichen Manne müssen sie hinauf sehen, das ist beschwerlich, und darum —"

»Ja, darum!" lachte Florio. »Du bist mir ein herrlicher Lobredner. Wenn nicht einst die Liebe dich beredter macht, so wirst du schwerlich, wie der Mainzer Dichter Frauenlob, von holden Jungfrauen zu Grabe getragen."

Doch eben jetzt war die Zeit gekommen, wo die Liebe wirklich den guten Theodor beredter machte, und Florio zum ersten Male durch sein Feuer in die Enge getrieben wurde. Als der ehrliche Leiermann sah, wie tief der Pfeil in seines Freundes Herz gedrungen, bemeisterte sich seiner oft mitten im Lachen ein ungewohnter Ernst. »Na Gott gebe seinen Segen dazu!" rief er oft erzwungen fröhlich aus d dur, in das sich, wider seinen Willen, ein Molton mischte. Dann sprang er an's Klavier, spielte und sang: »Ich war wohl recht ein Springinsfeld in meinen jungen Jahren."

Es versteht sich von selbst, daß Theodor nicht ermangelte, am Morgen nach der astronomischen Nacht, der Einladung des alten Klumm zu folgen. Er fand ihn im seidenen Schlafrock mit Grauwerk gefüttert, und Ottilien im reizendsten Negligé. Der Empfang des Alten war vornehm wohlwollend, der der Tochter schüchtern herzlich.

Mit einer gewissen Manier, welche große Herren auch Delikatesse zu nennen belieben, die aber im Grunde drückender ist als Grobheit, gab Herr Klumm zu verstehen, daß er unmöglich seinen kranken Leichnam einem so jungen Aeskulap vertrauen könne, nicht, als ob er Zweifel in dessen Kenntnisse setze, sondern weil ein Hausarzt schon im vieljährigen Posseß der Abhilfe seiner leiblichen Gebrechen sei. Er bleibe jedoch für die gestrige schnelle Hilfe dem Herrn Doktor dankbar verpflichtet, und bitte, mit dieser Kleinigkeit vorlieb zu nehmen.

Mit diesen Worten wollte er ihm ein beschwertes Papier in die Hand schieben, allein Theodor schob es ein wenig hastig zurück. »Ich will nicht hoffen,« sagte er, »daß Sie mich für fähig halten, einen Zufall benutzen zu wollen, um mich als Arzt in Ihr Haus zu drängen. War ich so glücklich, Ihnen gestern beizustehen, so bin ich schon dadurch hinreichend belohnt.«

Das schon dadurch war eine Lüge, und diese Lüge verrieth sich auf der Stelle durch den Blick, der bei den Worten nach Ottilien hinüber schweifte, die glühend roth in peinlicher Verlegenheit, doch nur um so reizender da stand.

»Aber — aber —« hub der Alte ein paar Mal an, »ich muß denn doch — ich will denn doch — Nun wenn Sie durchaus mein Geschenk verweigern, so muß ich wohl auf andere Weise mich zu revangiren suchen. Ich bitte mir auf künftigen Montag die Ehre auf einen Löffel Suppe aus.«

Theodor konnte es zwar vor seinen Tod nicht ausstehen, wenn vornehme Leute, nach ihrer löblichen Gewohnheit,

jeden erwiesenen Dienst durch einen Löffel Suppe zu ver=
gelten glaubten, den man oft zu Hause besser hat, wenig=
stens zwangloser genießt; aber diese Einladung war ihm
doch willkommen, und er versäumte nicht, sogar etwas zu
früh am nächsten Montag sich einzustellen.

Der Alte war noch in seiner Expeditionsstube. Ottilie
empfing den Gast, über dessen frühes Erscheinen sichtbar
erschrocken, obschon vor wenigen Augenblicken sie es noch
gewünscht hatte. Es entstand zwischen beiden ein sehr leb=
haftes, aber stummes Gespräch, bei welchem beiden, trotz
der Schonung ihrer Lungen, der Athem mehr als Einmal
verging. Theodor hätte viel darum gegeben, wenn es plötz=
lich dunkler noch geworden wäre, als in jener sternenhellen
Nacht, denn er fühlte, daß nur Dunkelheit ihm die Zunge
lösen könne. Hundertmal sagte er sich selbst — wie er so
neben ihr auf dem Sofa saß, und den Hut in tausend Fal=
ten quetschte — »rede doch! du mußt reden, sie wird dich
sonst für einen Dummkopf halten.« Wenn er denn endlich
aus der Tiefe seines Hutes den Muth zu sprechen geholt
zu haben glaubte, so schritt er zu der unerhörten Kühnheit
fort, die Augen nach ihr aufzuschlagen, so bald er aber den
schönen blauen Himmel gegenüber gewahr wurde, so bald
schloß sich auch wieder die halb geöffnete Lippe, und —
Ottilie hielt ihn doch für keinen Dummkopf.

Denn ihr ging es ja nicht um ein Haar besser. Sie
hatte ja den ganzen Morgen auswendig gelernt, was sie,
wegen des neulichen Zufalls, aus kindlicher Dankbarkeit
ihm sagen wollte, und jetzt wußte sie kein Wort davon.

Vermuthlich wäre der Abend angebrochen, ohne ein anderes Geräusch im Gesellschaftszimmer, als das Ticken der Wanduhr; aber endlich fuhr ein Wagen vor. Ottilie sprang an's Fenster, sah den Präsidenten mit seiner bucklichten Tochter aussteigen, benutzte den letzten Augenblick, der ihr übrig blieb, und sagte zu Theodor, indem sie ein gesticktes Taschenbuch hervorzog: »des Vaters Geschenk haben Sie verschmäht! werden Sie auch der Tochter nicht erlauben, dies geringe Zeichen ihrer Dankbarkeit Ihnen anzubieten? ich habe es nur in Eile gestickt, aber gute Wünsche für Ihr Glück umschlang ein jeder Faden.«

Theodor griff darnach mit einem komischen Heißhunger. »In Ihren Händen,« so schrie er fast, »liegt mein Glück auf ewig!«

Die eintretenden Gäste ersparten ihr die Antwort, die sie ohnehin schwerlich würde gefunden haben. Fräulein Buckelingen behandelte ihren Tänzer mit schneidender Kälte, denn sie konnte es ihm nicht vergessen, daß er den alten Klumm nicht lieber sterben, als sie sitzen lassen. Theodor bemerkte ihre Grimassen nicht, denn seine linke Hand lag in der Tasche auf Ottiliens Geschenk, und da blieb sie sogar während der Mahlzeit liegen, als ob er fürchtete, es möchte ihm gestohlen werden. Fräulein Buckelingen hingegen, die neben Ottilien saß, bemerkte spöttisch, daß der junge Herr Doktor sehr ungeschickt esse, und überhaupt in einen solchen Zirkel nicht recht zu passen scheine. Ottilie lächelte und schwieg. Vermuthlich würde auch von sämmt=

lichen Tischgesprächen, so wichtig politisch sie auch klingen mochten, kein Wort zu Theodor's Ohren gedrungen sein, hätte nicht ein anderer Gegenstand mit Gewalt seinen Geist aus der Tasche herausgezogen. Der Herr Kammerassessor von Stolzenbeck nämlich war unter den Gästen keiner der letzten, nahte sich Ottilien so frei und frank, nahm so ungebeten den Platz neben ihr ein, als ob er nur ihm gebühre, sprach mit ihr in einem so bekannten, vertraulichen Tone, daß der arme Theodor mit jedem Bissen klares Gift hinunter schluckte. Ottiliens Verlegenheit entging ihm nicht; auch Unwillen über den zudringlichen Nachbar glaubte er einige Male in ihren Augen zu lesen, und diese Bemerkung allein half ihm die peinliche Stunde ertragen; ja sie gab dem bescheidenen Jüngling sogar den Muth, dem immer plaudernden und immer absprechenden Incroyabel dann und wann zu widersprechen, wobei er, ohne es zu wollen, über manchen Gegenstand feine Kenntnisse blicken ließ, und mehr als Einmal den Schwätzer in seiner Blöße darstellte. Immer kühner, immer gesprächiger wurde Theodor, als er sah, daß eine gewisse Freude aus Ottiliens Augen leuchtete, und ihr Lächeln ihn belohnte. Der Herr Kammerassessor hingegen zischelte dem Fräulein Buckelingen beim Desert in's Ohr: »Mit dem Pedanten ist nichts anzufangen.«

Kaum war die Tafel aufgehoben, als Theodor mit seinem Schatz in der Tasche entschlüpfte, von Keinem bemerkt, als von Ottilien, die ihm durch das Fenster nachsah, so weit sie konnte, und dem Kammerassessor auf die

Frage: ob sie gestern in der Komödie gewesen? — sehr zerstreut antwortete: »Die Kirschen wären noch nicht reif.«

---

11. Die Pocken.

Florio komponirte eben eine Trauermusik für einen dicken Weinhändler, dessen reiche Frau gestorben war, und der ihm einen ganzen Anker Hochheimer zum Gratial versprochen hatte, als Theodor herein stürmte. Entzücken, Hoffnung, Eifersucht machten sich in abgebrochenen Sätzen Luft. Florio ließ ihn austoben und fiel bei jeder Pause mit seiner Trauermusik darein, woraus ein drolliges Melodram entstand. Wenn dieser jubelnd sein Taschenbuch an die Brust drückte, so klagte Jener am Sarge in schmerzlichen Tönen; und wenn dieser die Armuth beseufzte, die seine Hoffnungen niederschlug, so erhob sich Jener mit rauschenden Schwingen zur Hoffnung der Unsterblichkeit. »Aber sie liebt mich!« rief Theodor, »Amen,« sang Florio. »Der Kammerassessor ist ein Geck!« schallte es hier; »Hallelujah!« dort.

»Aber ich bitte dich, so sieh doch nur dies Taschenbuch.«

»Es ist weißer Atlas,« erwiederte Florio sehr gelassen.

»Und die Stickerei?«

»Soll einen Schlangenstab vorstellen, sieht auch beinahe so aus.«

»Und der Mirtenkranz, der ihn umgibt —«

»Könnten auch wohl Weidenblätter sein.«

»Narr! Du hast zu tief in deine Flasche gesehen.«

»Und du zu tief in ein Paar hübsche Augen, weßhalb
Gott dir gnädig sei!«

»Bekenne, daß der Mirtenkranz mich zu den süße-
sten Hoffnungen berechtigt.«

»Ich verstehe mich schlecht auf die Hieroglyphen der
Liebe.«

»Ach! hättest du sie gesehn!«

»Hat der alte Klumm guten Wein?«

»So schüchtern, so stumm, so beredt —«

»Nimm Krebsaugen ein.«

»Den Kammerassessor schlage ich todt!«

»Dein Fieber ist verdammt sthenisch.«

»Mit dir ist kein vernünftiges Wort zu reden.«

»Mein Gott, ich warte ja nur darauf.«

Theodor schwieg und fing an zu maulen. Nach einer
Pause sagte Florio: »Komm her, Brüderchen, maulen
sollst du mir nicht. Sieh, ich sitze schon bereit, die närrisch-
sten Dinge mit der größten Ernsthaftigkeit zu hören. Nur,
wenn ich bitten darf, fang hübsch von vorne an, und wirf
nicht Alles durcheinander.«

Alsobald saß Theodor neben ihm, und sein Freund
hatte die Geduld, ihm so lange zuzuhören, bis der Nacht-
wächter sich vernehmen ließ. Da unterbrach er den Strom
der Rede plötzlich mit der Frage: »was soll denn endlich
daraus werden?«

»Was? — Dumme Frage! ich nehme sie zum Weibe.«

»Wird der Vater dir sie geben?

Theodor versank in düstere Träume, und Florio ging

zu Bett. Der Liebende konnte sich nicht verhehlen, daß seine Ansprüche auf das schönste, und — wie die Sage ging — auch das reichste Mädchen in der Stadt, nur schlecht begründet waren. Ein junger Arzt, für seine Person zwar jetzt mit hinreichenden Einkünften versorgt, doch viel zu beschränkt, um eine Familie zu ernähren, ihm gegenüber ein Mädchen, an Ueberfluß gewöhnt. Er, eine Waise von geringer Herkunft, der, außer einem alten Leinweber, keine Verwandten hatte; sie, aus einem der ersten Geschlechter, mit vornehmen Muhmen und Vettern umringt. Du mußt sie meiden, sagte sein Kopf. Du mußt sie lieben, sagte sein Herz; und so beschloß er endlich, was die Menschen gewöhnlich beschließen, wenn Kopf und Herz im Widerspruche stehen, nämlich die Sache ihren Gang gehen zu lassen, und von Liebe, Zufall oder Glück eine günstige Entscheidung zu hoffen. Er wollte seine Besuche im Klumm'schen Hause von Zeit zu Zeit erneuern, Ottilien beobachten, erforschen, prüfen, und wenn er von einer Gegenliebe, die fähig sei, Opfer zu bringen, sich überzeugen könne, dann wolle er muthig die Bewerbung bei dem Vater wagen.

Die Rechnung war so vernünftig, als sich von einer ersten Liebe nur immer erwarten läßt, nur Schade, daß der Grund des Gebäudes Triebsand war, denn es stützte sich auf die Voraussetzung, daß seine ferneren Besuche dem Herrn Bankdirektor willkommen sein würden. Aber der ehrliche Mann glaubte durch ein Mittagsessen sich vollkommen mit ihm abgefunden zu haben, und da ihm nicht

entgangen war, daß der junge Herr Doktor gar wunder=
liche Blicke auf seine Tochter heftete, und seine Tochter
ihm auch bisweilen gar wunderliche Blicke zurück gab; so
hielt er für besser, die Bekanntschaft gänzlich abzubrechen.
Der arme Theodor, so oft er sich meldete, fand Herrn
Klumm entweder nicht zu Hause, oder in Geschäften be=
graben, und war doch endlich, beim zwanzigsten vergeb=
lichen Besuche so scharfsinnig, zu errathen, daß man seiner
los zu werden wünsche.

Nur an öffentlichen Orten, nur in bunten, vornehmen
Kreisen, erblickte er Ottilien dann und wann, den Kam=
merassessor gewöhnlich an ihrer Seite; und wenn gleich ein
schwermüthiger Blick von ihr, der oft Minuten lang auf
ihn haftete, seine Hoffnungen zu beleben schien, so schlug
hingegen des Vaters vornehme Kälte sie gänzlich nieder.
Ein heimliches Verständniß mit der Geliebten anzuspin=
nen, war freilich Florio's Rath, stritt aber gegen seine bie=
dern Grundsätze.

»Nein!« rief er entschlossen, »durch keinen Vorwurf
des Gewissens erkaufe ich den Besitz dieses Engels; keine
Verführung soll ihr reines Herz vergiften.« — So ver=
strichen mehrere Monden. Theodor hoffte durch vermehrte
Berufsgeschäfte den Stachel in seiner Brust abzustumpfen:
darum suchte und erhielt er eine Stelle am Hospitale, die,
außer dem Dank der leidenden Menschheit, ihm gar nichts
eintrug.

Ermüdet kam er eines Tages nach Hause, warf sich
unmuthig auf den Sofa, und bat seinen Freund, durch

Mozart's Harmonien ihn zu erheitern. Der gefällige Florio
hatte sich eben an den Flügel gesetzt, und präludirte noch,
als Jemand draußen an die Thür klopfte. Sogleich accompagnirte er das Wörtchen herein! mit einem völligen
Accord; und siehe, ein Bedienter trat herein in einer wohlbekannten Livree, bei deren Anblick Theodor plötzlich aufsprang, und mit bebender Stimme fragte: will Er zu mir?

»Ja, Herr Doktor,« war die Antwort, »mein gnädiger
Herr, der Herr Bankdirektor, lassen sich schönstens empfehlen, und den Herrn Doktor bitten, sich sogleich hin zu bemühen.«

»Ist Jemand krank im Hause?« —

»Die Mamsell —«

Mehr hörte Theodor nicht. Er war schon auf der Straße,
hatte den Hut vergessen, und stürzte zu Ottilien in's Zimmer, als der Bediente noch in seiner Wohnung auf der
Treppe war. Sie lag auf einem Ruhebett, mit schwerem
Athem, das Gesicht glühend, des Auges Glanz erloschen.
Sie erzwang ein Lächeln, als sie Theodor's hastige Angst
bemerkte. Finster stand der Vater neben ihr, bewillkommte den
Arzt ziemlich trocken, und sagte ihm mit sichtbarem Widerwillen: sein Hausarzt sei verreist, der Tochter ein Fieber
zugestoßen, und auf ihr ausdrückliches Verlangen habe man
ihn geholt. »Sieh, Ottchen,« sprach er etwas milder zu der
Kranken, »ich habe deinem Eigensinn nachgegeben; nun
gehorche du aber auch pünktlich den Vorschriften des Arztes,
damit du bald genesest.« — Auf das Wörtchen bald

legte er befondern Nachdruck; und zog dabei die Augen=
braunen zusammen.

»Ich bin kein Kind, lieber Vater," antwortete Ottilie.

»Doch, bisweilen," murmelte Herr Klumm zwischen
den Zähnen.

Theodor, sich ermannend, suchte die zitternden Nerven
seiner Hand zu bekämpfen, faßte den Puls der Geliebten,
that die gewöhnlichen Fragen, und entschied nach einer
Pause, daß sie wahrscheinlich die P o ck e n bekommen
werde. Des Alten Schrecken war sichtbar; Ottilien hingegen
schien die Aussicht auf eine lange gefährliche Krankheit
eben nicht sehr zu beunruhigen. Der irre, schauderhafte
Blick, den Fieberglut dem Auge mitzutheilen pflegt, wurde
durch ein sanftes Lächeln ihrer brennenden Wange, in einen
fremdartigen Zauber verwandelt, der die Brust mit einem
behaglichen Grauen erfüllte. Lange stand Theodor in ihrem
Anstaunen verloren; er d u r f t e sie ja betrachten, und Nie=
mand konnte wissen, wie viel von seinen Betrachtungen
der Pflicht, wie viel dem H e r z e n gehörte. »Wollen
Sie nichts verschreiben?" fragte Herr Klumm ihn endlich;
und nun erwachte der Träumer, schrieb ein Recept, und
suchte dann seinen Hut.

Jetzt erst entdeckte er, was Ottilie trotz ihres Fiebers,
sogleich bemerkt hatte, daß er nämlich ohne Hut gekommen
war. Er empfahl sich verwirrt, und versprach, mit dem
frühesten Morgen wieder zu erscheinen. Der Vater begleitete
ihn hinaus, besorgt fragend: was er von der Krankheit
halte?

»Ich kann Ihnen nicht verhehlen, erwiederte Theodor,
»daß eine bösartige Blatter-Epidemie in der Stadt herrscht."

»Mein Gott!" rief Klumm und schlug die Hände
zusammen.

»Sein Sie unbesorgt," tröstete ihn der Arzt; wenn
Kunst und Sorgfalt etwas vermögen, so rette ich die Kranke."

»Aber die Pocken — ihr Gesicht —"

»O wer fragt nach dem Gesicht bei einer solchen Seele!"

Mit diesem Ausruf eilte er davon und ließ den Alten
sehr unbefriedigt zurück; denn lieber hätte er seiner Tochter
Seele, als ihr Gesicht vernarbt gesehen.

Nun begann für Theodor eine schöne ängstliche Zeit.
Drei-, viermal des Tages durfte er Stunden lang am Bette
der Geliebten sitzen, jeden Hauch belauschen, jede Silbe
haschen, und ihr Leben hing von seiner Sorgfalt ab. Freilich ließ der Vater ihn nie allein mit ihr, bewachte miß-
trauisch jeden Blick; aber die kleinen Vertraulichkeiten, zu
welchen sein Stand ihn jetzt berechtigte, konnte der Alte
doch nicht hindern, und natürlich hatte er so viel zu fragen,
mußte ihr immer so tief in's Auge sehen. —

Die Krankheit machte bedenkliche Fortschritte; die Pocken
zeigten sich und traten zurück; ihr Leben war einen Augenblick in Gefahr, seine Kunst rettete sie. Die Blattern brachen endlich aus, und zwar mit solcher Wuth, daß ihr
ganzes Gesicht davon bedeckt erschien. Der Vater war außer
sich, und, nicht Meister über seinen Schmerz, rief er einst
in Gegenwart der Kranken: »um ihre hübsche Larve ist
es geschehen!" — Entweder, um die Folgen dieser Ueber-

eilung nicht zu sehen, oder, weil er bei so bewandten Um=
ständen keine Gefahr mehr ahnete, ließ er jetzt zum ersten
Male den Arzt bei der Kranken allein.

Ottilie hatte ihres Vaters Worte wohl vernommen; ihr
Blick umwölkte sich, sie faßte Theodor scharf in's Auge,
und sprach mit einer festen Stimme:

»Hintergehen Sie mich nicht. Erklären Sie mir auf=
richtig: muß ich erwarten, sehr verunstaltet zu werden?« —
Theodor zuckte die Achseln.

»Ich verstehe Sie, und läugne nicht, es wird mir
schwer, mich in dieses Unglück zu finden.«

»Ihnen? mit diesem Geist? mit diesem Herzen? —«

»Ach, mein Freund! gesetzt, ich wäre kein gewöhnliches
Mädchen, wer sucht Geist und Herz hinter einer verzerr=
ten Larve?«

»O möchte es Niemand suchen!« rief Theodor bewegt:
»damit ich sagen dürfte, ich habe es gefunden!«

Ottilie sah ihn mit großen Augen an.

»Es ist heraus,« fuhr er entschlossen fort, so albern es
auch scheinen mag, in diesem Augenblick von Liebe zu
sprechen, so ist es doch vielleicht der Einzige, in dem ich
es wagen durfte, meine Empfindungen zu erklären. Jetzt,
da Sie in Gefahr schweben, das zu verlieren, was tausend
Andern ihr höchster Reiz schien, jetzt darf mein Herz laut
das Gelübde ablegen: häßlich oder schön — dich oder keine!«

Eine große Thräne behaglicher Wehmuth trat in das
Auge der Kranken. Sie reichte ihm die heiße Hand, und drückte

XV.					6

die seinige an ihr heißes Herz. Es war geschehen, der Bund auf ewig geschlossen. Ottilie weinte sanft. Ihre Thränen verscheuchten den Liebhaber, und weckten die Besorgniß des Arztes. Er bat sie um Gottes willen ruhig zu sein, keiner starken Gemüthsbewegung Raum zu geben. Er machte sich selbst die heftigsten Vorwürfe über seine Unbesonnenheit, er war in Verzweiflung. »O sorgen Sie nicht," flüsterte sie leise, »was ich empfinde, ist wohlthuend. Sie haben nur eine g e m e i n e Eitelkeit zerstört, um mir eine edlere einzuflößen. Werde jetzt aus meinen Zügen was da wolle, mir gehört ein Herz, das ich verdienen will. Verlassen Sie mich jetzt. Eine einsame Stunde, doch nicht ohne Sie verlebt, wird heilsamer wirken, als Ihre Arzeneien; und wenn Sie heute wieder kommen, so werden Sie durch einen ruhigen Schlummer mich erquickt finden."

Theodor bog sich über sie, küßte ihr feuchtes Auge, und taumelte fort.

Ottilie hatte wahr gesprochen. Sie lag noch eine Stunde in süßem Hinbrüten, und fiel endlich ermattet in einen sanften Schlummer.

_____

12. Der Nebenbuhler.

Das Bewußtsein wahrhaft geliebt zu werden, ist stärkender als der Wein aus der B r e m i s c h e n Kufe, und hat vor diesem noch den Vorzug, daß es das Blut nicht erhitzt, sondern wohlthuend besänftigt. Als Theodor am Nachmittag wieder kam, nicht ohne Besorgniß, durch seine rasche Erklärung nachtheilig auf die Fieberkranke gewirkt zu haben, fand er sie im Gegentheil erquickt, beruhigt und mit allen Kennzeichen einer glücklich überstandenen Crise. Allein des Vaters Stirn entrunzelte darum sich noch nicht, denn nur der Tochter Leben, nicht ihre Schönheit, konnte vor der Hand der Arzt ihm verbürgen. Wurde sie häßlich, so paßte sie in keinen seiner Pläne mehr, und er konnte nicht einmal hoffen, die Besoldung einer Wirthschafterin künftig durch sie zu ersparen, da er zu dieser schönen weiblichen Kunst sie nie erzogen hatte. Doch der Genius der Liebe und der Intrigue walteten beide über Ottiliens Reizen; sie genas, und die Pocken ließen kaum ein paar flache Grübchen zurück, welche augenblicklich von herumstreifenden Amoretten in Besitz genommen wurden.

Während ihrer Genesung, die sich freilich noch manche Woche verzog, waren die Liebenden zwar öfter allein; aber Theodor hatte sich selbst streng untersagt, seine Wünsche eher wieder laut werden zu lassen, bis sie völlig hergestellt sein werde. Nur seine Blicke wiederholten das erste Bekenntniß tausendmal in einem Tage, und Ottilie verstand seine Blicke.

Endlich, eines Morgens, als er von dem letzten Arzeneiglas sie lossprach, fügte er mit bebender Stimme hinzu: »Ihr Arzt bin ich nun nicht mehr; sein Sie jetzt der meinige.« — Ottilie blickte ihn mit unaussprechlicher Freundlichkeit an, und reichte ihm ihre Hand.

»Darf ich mit Ihrem Vater sprechen?«

6 *

»Wenn Sie wollen.«

»Werden meine beschränkten Einkünfte Ihnen genügen?«

»Mein Vater ist reich; doch müssen wir auch seine Unterstützung entbehren, die Liebe wird mich zur guten Wirthin machen.«

Jetzt drückte er sie zum ersten Male an sein Herz, und flog hinüber zu dem Alten, ihm der Tochter völlige Genesung anzukündigen.

»Sie haben in der That eine große Schuld auf mich geladen,« sagte Herr Klumm, indem er zu seinem Schreibtisch ging und eine Rolle mit Geld ergriff, »erlauben Sie meine Dankbarkeit —« Hier überreichte er ihm die Rolle. Theodor stieß sie sanft zurück.

»Diesmal,« sprach er, »möchte ich mein Verdienst gern noch höher anschlagen: mit einem Worte, ich wünschte, meiner künftigen Frau das Leben erhalten zu haben.«

»Ihrer künftigen Frau?« (Sein Gesicht wurde braun.) »Sie vergessen, daß — kurz, darauf ließe sich viel erwiedern, doch es mag an Einem genug sein: meine Tochter ist schon versagt.«

»Unmöglich! mit ihrer Bewilligung wagte ich diesen Schritt!«

»So? — wirklich? — also auch Ottilie weiß darum? — thut mir leid; denn trotz Ihres entscheidenden Unmöglich, ist sie doch wirklich schon versprochen.«

»Ohne es selbst zu wissen?«

»Das wäre allenfalls überflüssig, aber halb und halb wußte sie es schon längst.«

»Unmöglich!«

»Schon wieder unmöglich? Ich sage Ihnen aber, Herr Doktor, es ist so. Und weil es nun einmal so ist, so werden Sie begreifen, daß Ihre Besuche mir hinfort nicht angenehm sein können. Will meiner Tochter künftiger Gemahl Sie zum Hausarzt wählen, so habe ich nichts dagegen, das mag er thun auf seine Gefahr; allein vor der Hand muß ich bitten, mit dieser Kleinigkeit vorlieb zu nehmen.« — Er wollte ihm abermals die Rolle Geld aufdringen.

»Ich liebe Ihre Tochter,« sagte Theodor mit Bitterkeit, »ich liebe sie unaussprechlich! bei diesem Gefühl kann es Sie nicht befremden, daß es mir unmöglich ist, für eine Bemühung Geld zu empfangen, welche Sie blos meinem Herzen verdanken. Leben Sie wohl!«

Er ging mit Verzweiflung ringend. Von der Straße sah er noch einmal hinauf zu Ottiliens Fenster, ihr ängstlich fragendes Auge begegnete dem seinigen; er schüttelte wehmüthig den Kopf, und bog schnell um eine Ecke.

Herr Klumm hatte eben nicht gelogen, als er den Jüngling versicherte, des Mädchens Hand sei schon versagt, denn Herr von Stolzenbeck, in dessen Brust durch die lange Trennung von Ottilien eine sehnsuchtsvolle Begierde entstanden war, hatte Tages vorher einen Besuch abgestattet, auch sogar die Genesene einen Augenblick gesehen, und gefunden, daß ihre Reize noch einen sehr pikanten Zusatz durch ein gewisses Schmachten erhalten, an welchen natürlich Niemand anders Schuld sein konnte, als er selbst. Hierauf hatte er sich wirklich gegen den Vater so ziemlich deutlich erklärt, und der Bankdirektor hoffte, bei dem nächsten Gastgebot die Neuverlobten präsentiren zu können. Was eben vorgefallen, bewog ihn nur noch mehr zu eilen, und Ottilie wurde auf der Stelle von seinem Entschluß unterrichtet. Sie hatte den Muth ihm zu widersprechen, ihr ganzes Herz ihm offen darzulegen.

»Bist du toll?« versetzte er höhnisch kalt, »gibt es auch noch eine Wahl zwischen dem armen Doktor und dem reichen Kammerassessor? zwischen dem Vetter des Leinewebers und dem Sohne des Ministers?«

Auch Ottilie fand die Wahl überflüssig, nur in einem andern Sinne. Um dem Geliebten das Wort zu reden, erzählte sie, in welchem fürchterlichen Augenblicke er seine Erklärung ausgestoßen. »Das hätte fürwahr Stolzenbeck nicht gethan,« setzte sie hinzu, »der liebt mich nur aus Eitelkeit.«

»Und dein Herr Doktor,« bemerkte der Vater spöttisch, »wollte ein vornehmes, reiches Mädchen fischen; häßlich oder schön, das galt ihm gleich.«

Ottilie wollte widersprechen, allein der Alte ließ sie nicht mehr zum Worte kommen. »Du gehorchst,« gebot er drohend, und verließ das Zimmer. Das von Theodor verschmähte Geld sandte er ihm Nachmittags durch einen Bedienten, der es unberührt zurück brachte. Hierauf meldete er dem Herrn Doktor in einem trockenen Billet, daß er das ausgeschlagene Honorar, in dessen Namen einer Armen-

anstalt überschickt habe, deren dankbare Quittung hiebei
folge. Hiemit hielt er die Sache für abgethan, und gab
in seinem Hause den strengsten Befehl, die Besuche des
Herrn Doktors jederzeit abzuweisen. Diesen Befehl hätte
er sparen können, denn Theodor wollte durchaus sein Glück
nicht hinter des Vaters Rücken erschleichen, so mancherlei
Vorschläge auch Florio ihm dazu machte, ja sich sogar erbot,
eine Strickleiter zu halten, wenn er zu Ottilien in's Fen=
ster steigen wolle.

Theodor litt und schwieg, Ottilie litt und klagte; aber
ihre Klagen erreichten das Ohr des Geliebten nicht. Unter
dem Vorwand einer gesunden Luft wies ihr der Vater sogar
ein anderes Zimmer nach dem Garten an, damit sie den
gefährlichen Arzt auch nicht einmal durch das Fenster erbli=
cken möchte. Uebrigens setzte es ihn doch in einige Verle=
genheit, daß Herr von Stolzenbeck mit seiner endlichen Er=
klärung noch immer zögerte, und er fürchtete bereits, daß
der Minister, von seines Sohnes Vorhaben unterrichtet,
die Sache hintertrieben habe. Hierin irrte er jedoch; des
Kammerassessors Zögerung hatte ganz andere Ursachen.

Seine Ausschweifungen nämlich waren von den gewöhn=
lichen Folgen begleitet, und diese durch Vernachlässigung
noch verschlimmert worden. Er sah sich endlich genöthigt,
Hilfe bei einem Arzt zu suchen. Da man nun in solchen
Fällen weniger scheut, sich einem jungen Arzte anzuver=
trauen, als einem alten, so fiel seine Wahl auf Theodor.
Er ließ ihn zu sich bitten.

Befand sich wohl je ein Arzt einer schrecklichern Ver=
führung ausgesetzt? einen liederlichen Nebenbuhler sollte er
heilen, einen Wollüstling in die Arme der reinsten Unschuld
führen! und der Tag, an dem er ihn gesund herstellte,
sollte ihm sein eigen Glück auf ewig rauben! — Das ist
hart! knirschte er zwischen den Zähnen. Doch ermannte er
sich und that seine Pflicht, von der er hohe Begriffe hatte.
Nie kam es ihm in den Sinn, das Vertrauen des Kranken
zu mißbrauchen, um dessen Absichten zu hintertreiben. Nur
seinem Freunde Florio erzählte er in einer bangen Abend=
stunde, welch ein fürchterliches Spiel das Schicksal mit
ihm treibe.

Florio schauderte hoch auf, »und du gehst nicht auf der
Stelle zu dem alten Bankdirektor, ihm den saubern Eidam
abzumalen?"

»Das darf ich nicht. Als Arzt gebietet mir meine Pflicht
zu schweigen."

»Aber zum Henker! fordert denn nicht die höhere
Pflicht, einen Vater vor dem Verderben seiner unschuldigen
Tochter zu warnen?"

»Wenn Stolzenbeck fähig wäre, vor seiner völligen
Genesung die Verbindung vollziehen zu wollen, ja; sonst
aber nicht."

»Das mag in Cicero's Buche de officiis recht artig
klingen," versetzte Florio, »mir aber ist es zu kraus. Ehr=
liche Leute vor Schurken warnen, ist ehrlicher Leute Pflicht,
und wenn du diese nicht erfüllst, so bist du ein ehrlicher
Narr."

Mit diesen Worten ergriff er seinen Hut und stürmte zur Thür hinaus, ohne von seinem Vorhaben sich das Mindeste merken zu lassen. Er ging aber gerabeswegs zum alten Klumm, und entdeckte ihm den ganzen Handel. Wider sein Vermuthen wurde der Alte durch diese Entdeckung gar nicht unangenehm überrascht, denn sie gab ihm auf einmal den Schlüssel zu seines künftigen Eidams zögerndem Benehmen. »Ich danke Ihnen, mein werther Herr Florio,« sagte er sehr gelassen, »es ist aber nicht fein von Ihrem Freunde, daß er aus der Schule plaudert.«

»Soll mich der Teufel zu seinem Trompeter machen!« erwiederte Florio haftig, »wenn mein Freund ein Wort von diesem Besuche weiß. Er hat im Gegentheil ausdrücklich erklärt, daß er die Sache verschweigen werde.«

»Er hat sie aber doch Ihnen nicht verschwiegen, und folglich ist er strafbar.«

»Ist er es, so sollten doch wenigstens Sie darum nicht mit ihm rechten, denn dieser Fehler rettet Ihre Tochter.«

»Wie so? ist meine Mamsell Tochter in Gefahr?«

Florio staunte den Alten mit offenem Munde an. »Nun zum Henker! wenn Sie Ihre Tochter opfern wollen —«

»Warum opfern? — ich denke der Herr Kammerassessor ist auf dem Wege zur Genesung?«

»Doch nicht Ihre Tochter, denn mein Freund —«

»Ihr Freund und meine Mamsell Tochter haben nichts miteinander zu schaffen, und so gehaben Sie sich wohl, Herr Florio. Sie glauben nicht, wie gern ich ein Quartett von Pleyel, oder etwas dergleichen von Ihnen

spielen höre; aber sonst auch nichts auf der Welt. Ihr
gehorsamer Diener."

»Ihr Diener!" sagte Florio trotzig und ging hinaus.
»So ein Kerl," knirschte er draußen zwischen den Zähnen,
»ist nicht so viel werth als eine gesprungene Darmsaite."
Er wagte nicht einmal von dem mißlungenen Schritt seinen
Theodor zu unterrichten, denn er fürchtete die Vorwürfe
des Redlichen. Ihm helfen konnte er nun nicht weiter, und
das machte ihn so mißmuthig, daß er mehr als jemals Liebe
und Weiber zum Guguck wünschte.

Die arme Ottilie schmachtete indessen in trauriger Ein=
samkeit. Von dem Geliebten hatte sie, seit jenem unglück=
lichen Morgen, nichts vernommen, von dem Ungeliebten
desto mehr. Täglich quälte sie ihr Vater, bald drohend,
bald bittend, seine Wünsche zu erfüllen. Mehr als einmal
ließ er Winke fallen, daß ihr junger leichtsinniger Arzt
sie bei andern hübschen Patientinnen schon längst vergessen
habe, und immer näher rückte die entscheidende Stunde.

Den verläumberischen Winken ihres Vaters widersprach
zwar ihr Herz, aber unruhig wurde sie dennoch; denn
warum bekümmerte er sich gar nicht mehr um sie? — war
er so leicht abzuschrecken, so war auch wohl seine Liebe nicht
allzu heftig. Daß ein Mann aus bloßer Redlichkeit so han=
deln könne, begreift ein liebendes Mädchen selten. Diese
nagenden Zweifel beschloß sie zu lösen, es koste auch was es
wolle. An einen Mann zu s ch r e i b e n, der ein Mädchen
förmlich zur Ehe begehrt hat, konnte ja eben kein Verbre=

chen, auch nicht einmal ein Verſtoß gegen den Wohlſtand ſein. Sie ergriff daher die Feder und ſchrieb:

»Ich werde hart bedrängt. Meine Geſinnungen ſind unveränderlich; die Ihrigen macht Ihr langes Schwei-gen mir räthſelhaft. Sein Sie aufrichtig gegen Ihre

Ottilie.«

Dieſen Zettel vertraute ſie einem Mädchen, das ihr herzlich ergeben war. Aber das Unglück wollte, daß die unvorſichtige Dirne, den Zettel in der Hand tragend, dem Herrn Bankdirektor auf der Treppe begegnen mußte. Sein Falkenblick wurde ſogleich das Corpus delicti gewahr, und des Mädchens Verwirrung ließ ihn ſchnell errathen, wovon die Rede ſei. Er riß ihr den Zettel aus der Hand, jagte ſie auf der Stelle aus dem Hauſe, ſperrte ſeine Tochter ein, und ließ ihr zum Zeitvertreib nichts als ihr Klavier.

---

13. Nächtliche Abenteuer.

Dem armen Kammermädchen war der Verluſt ſeines Dienſtes minder ſchmerzhaft, als der Gedanke, die gute Mamſell verrathen zu haben. Dieſe Gewiſſensbürde wollte ſie wenigſtens durch ein Bekenntniß erleichtern, und darum ſchlich ſie in der Abenddämmerung — während Herr Klumm, wie ſie wußte, bei einer Spiel-Partie von des Tages Laſt und Hitze ſich erholte — zurück in das Haus, und leiſe rauſchend, wie ein Geſpenſt, kam ſie vor Ottiliens Zimmer, wo ihr Ohr, an's Schlüſſelloch gelegt, laute Seuf-zer, abgebrochene Worte vernahm. Alſobald ſtöhnte aus

ihrer Bruft das Echo jener Seufzer, und mit schwerem
Herzen wollte sie die Thür öffnen, die aber verschlossen war.
Noch kam ihr nicht in den Sinn, daß man ihre gute Herr=
schaft könne eingesperrt haben, sie meinte, Ottilie selbst
habe nur läftige Befuche vermeiden und mit den Zauber=
bildern ihrer Fantafie allein sein wollen; darum klopfte
sie leise einmal, zweimal, endlich lauter zum britten Mal.

»Wer klopft?" rief Ottilie.

»O machen Sie boch ein wenig auf!"

»Bift du es Minchen?"

»Ohne Ihre Verzeihung kann ich das Haus nicht
verlaffen."

»Das Haus verlaffen? Verzeihung? was faselft du?"

»Machen Sie nur auf, Sie sollen alles erfahren."

»Ich kann nicht aufmachen, mein Vater hat mich
eingesperrt."

»Eingesperrt? Ach Gott! daran bin ich Schuld!" Nun
erzählte sie unter Thränen und Schluchzen, wie es ihr
gegangen, Sie habe das Briefchen im Bufen verwahren
wollen, aber gefürchtet das Petschaft zu zerdrücken. Kurz,
der böfe alte Herr habe es ihr aus der Hand geriffen, und
ihr, die ohnehin halb todt vor Schrecken, auf der Stelle den
Abschied ertheilt. Ach! gern wollte sie betteln gehen! daß
aber auch ihre liebe Mamsell wie eine Verbrecherin behan=
delt werde, das könne sie nicht ertragen.

Die gute Ottilie sprach ihr Muth und Troft zu, deren
sie selbft so bedürftig war. »Geh' zu Theodor," gebot sie ihr,

»sage ihm Alles, was du weißt, und im übrigen laß den Himmel walten. Leb' wohl.« Minchen gehorchte. Theodor wurde von Allem unterrichtet; er seufzte — aber er blieb unthätig, denn er wollte durchaus keinen zweideutigen Roman spielen.

»Zum Henker!« fuhr Florio heraus, »ich begreife nicht, wie ich der Freund eines Menschen bleiben kann, der solchen Abscheu vor Romanen hegt. Wer in der Jugend weder Romane ließt noch spielt, der wird im Alter ein Pantoffelmann, ein unausstehlicher Bekrittler jedes jugendlichen Froh= und Freisinns. Willst du deine Andromeda nicht befreien, so will ich ihr Perseus werden.«

»Keine Unbesonnenheit, mein Freund.«

»Wäre es eine, so käme sie auf deine Rechnung, denn daß du dich so über Hals und Kopf in den Liebesstrudel stürztest, das war die erste Unbesonnenheit, die Mutter aller übrigen.«

Theodor schwieg, des Vorwurfs Wahrheit fühlend, und Florio nahm sein Schweigen für eine Einwilligung zu Allem, was verwegene Freundschaft unternehmen könnte. Er fing damit an, Ottiliens Wohnung zu rekognosciren. Der Garten, in den ihre Fenster gingen, war nicht sehr groß, jedoch mit einer hohen Mauer umgeben. Nur durch die Gitterthür von eisernen Stäben konnte man das Wohnhaus erblicken, und Florio verzweifelte nicht, selbst in dieser Entfernung der schönen Gefangenen sich verständlich zu machen. Er dichtete Romanzen auf die Lage der Liebenden paſſend, komponirte ſie ſelbſt, lehnte ſich um Mitternacht mit der Guitarre an das Gitter, ſang und ſpielte laut und herzbeweglich. Am erſten Abend ſchien man ihn nicht zu hören, ja die Fenſter, welche nach ſeiner Meinung Ottiliens Kerker verſchloſſen, blieben dunkel. Am zweiten Abend erblickte er zwar Licht daſelbſt, aber ein gelinder Regen verſtimmte ſeine Guitarre, und durch verſtimmte Töne ſelbſt des Freundes Leben zu retten, konnte man einem Muſikus nicht zumuthen.

Am dritten Abend ſchöpfte er Hoffnung. Das Fenſter öffnete ſich, er ſah ein weißes Kopfzeug, ſpielte und ſang tapfer darauf los. Doch eben als er in einem ſchmelzenden Abagio Ottilien die Treue des Geliebten verſicherte, erſcholl aus dem Kopfzeug eine Donnerſtimme: — (denn es war leider nur die Nachtmütze des alten Klumm) — »wenn der zärtliche Sänger ſich nicht ſogleich empfiehlt, ſo werde ich ihn nach Hauſe leuchten laſſen!« — Florio verſtummte, tappte nach Hauſe, und kramte unterwegs eine anſehnliche Sammlung von Flüchen aus.

»So geht es nicht!« rief er am andern Morgen beim Erwachen, »aber gehen muß es doch, und wenn in dem verdammten Garten auf jedem Mohnſtängel ein Argus= Kopf wüchſe! Ich muß hinein, wären auch die Mauern ſo hart als Diamanten, und ſo hoch als das Rieſengebirge. Das arme Mädchen muß doch wenigſtens erfahren, woran es iſt.« — Er holte ſeine viel gebrauchte Strickleiter hervor, und beſſerte ſie aus, wo es nöthig war. Am nächſten Abend

wartete er, bis nirgends im Hause ein Licht mehr schim=
merte; dann schwang er sich muthig über die Mauer, und,
einige blutige Risse von Berberissträuchen ausgenommen,
gelangte er wohlbehalten in den klösterlichen Garten.

Aber was weiter? — er schlich rings umher an den
· Wänden, um sich mit dem Schauplatz bekannter zu ma=
chen; er lauschte auf das Plätschern des Springbrunnens,
und betastete jede Statue. Nachdem er das Terrain gehörig
untersucht, wagte er sich dem Hause näher, dessen sämmt=
liche Bewohner im tiefsten Schlafe vergraben zu sein schie=
nen. Die Fenster des Erdgeschosses waren zu seinem höch=
sten Verdruß sämmtlich mit eisernen Stäben vergittert.
Indessen schienen ihm die Fenster des ersten Stockes so
niedrig, daß, wenn er nur, vermittelst seiner Leiter, festen
Fuß auf diesen eisernen Stäben fassen könnte, die oben
gekrümmt in die Mauer sich bogen, er dann wenigstens
mit seinem Finger an das obere Fenster zu klopfen im
Stande sein werde. Die Gegend, aus welcher ihn neulich
des Alten Schlafmütze so unfreundlich begrüßt hatte, ver=
mied er sorgfältig, und warf auf gut Glück den seidenen
Gehilfen am Gitter eines Eckfensters hinauf. Die Leiter
faßte zwar, doch wie konnte ihr, nach so vieljährigen treuen
Diensten zugemuthet werden, daß sie noch die Stärke ihrer
ersten Jugend beweisen sollte? eine der Stangen, zufällig
schärfer als gewöhnlich, berührte gerade eine wunde Stelle
und zerschnitt die letzte Kraft. Kaum hatte Florio den ersten
Fuß auf die Leiter gehoben, als er sich auch schon unfrei=

willig in das bethaute Gras setzte. Der alte morsche Gehilfe
lag zu seinen Füßen, und mit ihm war zugleich die Hoff=
nung zerrissen, auf demselben Wege zurückzukehren, auf
dem er gekommen war.

Doch was in zwei oder drei Stunden erst geschehen
sollte, das bekümmerte den Wagehals wenig. Die Rede
war vom jetzigen Augenblick. »Der Alte hat den Satan in
seinem Solde,« brummte er, noch im Grase liegend, »aber
mit dem Satan hat ja schon so mancher gescheite Kerl
angebunden, so werde ich doch wohl auch mit ihm fertig
werden. Kann ich nicht von der Garten=Seite in's Haus,
so wird es doch wohl von vorne kein verzauberter Feen=
Palast sein.« — Er sprang auf, ließ die Strickleiter liegen,
und suchte nun die innere Gartenthür, um auf den Hof
zu gelangen. Er fand sie auch, und zwar, zu seiner höch=
sten Freude, blos angelehnt.

»Aha!« murmelte er, sie leise öffnend, »hier sind die
Pforten des Zauberschlosses.« — Aber kaum berührte er die
Schwelle, als mit fürchterlichem Gebrüll ein großer Ket=
tenhund auf ihn zufuhr, der dicht neben dem Pförtchen in
einer bescheidenen Strohhütte wohnte. Zum Glück war
Florio noch nicht so weit vorwärts geschritten, daß die
Länge der Kette der wüthenden Bestie erlaubt hätte, seine
Waden zu packen. Er sprang zurück und schlug das Pfört=
chen zu. Da stand er nun zwar mit gesunden Beinen, aber
an Eroberung der Festung war nicht mehr zu denken; denn
hätte er sich auch in einen zweifelhaften Kampf mit der

Dogge einlassen wollen, so mußte doch, selbst nach erfoch=
tenem Siege, das rasende Gebell die Bewohner des Hau=
ses wecken. — »Daß ich auch kein Stück Braten mit mir
nahm!« sagte er fluchend, und zog sich fluchend tiefer in
den Garten zurück.

Der Kettenhund bellte immer fort; nur ließ er dann
und wann zur Abwechslung ein Geheul ertönen, welches
die musikalischen Ohren des armen Gefangenen auf die
Folter spannte. Er dachte jetzt mit Ernst auf einen klugen
Rückzug, allein es war leichter daran zu denken, als ihn
auszuführen. Zwar baute er ein Gerüst von einigen Schub=
karren, die er in einem Winkel fand, und hoffte mit dessen
Hilfe die Zimmer der Mauer zu erreichen; aber vergebens!
und vermuthlich zu seinem Glück; denn wäre er auch hinauf
gekommen, so hätte doch ein Sprung hinab jenseits ihm
wahrscheinlich den Hals gekostet, denn nicht alle Springer
sind so glücklich als jener hessische Prinz.

»Nun, wenn es nicht anders sein kann,« sagte er end=
lich gefaßt, »so wollen wir einmal à la belle étoile schla=
fen. Bin ich doch hier in keinem Kloster; der Morgen wird
ja wohl die Pforten sprengen.« Er schlüpfte in eine Laube,
in welcher ein Tisch und zwei Stühle standen, machte sich
ein Lager zurecht, so bequem es gehen wollte, und als end=
lich nach einer guten Stunde der Cerberus an der Pforte
sich heiser gebellt hatte, entschlummerte Florio recht süß.

Die Sonne stand schon ziemlich hoch, als ihn glückli=
cherweise eine Spinne, die ihm über die Nase kroch, weckte.

XV.   7

Er rieb sich die Augen, sah sich um, konnte lange nicht begreifen, wo er sei? fing aber laut an zu lachen, als er seiner Abenteuer sich erinnerte. So viel begriff er indessen bald, daß er, in dieser Laube wenigstens, nicht für Jedermann sichtbar sein dürfe. Denn Herr Klumm schien ihm nicht Sinn genug für echte Geniestreiche zu haben, um einen freundlichen Empfang von ihm erwarten zu dürfen. Er zog sich daher weislich hinter die Laube zurück, die mit Jasmin und Walbreben so dicht bezogen war, daß ein magerer Mensch wie Florio sich bequem verbergen konnte. Hier lauschte er durch's Gesträuch, und bewachte mit den Augen die Pforte wie die Fenster, um eine günstige Minute zur Flucht abzupassen. Lange sah und hörte er nichts. Ein einziges Fenster wurde geöffnet, es schien Ottilie zu sein, aber sie verschwand sogleich. Dann hörte er sie eine Weile auf dem Klaviere spielen, das machte ihm Vergnügen, denn sie spielte recht artig; und zufällig sogar eine von seinen eigenen Sonaten. Fast hätte er sich dabei verrathen, denn als sie eine schwere Passage verschiedenemal wiederholte, und einen Ton derselben jedesmal falsch griff, so vergaß sich der Künstler und rief zurechtweisend aus vollem Halse: b! b! —

Zum Glück hatte Niemand sein b vernommen. Ottilie hörte auf zu spielen, Haus und Garten wurden wieder so still als ein Kirchhof der Herrnhuter. Den armen Florio fing an gewaltig zu hungern, denn es ging schon stark auf den Mittag los. Er stellte eben die traurige Betrachtung

an, daß, wenn feine Gefangenschaft noch einige Stunden
daure, die ausgehungerte Feftung auf Gnade und Ungnade
fich ergeben müffe. Siehe, da erschien ihm plöglich ein
Rabe, wie dem Elias. Ein Bedienter öffnete das Pfört=
chen, ging gerabesweges auf die Laube zu, fegte eine
Flasche Mallaga nebft einer Göttinger Wurft auf den
Tisch und verschwand. Ohne fich die Mühe zu geben, diefe
feenartige Erscheinung erklären zu wollen, ftedte Florio
feinen Arm durch den Jasmin, erreichte glüdlich zuerft die
Wurft, dann die Flasche, verzehrte jene mit Heißhunger,
leerte diefe in wenigen Bügen, und fegte fie ruhig wieder
an Ort und Stelle. Kaum war das geschehen, als er den
Bankdirektor auf die Laube zuwadeln fah; denn es war
die Frühftüdsftunde, die er, bei schönem Wetter, gern im
Garten zubrachte. Den Schlüffel zur hintern Pforte trug
er in der Hand, weil er gewöhnlich, nach gehaltenem
Frühftüd, durch diefelbe einen nähern Weg zu feinen Ge=
fchäften ging.

Florio mußte fich in die Zunge beißen, und mit der
Hand die Gurgel zufammendrüden, um nicht in ein fchal=
lendes Gelächter bei dem Erftaunen auszubrechen, welches
der alte Herr über die leere Flasche und den blanken Teller
fehr komisch äußerte. „Ift der Kerl rafend geworden?“
murmelte er zwischen den Bähnen, warf den großen
Schlüffel auf den Tisch und wadelte eilig zurüd, um ein
Donnerwetter über den Schurken von Bedienten ausbre=
chen zu laffen. Florio fand nicht für gut, die Unterfuchung

7 *

abzuwarten. Des Schlüssels Anblick lockte ihn zu dem
Versuch, die Hinterpforte damit aufzuschließen — es ge=
lang, und lachend eilte er nach Hause, ohne sich im Ge=
ringsten weiter um die Entwicklung des Lustspiels zu
bekümmern.

14. Die Romanzen.

Nicht eben so sorglos blieb Herr Klumm. Zwar anfangs
war er geneigt, die ganze Begebenheit für den muthwilli=
gen Streich eines kecken Straßenbuben zu halten, der,
Gott weiß wie, über die Mauer geklettert sei, um Kirschen
zu stehlen, statt der Kirschen aber recht gern mit der Göt=
tinger Wurst vorlieb genommen habe; als er aber unter
dem Fenster seiner Tochter eine zerrissene Strickleiter fand,
ahnete er mit gewaltigem Schrecken eine Spitzbüberei der
Liebe. »Wie? wenn Ottilie wohl gar schon entführt
wäre?« — was er selbst in einem solchen Fall gethan
haben würde, dünkte ihm das wahrscheinlichste; mit klo=
pfendem Herzen eilte er hinauf zu ihr, schloß zitternd die
Thür auf, und als er sie ruhig am Klaviere fand, fiel
ihm ein Stein von der Brust. Nun aber verwandelte sich,
nach Art feiger Menschen, seine Furcht in Zorn. Ottilie
mußte ein Verbrechen büßen, das ihr nicht einmal bekannt
war. Er bestand darauf, es sei Jemand in der Nacht auf
einer Strickleiter zu ihr in's Fenster gestiegen. Die Scham=
röthe, welche bei dem bloßen Gedanken ihre Wange über=
zog, nahm er, wie so oft geschieht, für ein Bekenntniß.

Die Festigkeit, mit der sie läugnete, von ihm Halsstarrig-keit genannt, brachte ihn endlich in Wuth; er schwur, ihren Buhlen todt zu schießen, wenn er sich noch einmal im Garten blicken lasse; und vor die Fenster der Mamsell Tochter werde er eiserne Stäbe bestellen.

Mit diesen Drohungen verließ er die Unglückliche, die lange nicht begreifen konnte, warum sie bei solchen unge-rechten und entehrenden Vorwürfen, statt tiefer Kränkung, insgeheim eine Art von Vergnügen empfinde. Endlich wurde es ihr klar, daß dieses innere Behagen durch die Nachricht erzeugt worden sei, es gebe sich ein Jemand Mühe, sie zu sprechen. Dieser Jemand konnte kein Anderer sein als Theodor; er liebte sie also noch, er war ihr treu. Diese Ueberzeugung half jedes Leiden ertragen, und so hatte Florio, ohne. es zu wissen, im Grunde doch seinen Zweck erreicht, Herr Klumm aber einen dummen Streich gemacht, denn wenn man aus dem Herzen des Mädchens den Jüng-ling verbannen will, muß man das Mädchen ja nicht mer-ken lassen, daß er sich um ihretwillen in Gefahr gesetzt, den Hals zu brechen.

Florio, unwissend, wie herrlich ihm seine Schelmerei gelungen, sann Tag und Nacht auf Mittel, sie mit meh-rerem Glücke zu erneuern. Vor allen Dingen schaffte er sich eine neue Strickleiter an, um einen zweiten Versuch zu wagen, und füllte die Taschen mit Braten, um die Freund-schaft des Cerberus zu gewinnen. Er wählte diesmal einen regnichten Abend zu seinem Wagestück, und gelangte

für's erste glücklich auf die Mauer. Doch alsobald ließ auch
schon der Kettenhund, dicht unter derselben, die brüllende
Stimme erschallen, denn Herr Klumm hatte befohlen, ihn
jeden Abend von der Kette los zu machen, damit er, wäh=
rend der Nacht, frei im Garten herum laufen, und die
ungebetenen Gäste empfangen könne. Da saß nun Orpheus
oben auf der Mauer ziemlich unbequem, und getraute sich
nicht hinunter. — Anfangs hoffte er, die Bestie werde sich
in Traktaten mit ihm einlassen, und schickte ein Stück
Braten nach dem andern als Friedensvermittler hinab. Es
erfolgte auch jedesmal eine kurze Pause, in der er ganz
vernehmlich seine Geschenke verschlucken hörte; das schien
aber blos zu geschehen, um zum Bellen neue Kraft zu sam=
meln; denn so bald Florio wagte, nur ein Bein über die
Mauer hinab zu strecken, tobte das Unthier wie besessen;
und da das Braten=Magazin bald erschöpft war, so sah
der arme Florio sich endlich genöthigt, das Feld zu räumen.
Man mußte auf andere Mittel sinnen. Ein paar Tage dar=
auf schickte er einen Galanterie=Krämer in's Haus, dem
er ein Briefchen mitgab, in ein Balsambüchschen versteckt;
auch gelang es dem Schlaukopf, in Ottiliens Zimmer zu
bringen (weil sie Nähnadeln begehrt hatte), doch nur in
Gegenwart des Vaters; und so oft er auch sein Büchschen
ihr anrühmte, und sie bat, es nur einmal zu öffnen, so
war doch alles vergebens, denn sie konnte keinen Balsam
riechen, und seine verstohlenen Winke bemerkte sie gar nicht.
    Ein andersmal, zur Weihnachtszeit, vermummte sich
Florio selbst als Pfefferkuchen=Krämerin, ging keck in's

Haus zu einer Zeit, wo Herr Klumm Geschäfte hatte, und bestand darauf, zu der Mamsell gelassen zu werden, die ihm alle Jahre Nürnberger Pfefferkuchen abzukaufen pflege. Doch ein alter Griesgram von Hauswächter, befolgend seines Herrn strenge Befehle, wies ihn barsch zurück, sagte, die Mamsell sei krank und dürfe jetzt keine Pfefferkuchen essen. Florio wollte den Kerl durch ein Geschenk kirren, allein da kam er noch übler an, als mit seinem Braten, denn nun wurde er gar für eine Kupplerin gescholten (der er freilich auch sehr ähnlich sah), und hätte er nicht schnell sich aus dem Staube gemacht, so lief er Gefahr, vom hand=festen Kutscher zur Thür hinaus geworfen zu werden.

Fast verzweifelte er schon, daß es ihm jemals gelingen werde, den väterlichen Argus zu hintergehen, und doch fand er es mit jedem Tage nothwendiger, denn sein Freund klagte zwar nicht, härmte sich aber im Stillen ab, und wenn nicht bald Hilfe geschafft werden konnte, so ging der arme Theodor zu Grunde.

Von dieser Furcht gepeinigt, stand Florio eines Tages in dem Laden eines Musikalienhändlers, und während seine Seele mit ganz andern Gegenständen beschäftigt war, blätterte er mechanisch in einem Pack neu angekommener Noten. Siehe, da trat ein Bedienter herein, von Florio sogleich für denselben erkannt, der die Göttinger Wurst in den Garten gebracht hatte. Er vermeldete einen Gruß von dem Bankdirektor Klumm und ersuchte um neue Musika=lien für die Mamsell. »Wir sind eben mit Auspacken be=

ſchäftigt," ſagte der Kaufmann, »doch gleich nach dem
Eſſen werde ich meinen Diener hinſenden mit Allem, was
etwa der Mamſell Vergnügen machen könnte; ſie mag
ſich dann ſelbſt etwas ausſuchen."

Mit dieſem Beſcheid entfernte ſich der Bediente, ohne
Florio einmal bemerkt zu haben. Augenblicklich beſchloß
dieſer, den günſtigen Zufall zu benutzen. Mit dem Kaufmann ſtand er als Komponiſt in genauer Verbindung, und
gegen das Verſprechen, ihm eine neue Sonate ohne Honorar in Verlag zu geben, willigte dieſer darein, ſtatt
eines Dieners Florio mit den Muſikalien zu Mamſell
Klumm zu ſchicken. Die einzige Bedenklichkeit war, daß
der Vater ihn oft und ſogar noch kürzlich unter vier Augen
geſehen hatte, ihn alſo erkennen würde. Doch er verließ
ſich auf eine ſchwarze Perücke, gefärbte Augenbraunen und
veränderte Kleidung, beſonders aber auf die Kunſt, ſeine
Stimme zu verſtellen, die er im hohen Grade beſaß. Mit
einem ſchweren Pack Noten machte er ſich kühn auf den
Weg, und übte ſich auf der Straße, mit dem linken Fuß
ein wenig zu hinken, und die rechte Schulter etwas höher
zu ziehen.

Als er in's Haus kam, hütete er ſich wohl, nach der
Mamſell zu fragen, ſondern vertraute dem wachſamen
Griesgram, der Herr Bankdirektor habe ihn beſtellt; wor-
auf er denn auch ohne Bedenken gemeldet wurde.

Klumm hatte überlegt, daß, wenn er gleich ſeiner
Tochter keine Freiheit laſſen dürfe, er ihr doch ſo viel Zeit-

vertreib als möglich verschaffen müsse, damit ihre Leiden=
schaft durch das ewige Brüten über demselben Gegenstande
nicht noch heftiger werden möchte. Darum versorgte er sie
jetzt reichlich mit neuen Büchern, Romane ausgenommen,
und lieber noch mit neuen Musikalien; denn daß Musik
ein zur Schwärmerei geneigtes Gemüth noch höher span=
nen könne, davon hatte er keinen Begriff. Er empfing
Florio ohne Argwohn, aber in seinem eigenen Zimmer,
blätterte in den mitgebrachten Musikalien, erklärte endlich,
er verstehe nichts davon, und verlangte, Florio solle das
Beste heraus suchen. Dieser entschuldigte sich gleichfalls
mit seiner Unwissenheit, und meinte unmaßgeblich, es
werde wohl am besten sein, die junge Dame selbst wählen
zu lassen. Herr Klumm warf bei diesem Vorschlage einen
forschenden Blick auf ihn; da aber der Mensch ihm mit
einer ehrlichen Schafsmiene in die Augen sah, und zu=
gleich die rechte Schulter noch höher zog, so sagte er end=
lich: »Wohlan, folge Er mir zu meiner Tochter.»

Wohlgemuth hinkte Florio hinter ihm her, und war
nach wenigen Minuten endlich so glücklich, das Heiligthum
zu betreten, in dem die Göttin seines Freundes schmachtete.
So nahe hatte er Ottilien noch nie gesehen, auch so blaß
und sanft noch nie. Sie machte, trotz seines Weiberhasses,
lebhaften Eindruck auf ihn, und hatte er zuvor blos für
Theodor gehandelt, so fing er jetzt an, sich auch für das
Mädchen selbst zu interessiren.

Er kramte seine Noten aus, Ottilie blätterte und legte
dies und jenes zurück. Mehrere Male versuchte er, ihr ein

Briefchen zuzustecken, doch vergebens! denn der Alte wich
ihr nicht von der Seite, und behauptete hartnäckig seinen
Platz zwischen Beiden. Auch das Bestreben, sie durch
Augenwinke zu unterrichten, schlug fehl. Denn sie blickte
den unbedeutenden, häßlichen Menschen gar nicht an. Mit
Entsetzen sah er schon den Augenblick nahen, wo der Handel geendigt sein, und man ihn in Gnaden entlassen werde.
In dieser Angst wagte er, als der Alte eben eine hübsche
Vignette mit Aufmerksamkeit betrachtete, Ottilien eine
Arie aus der Oper von Paßiello, König Theodor,
vorzulegen, und mit seinem Finger auf den Namen Theodor zu deuten. Wie von einem elektrischen Schlage getroffen, hob das liebende Mädchen rasch ihre Augen zu ihm
auf, und sah ihn an, als wolle sie ihm tief in die Seele
schauen. Er nickte verstohlen mit dem Kopfe, und plötzlich
war nunmehr das Verständniß im Gange. Ottilie fing an
zu zögern, wählte, verwarf, und mit Entzücken sah Florio
deutlich, daß sie Zeit zu gewinnen suchte. Aber er bemerkte
auch schon des Alten Ungeduld, und daß die halbgelungene
List ohne ein neues Wagestück ihn nicht zum Ziele führen
werde. Schnell suchte er ein paar Romanzen hervor, überreichte sie Ottilien, und versicherte mit großer Einfalt, sein
Herr habe gesagt, das seien die neuesten und schönsten
Stücke, aber Eines davon habe bereits die Gräfin Adler-
berg bestellt, nur das Andere kann er der Mamsell überlassen, doch möge sie selbst das ihr Beliebige herauswäh-
len, und um desto sicherer die Wahl bestimmen zu können,
bitte er sie, beide durchzuspielen.

Ottilie warf einen flüchtigen Blick auf die Romanzen, verstand ihn sogleich und eilte an's Klavier. Die Eine derselben hatte zum Refrain:

> Wir müssen uns auf ewig trennen,
> Ich kann die Deinige nicht sein.

Die andere hingegen:

> Vergebens drohen bitt're Leiden,
> Der Wahl des Herzens bleib' ich treu.

»Wählen Sie! wählen Sie!« rief Florio, nachdem Ottilie beide durchlaufen hatte. — »Ich wähle die letztere,« sagte sie, kaum ihre Gemüthsbewegung verbergend.

»Das wird meinen guten Herrn unaussprechlich freuen,« platzte Florio heraus.

»Sie ist sehr schön,« versetzte Ottilie hocherröthend, »ich werde sie nie, nie überdrüssig werden!« —

So viel war nicht vonnöthen, um die Aufmerksamkeit des Alten zu erregen. Er theilte seine glühenden Blicke zwischen der Tochter, dem Fremdling und den Romanzen. Er warf die Wahl des Herzens mit Heftigkeit wieder auf den Tisch, schob Ottilien dafür die ewige Trennung hin, sagte mit bitterm Spott: »du behältst diese;« und befahl dann Florio, seinen Kram augenblicklich zusammen, und sich selbst aus dem Hause zu packen.

»Von Herzen gern,« sagte dieser mit gelassener Einfalt, »wenn Sie die Romanze nicht behalten wollen, so weiß ich Jemanden, der mir sie gar gern abkauft, denn es ist doch eine hübsche Sache um das treu bleiben.«

»Geh' Er zum Teufel!" fuhr der Alte ihn an, und schob ihn zur Thür hinaus. Noch draußen hörte Florio ihn die Worte poltern: »Jetzt bekommst du, außer dem alten To= bias, bis zu deinem Verlobungstage keinen Menschen wie= der zu sehen."

»In Gottes Namen!" murmelte Florio lachend, »wissen wir doch nun sämmtlich, woran wir sind." — Mit zwei Sprüngen war er zu Hause, legte triumphirend dem Freunde die Romanze vor, zeigte auf den Refrain und sagte: »da! so gut als ein eigenhändiges Billet von Ottilien."

Florio's Erzählung war für Theodor, was ein war= mer Regen für die lechzende Pflanze. Zwar billigte er kei= neswegs die kecken Unternehmungen seines Freundes, und versuchte sogar einige Male ihn auszuschelten; aber es ging ihm nicht vom Herzen. Alle Augenblicke unterbrach er sich selbst durch den Ausruf:

»Du hast sie gesehen! o Gott, du hast sie gesehen!" — und so wie mancher große Herr das Spioniren gerade nicht befehlen mag, aber es doch recht gern benutzt, so genoß auch Theodor mit stillem Entzücken die Früchte von seines Freundes Schelmerei.

Die
Frucht fällt weit vom Stamme.

Zweites Buch.

---

1. Die Fremde.

Wenn ein Schmetterling Blütenstaub von einer Blume holt und ihn auf eine andere trägt, so hat er beide vermählt, wenn gleich ein reißender Strom sie trennt. Das gilt aber leider nur von Blumen; Menschen wollen Herz an Herz sich drücken; und Florio, der Schmetterling, hatte aus dem Klumm'schen Garten zwar wohl der Liebe Nahrung zugeführt, doch auch die Sehnsucht verdoppelt, und im Grunde hätte er besser gethan, kein Oel in die Flamme zu gießen. Für ein verliebtes Mädchen, das den ganzen Tag bei seiner Stickerei sitzt, mag die Sehnsucht ein recht artiger Zeitvertreib sein, und es hat so viel nicht zu bedeuten, wenn sie auch einmal ein paar Stiche verkehrt thut, oder ein grünes Blatt mit gelber Seide näht. Aber ein verliebter Arzt — hilf Himmel! Wenn bei dem die Sehnsucht dermaßen einreißt, daß er, wie Theodor, seine Todtenköpfe Stunden lang mit Zärtlichkeit betrachtet, dann Gnade Gott den armen Patienten!

In der That, diese Herzensausdehnung, diese Pulsadergeschwulst der Liebe, drohte, Theodor's Kunst und Ruf zu vernichten. Nur diejenigen Kranken besuchte er fleißig, die in der Nachbarschaft von Ottilien wohnten; Alle hingegen, die von diesem Zaubersprengel entfernt lagen, bekamen ihn oft in mehreren Tagen nicht zu sehen. Erschien er endlich einmal, so mußte er sich zusammen nehmen, damit er nicht dem Lungensüchtigen Brechweinstein, oder dem Ruhrkranken Scammonium verordnete. Der Einzige, den er nie

109

vergaß, und wegen der Beziehung auf Ottilien nicht ver=
geffen konnte; der Einzige, den er, aus eigenfinniger Groß=
muth, mit Sorgfalt und Aufmerkfamkeit behandelte, war
der lieberliche Kammeraffeffor. Trotz des Leichtfinns, mit
welchem diefer feine Vorfchriften befolgte, hatte er ihn doch
fchon fo weit gebracht, daß er die Verficherung ertheilen
konnte: in drei bis vier Wochen werde der Vermählung
mit Ottilien kein Hinderniß mehr im Wege ftehen. Entzückt
umarmte ihn fein Nebenbuhler, und nicht ahnend, wie blu=
tig er des Jünglings Herz zerfleifchte, fchilderte er ihm die
Reize feiner Braut, das Glück, das feiner warte, mit bren=
nenden Farben erhitzter Fantafie. Nach jedem folchen Be=
fuche taumelte Theodor wie ein Betrunkener zum Thore
hinaus, und brachte oft Stunden im Sturm und Regen
zu, ehe er Athem und Vernunft wieder finden konnte.

Faft waren die vier Wochen abgelaufen, in welchen er
felbft die letzte Hand an das Grab feiner Ruhe legte, als
er eines Morgens nach feiner Gewohnheit in das Vorzim=
mer des Kammeraffeffors trat, und einen Bedienten fand,
der, unter dem Vorwand, fein Herr fei ausgeritten, den
weitern Zutritt ihm verfagte. Das Wetter war fchön, Theo=
dor glaubte dem Bericht und wollte eben wieder umkehren,
als er plötzlich in feines Nebenbuhlers Zimmer eine weib=
liche Stimme um Hilfe kreifchen hörte. Er ftutzte. Was ift
das? fragte er den Bedienten ernft. Der Kerl ftotterte,
wußte nicht zu antworten, trat aber vor die Thür, als der
Arzt eine Bewegung machte, fich ihr zu nähern. — Was
foll das heißen? rief Theodor entrüftet. »Mein Herr hat

verboten," ſtammelte der Bediente. Hilfe! Hilfe! ſchrie
die weibliche Stimme.

»Fort da, Schurke!" ſagte der Arzt und ſchleuderte den
Sündenwächter auf die Seite. Die Thür war verſchloſſen.
Doch als eben aus dem Innern des Gemachs Töne der
Verzweiflung auf's neue erſchallten, da rüttelte Theodor
ſo heftig an dem Schloſſe, daß es plötzlich nachgab, und
die Flügelthüren aufſprangen.

Ein ſchönes junges Mädchen, das mit dem Wollüſt=
ling rang, wurde ſeiner kaum gewahr, als es mit der letz=
ten Kraft ſich los riß, zu ſeinen Füßen ſtürzte, ſeine Knie
umklammerte, und mit gebrochener Stimme winſelte:
»retten Sie mich, mein Herr! retten Sie meine Unſchuld!"

»Sie ſind gerettet," ſagte Theodor, indem er ſie haſtig
aufhob und einen Blick der tiefſten Verachtung auf Stol=
zenbeck warf, der eine Art von Scham hinter einem ſcham=
loſen Lachen verbarg, und gleich darauf für nöthig fand,
einen hohen Ton anzuſtimmen: wie der Herr Doktor ſich
unterſtehen mögen, sans façon die Thür zu ſprengen?

»Sie müſſen das Ihrem Arzte verzeihen," ſagte Theo=
dor höhniſch lächelnd.

»Herr Doktor, was nehmen Sie ſich heraus? — Sie
waren mein Arzt, ich bezahle Sie und damit gut. Jetzt
empfehle ich mich. Das Mädchen bleibt hier."

Die Arme ſchmiegte ſich an Theodor und winſelte um
Erbarmen.

»Das Mädchen bleibt nicht hier," ſagte ihr Beſchützer

XV.   8

mit fester Stimme: »Mich können Sie bezahlen, diese Unschuld nicht.«

»Unschuld? Unschuld?« erwiederte Stolzenbeck grin= send, »was wissen Sie von dem Mädchen, mein unschul= diger Herr Doktor? — Um Ihr zartes Gewissen zu beruhi= gen, sage ich Ihnen, diese Unschuld ist die Zierde eines Freudenhauses, und ich habe einen hohen Preis für sie erlegt.«

Theodor stutzte, und warf einen großen Blick auf das Mädchen, das bebend und glühend vor Unwillen ausrief: »Er lügt! erst seit zwei Tagen bin ich in dieser Stadt. Ist meine Wohnung verdächtig, so wußte ich doch nichts davon, so wahr mir Gott aus diesem Jammer helfe!« — Ihre rei= nen, kindlichen Züge bekräftigten diesen Schwur, und Theo= dor selbst hätte ohne Bedenken ihre Unschuld beeidigt. »Sein Sie ruhig, Mademoisell,« sagte er entschlossen, »Ihnen soll kein Leid widerfahren. Geben Sie mir den Arm, ich führe Sie aus diesem Hause.« — Alsobald klammerte sich das zitternde Mädchen an seinen Arm.

»Ich werde meine Leute rufen!« sagte der Kammer= assessor schäumend vor Wuth: »Mich soll der Teufel holen! mein unberufener Ritter, wenn ich Sie mit dem Mädchen die Treppe hinunter lasse. He! Jakob! Franz!«

Als Theodor sah, daß es Ernst wurde, riß er sich plötz= lich von dem Mädchen los. Stolzenbeck meinte, er wolle sich an ihm vergreifen, und wich zurück. Aber Theodor hatte neben dessen Bett ein paar Pistolen hängen sehen, auf diese sprang er zu, riß eine derselben herunter, spannte den Hahn, und sagte dann gelassen zu dem erstaunten Ne=

benbuhler: »Ohne den Teufel zu citiren gebe ich Ihnen mein Ehrenwort, daß ich dem erſten, der ſich mir wider= ſetzt, eine Kugel durch den Kopf jage.”

Todtenbleich, mit blauer, von Zorn bebender Lippe ſtarrte der Wollüſtling ihn an. Theodor faßte das Mäd= chen, dem der Schrecken die Füße lähmte, mit der Linken unter den Arm, und, indem er mit der Rechten dem jun= gen Herrn die Piſtole entgegen hielt, ſchob er ſie vor ſich her zur Thür hinaus. Niemand machte eine Bewegung ihn zu hindern. Unten an der Treppe warf er die Piſtole von ſich, und trug die Gerettete hinaus auf die Straße.

»Jetzt, Mademoiſell! ſind Sie in Sicherheit. »Sie kennen nun die Gefahren einer großen Stadt. Hüten Sie ſich, und leben Sie wohl!”

Mit dieſen Worten wollte er ſie verlaſſen. Ach, um Gottes willen!” rief die Erſchrockene Händeringend, »was ſoll aus mir werden? wo ſoll ich hin?”

»Haben Sie keine Zuflucht?”

»Keine! als das ſchreckliche Haus, über welches jener Böſewicht mir Licht ertheilt hat. Ehe ich dahin zurück gehe, lieber in den Fluß!”

»Mein Gott! haben Sie keine Verwandte? Bekannte?”

Ich bin eine arme Waiſe und fremd, ganz fremd in dieſem Lande. Erſt vor wenig Wochen kam ich hier an. Ich ſuchte einen Mann, der nicht mehr lebt, oder nie hier gelebt hat. Weinend ſaß ich auf einer Bank in der Allee vor dem Thore, da trat eine alte Frau zu mir, fragte mich

8 *

aus, bot mir Koft und Wohnung an, wenn ich arbeiten
wolle. Ach, wie gerne wollte ich das! — Sie nahm mich
mit nach Hause, ließ mich Wäsche nähen, schien zufrieden,
behandelte mich gütig, und sandte mich diesen Morgen,
unter einem höllisch ersonnenen Vorwand, zu dem Böse=
wicht, bei dem Sie mein Schutzengel wurden. Winke, die
sie fallen ließ; und die ich nun erst verstehe, machen mir
klar, daß sie um das Bubenstück wußte. Nein, ehe ich in
ihr Haus zurück gehe, lieber in den Fluß!"

»Da sei Gott für! Ihnen muß geholfen werden, aber
wie?"

»Großmüthiger Mann! ich kann nähen und waschen,
schreiben und rechnen; ich versteh' eine Wirthschaft zu füh=
ren, ich will Kinder warten, auch wohl unterrichten; ich
weiß einige Sprachen, auch ein wenig Geographie, Natur=
geschichte — erbarmen Sie sich meiner! gern will ich dienen
um ein karges Stück Brot!"

Das schöne weinende Mädchen hatte den jungen Arzt
schon tief bewegt, die Winke von einer bessern Erziehung,
die ihr entschlüpften, erhöhten das Interesse.

»Folgen Sie mir," sagte er, indem er ihr den Arm
auf's neue bot. »Ich bin zwar selbst nur ein einzelner und
kein reicher Mann; auch weiß ich in diesem Augenblick
wahrlich nicht wohin mit Ihnen; doch geholfen muß Ihnen
werden, und Gott wird helfen." — Mit kindlicher Zuver=
sicht schmiegte sich das Mädchen an seinen Führer, und
beide wanderten nun stumm die Straße hinab. Theodor
ging in tiefen Gedanken, weil er hin und her sann, wo er

sie unterbringen könnte. Aus diesen Betrachtungen weckte
ihn das Lachen eines Vorübergehenden; es war der Herr
Bankdirektor Klumm, der, als er ein hübsches fremdes
Mädchen mit roth geweinten Augen an des Doktors Arm,
und diesen mit erhitztem Gesicht wie einen Träumer wan=
deln sah, natürlich nur Arges vermuthete; und, so bald
er nach Hause kam, zu seiner Tochter eilte, um sein Gift
in ihr Herz zu träufeln. Er konnte gar nicht aufhören, die
Schönheit der Fremden zu rühmen; und wie hübsch die
verweinten Augen sie gekleidet, und wie verlegen Theodor
gewesen sei, als er Ottiliens Vater erblickt. »Sie waren
nur noch einige Schritte von seiner Wohnung entfernt,"
fügte er hinzu, »ich habe sie da hinein gehen sehen. Ver=
muthlich hat er sie zu seiner Wirthschafterin bestimmt. Nun
wirst du mir doch endlich glauben, daß du deine Liebe an
einen Unwürdigen verschwendet hast?"

Ottilie läugnete zwar sehr heftig die Möglichkeit, daß
irgend etwas Anstößiges darunter verborgen sein könnte;
aber im Grunde war sie doch gar nicht ruhig, und eben
ihre Heftigkeit überzeugte den Alten, daß der Pfeil getrof=
fen habe. So oft er das Mädchen schön nannte, klopfte
ihr Herz, und flog eine Röthe über ihre Wange, besonders
aber wurde ihr Auge zum Verräther, denn so bald Eifer=
sucht im Busen eines Weibes die finstere Wohnung auf=
schlägt, so bald verändert sich die Farbe des Auges, das
schönste Blau verwandelt sich in eine Art von Grün, und
das Schwarze wird Goldgelb. Herr Klumm, der auf diese
Symptome sich sehr wohl verstand, lachte in sich schaden=

froh, und verließ seine Gefangene, mit dem Vorsatz, noch mehr von jenem Abenteuer auszuspähen, alles Böse, welches er zu finden hoffte, Ottilien zuzutragen, und, sollte er wider Vermuthen nichts Arges entdecken, doch so viel Arges auf Theodor's Rechnung zu erfinden, als nöthig sein werde, um sein Bild aus der Tochter Herzen zu reißen.

Eine bange Stunde ging Ottilie im Zimmer auf und nieder; Argwohn und Vertrauen kämpften. »O, daß ich nur Gewißheit mir verschaffen könnte!« seufzte sie laut: »daß nur irgend ein mitleidiges Wesen sich für mich interessirte! — Theodor! könntest du — während ich um deinetwillen eingekerkert mein Leben verseufze — könntest du leichtsinnig, treulos — nein, es ist nicht möglich! Mein Vater hat —

Gelogen wollte sie eben sagen, doch erschrocken haschte kindliche Ehrfurcht das Wort von ihrer Lippe; denn trotz ihres Vaters Härte hatte sie noch nie einen Gedanken sich erlaubt, den eine Tochter nicht in seiner Gegenwart hätte aussprechen dürfen. Indessen konnte sie sich nicht verhehlen, daß sie von ganzem Herzen wünschte, die Sache unwahr zu finden; nur beschloß sie auf diesen Fall es eine fromme Erfindung zu nennen, durch welche ein irrender, doch wohlmeinender Vater blos ihre Ruhe, ihr Glück beabsichtigt habe.

Der Bediente, der ihr das Mittagessen brachte, war derselbe, der seinen Herrn gewöhnlich auf der Straße zu begleiten pflegte. Ottilie hatte sich nie zuvor herabgelassen, ein Wort mit ihm zu wechseln, doch keine Leidenschaft setzt sich

schneller über kleine Bedenklichkeiten des Wohlstandes hin=
weg, als die Eifersucht. Mit einer Bewegung, die sie sehr
künstlich zu verbergen glaubte, die aber selbst dem roheſten
Beobachter nicht entgehen konnte, warf ſie dem Bedienten
die Frage hin: »ob er heute mit ihrem Vater ausgegangen
ſei?« — Ja, antwortete der Kerl ſehr trocken, indem er
den Tiſch deckte, und das Geſpräch war zu Ende.

Nach einer Pauſe knüpfte Ottilie es wieder an. »Wie
kommt es denn, daß mein Vater bei dieſem Wetter zu
Fuße geht?«

»Das Wetter iſt ſo übel nicht, nur etwas windig.«

»Sehr ſtürmiſch, wie mich dünkt. Ich wette, ihr habt
Niemanden, der Equipage hält, auf der Straße gefunden?«

»O doch, dieſen und jenen.«

»Das wäre! zum Exempel?« — Der Bediente nannte
einige, doch der Name, den ſie zitternd erwartete, war nicht
darunter. Das gab ihr neuen Muth, neue Hoffnung. Sie
wagte dem Ziele näher zu treten.

»Ich glaube, mein Vater ſagte, er ſei auch einem Arzt
begegnet?«

»Ja, ganz recht.«

»Der eilte vermuthlich zu einem Kranken?«

»Das weiß ich nicht.«

»Doch nein, jetzt beſinne ich mich. Mein Vater meinte,
er habe eine Kranke geführt?«

»Das weiß ich nicht.«

»Führte er denn Niemand?«

»O ja, er führte eine fremde Mamsell, aber die sah nichts weniger als krank aus.«

Ottilie erbleichte. »Eine Fremde?« stotterte sie.

»Ich erinnere mich wenigstens nicht, sie jemals hier gesehen zu haben. Sie war gewaltig hübsch.«

»Darnach habe ich nicht gefragt,« erwiederte Ottilie heftig. »Aber,« — setzte sie nach einer Pause hinzu: »neugierig wäre ich wohl zu wissen, wer die Fremde sein mag?«

»Das kann man wohl bald erfahren; der Herr Doktor führte sie nach seiner Wohnung.«

»O Friedrich, thue Er mir doch den Gefallen, ich werde erkenntlich sein.«

Der Bediente versprach, ging, trug die Speisen auf, ging ab und zu, schüttelte den Kopf, und mußte nach einer Stunde die Schüsseln unberührt wieder wegtragen, denn die Mamsell schützte Kopfschmerzen vor. Seiner strengen Instruktion gemäß, rapportirte er Alles dem Herrn Bankdirektor, der haftig die Gelegenheit ergriff, seiner Tochter zutragen zu lassen, was ihm beliebte, ohne sich selbst in's Spiel zu mischen. »Komm gegen Abend auf mein Zimmer,« sagte er zu Friedrich, »da werde ich dich unterrichten, was du der Mamsell zu antworten hast.« — Die Zwischenzeit benutzte Herr Klumm, um seinen alten schlauen Tobias zum Spioniren auszusenden, und einstweilen selbst den Plan zu einem Roman zu entwerfen, den er, in Ermanglung bessern Stoffs, der Wahrheit unterschieben könnte.

———

2. Florio's Stündlein kommt.

Als Theodor mit dem schönen Mädchen am Arm seine Wohnung erreicht hatte, begegnete ihm Florio auf der Treppe, machte große Augen und stand wie angenagelt. »Was Teufel!« sagte er endlich mit einer komischen Verwirrung, »hat dir Aeskulap die Hebe zugesandt?«

Die Fremde konnte nicht röther werden als sie schon war, aber die langen Wimpern zog sie schnell über das große Auge herab, und strafte dadurch, ohne es zu wissen, den Vorlauten sehr empfindlich, denn er hätte sein bestes Rondo darum gegeben, diesen Engelsblick noch einmal zu haschen. »Kehre wieder um,« sagte Theodor zu ihm. »Von Herzen gern,« erwiederte er, und mit einer Neubegier, mit einer haftigen innern Bewegung, wie er seit Jahren nicht empfunden, begleitete er die Ankömmlinge. Alle drei betraten Theodor's Zimmer. Dort ersuchte der Arzt die Fremde, auf dem Sofa Platz zu nehmen, und sich von ihrem Schrecken zu erholen. Seinem Freunde gab er einen Wink, ihm in das Nebenzimmer zu folgen. Florio schwankte zwischen dem Vergnügen, das Mädchen anzusehen, und der Begierde, zu erfahren. — Theodor faßte ihn beim Arm und zog ihn nach sich.

»Was Teufel!« begann der Musikus auf's neue, als sie allein waren — sein Freund unterbrach ihn haftig mit den Worten: »hier ist nicht vom Teufel die Rede, auch nicht von einer Hebe. Ich bitte dich, wache über deine Worte, wie über deine Blicke, denn das Mädchen ist eine Unglückliche und verdient Schonung.«

»Sehr wohl,« versetzte Florio, »ben Teufel will ich im
Zaume halten; wenn du aber meinst, es gebe irgend ein
Unglück auf der Welt, wodurch ein hübsches Mädchen be=
wogen werden könnte, den Namen Hebe übel zu deuten,
so irrst du sehr. Doch Scherz bei Seite, wer ist sie? wie bist
du an sie gerathen? was hast du mit ihr vor?« —

Die erste und letzte Frage konnte Theodor vor der Hand
nicht beantworten, doch sein rittermäßiges Abenteuer bei
dem Kammerassessor erzählte er ihm weitläufig, und Florio
haschte nach jeder Pause, um dem Wollüstling ein Dutzend
Schurken an den Hals zu fluchen.

»Lassen wir das jetzt,« so endigte Theodor. »Der elende
Mensch ist bestraft genug durch mißlungene Bosheit. Rathe
mir lieber, was nun anzufangen?«

»Was ist da lange zu besinnen?« meinte Florio, »du
bist Arzt, ich Musikus; du hast Patientinnen, ich Schüle=
rinnen; es wird sich doch wohl Eine unter ihnen finden, die
ein so allerliebstes Kammermädchen brauchen kann?«

Theodor fand den Rath nicht übel, nur auf der Stelle
ihn auszuführen, war unmöglich, und vor der Hand, wo
sollte sie bleiben?

»Wo? hier bei uns. Ich räume ihr mein Zimmer ein,
und schlafe so lange bei dir.«

»Nein,« sagte Theodor, »das geht nicht. Keine Nacht
darf sie in unserer Wohnung bleiben. Es ist nicht genug,
daß ich ihre Unschuld gerettet habe, ich muß auch ihren Ruf
bewahren, der in den Augen der Welt noch mehr gilt als
die Unschuld.« — Nach langem Ueberlegen beschloß er, eine

Witwe zu besuchen, die eine Treppe höher in demselben
Hause wohnte, und eine kleine Pensionsanstalt für junge
Mädchen hielt. Sie war als eine wackere Frau bekannt, ihr
wollte er Alles vertrauen, und seinen Schützling so lange bei
ihr in die Kost verdingen, bis er eine anständige Versorgung
würde ausgemittelt haben. Florio billigte den Plan und er
wurde auf der Stelle ausgeführt. Während Theodor oben
mit der Witwe das Nöthige verabredete, hatte sein Freund
es über sich genommen, die Fremde zu unterhalten, und
ihr die getroffenen Maßregeln bekannt zu machen. Hier
widerfuhr es ihm zum ersten Mal in seinem Leben, daß er
verlegen war, die Worte suchen mußte, die gefundenen
wieder verlor, das Unnöthige sagte, das Nöthige vergaß,
kurz, sich so auffallend kindisch benahm, daß ihm selbst, im
Gefühl seiner Albernheit, dicke Schweißtropfen auf die
Stirn traten. Zum Glück schien die Fremde gar nicht darauf
zu achten, sie war zu voll von ihrer Rettung, von Theodor's
Edelmuth, von seiner Tapferkeit, ja sie erhob ihn so feurig,
ließ ihr Dankgefühl so glühend ausbrechen, daß Florio end=
lich mit komischem Unmuth ausrief: „Ei zum Henker! das
alles hätte ich auch gethan, und noch mehr, denn ich hätte
dem Schurken den Hals gebrochen."

In diesem Augenblicke trat ein Bedienter herein, dessen
Livree Florio nicht kannte, brachte ein Billet an Theodor,
und sagte, sein Herr dringe auf augenblickliche Antwort.
Da in Theodor's Abwesenheit oft Kranke schickten, so hatte
er seinem Freunde ein für allemal aufgetragen, alle Billets,
die etwa an ihn kommen möchten, zu erbrechen, und, wenn

die Sache Eile habe, ihn auffuchen zu laſſen. Florio, in der
Meinung, hier ſei von ähnlichen Dingen die Rede, entſie=
gelte das Billet, und fand — eine Ausforderung des
Kammeraſſeſſors. »Schon gut," ſagte er zu dem Bebien=
ten, »man wird ſich einfinden. Es iſt weiter keine Antwort
nöthig."

Als er mit der Hebe wieder allein war, fühlte er plötz=
lich ſeinen Muth gewachſen; er fing an ordentlich mit ihr
zu reden, ſah ihr ordentlich in's Geſicht, überließ ſich einer
gutmüthigen Vertraulichkeit. Die Urſache dieſer Verwand=
lung war einzig und allein der ſchnell gefaßte Entſchluß,
ſtatt ſeines Freundes auf dem Kampfplatz zu erſcheinen.
So hoffte er ſich doch auch ein kleines Verdienſt um die
ſchöne Unglückliche zu erwerben; und da man immer gegen
diejenigen Menſchen den freundlichſten Muth hat, welchen
man insgeheim Gutes thut oder thun will, ſo war natür=
lich, daß auch Florio dem Mädchen freimüthiger, und
folglich tiefer in's Auge ſah, welches ihm übel genug be=
kam, denn er ſaugte gleichſam muthwillig einen Pfeil
heraus, der mit ſeinem Widerhaken durch die Augen bis in
den Buſen drang.

Theodor kam mit erwünſchter Antwort zurück, und
Florio, faſt verdrießlich, konnte nicht begreifen, wie man
ein ſo wichtiges Geſchäft mit ſolcher Eile abthun könne.
Daß ſein Freund beinahe eine ganze Stunde oben geweſen,
läugnete er hartnäckig. Mit Augen, die vor Freude fun=
kelten, führte der ritterliche Arzt ſeine nun ganz Gerettete
hinauf, und der Muſikus, der die Mitbewohnerin des

Hauses vorher noch nie besucht hatte, trollte hinterher, ohne selbst zu wissen, warum. Auf der Treppe fragte Theodor das Mädchen um dessen Namen, weil es doch unter irgend einem Namen der Witwe vorgestellt werden mußte. Sie eröthete aufs neue. „Ich heiße Emma," lispelte sie. — »Emma!" wiederholte Florio mit Wohlbehagen, denn der Name war so musikalisch.

„Allein Ihr Zuname?" fuhr Theodor fort. Emma zitterte und stammelte: »Meinen Vater habe ich nicht gekannt, mein Großvater hieß Thomasius." — »Pfui Henker!" murrte Florio leise, »einen solchen Engel Thomasius zu nennen, das bringe ich nimmermehr über die Lippen. Mag immerhin ihr Großvater von dem berühmten Professor abstammen, der in Halle zuerst gegen Heren und Gespenster auftrat, und vermuthlich schon durch seinen barbarischen Namen die Gespenster bannte, seine schöne Enkelin aber darf eben so wenig Thomasius heißen, als ein schmelzendes Cantabile durch das Wort furioso bezeichnet werden kann. Er behielt sich im Stillen vor, über die nothwendige Verwandlung ihres Namens noch nähere Betrachtungen anzustellen, die vor der Hand durch den Eintritt in das Zimmer der Witwe unterbrochen wurden.

Madame Saalfeld, von Theodor vorbereitet, empfing ihre neue Kostgängerin mit Muttergüte, bedauerte aber, daß die Beschränktheit ihrer Wohnung ihr kein anderes Zimmer abzutreten erlaube, als ein niedriges Dachstübchen, zu welchem eine Treppe führte, die mehr einer Leiter glich. Emma war entzückt, Theodor zufrieden, nur Florio

brummte, und ließ nicht undeutlich merken, daß er er=
wartet hatte, Madame Saalfeld werde einer solchen
Fremden wohl ihr Gesellschaftszimmer einräumen. Er
hatte seit einiger Zeit ein Häufchen Goldstücke zusammen=
gespart, um eine Ohm Johannisberger dafür zu kaufen,
den er sehr gern trank; aber in diesem Augenblicke kam es
ihm vor, als ob er nie wieder durstig werden würde. Er
zog die Witwe bei Seite, steckte ihr seine Goldstücke in die
Hand, und bat sie, dem armen Kinde so viel Bequem=
lichkeit als möglich zu verschaffen. »Alles, was meine Lage
mir erlaubt,« sagte Madame Saalfeld, »werde ich ohne=
hin thun; leider ist das so wenig, daß ich auf reiche Ver=
geltung keinen Anspruch machen darf. Wäre ich nicht selbst
arm, ich würde nichts annehmen; doch meine baren Aus=
lagen hat Ihr Freund mir schon zugesichert, für das Uebrige
mir eine Belohnung anbieten, hieße mich beschämen.« Mit
diesen Worten drang sie ihm seine Goldstücke wieder auf,
und ärgerlich verließ er das Zimmer.

»Wohlan!« sagte er zu sich selbst, »kann ich mein
Gold nicht anbringen, so soll mir doch Niemand verwehren,
mein Leben für sie auf's Spiel zu setzen; und ein Glück,
daß ich das Billet entsiegelt habe, denn hätte Theodor mir
auch diesen Vorzug weggefischt, ich glaube, ich hätte mit
ihm gebrochen. Ich kann es nicht leiden, wenn ein Mensch
gar zu glücklich ist.«

»Aber warum denn gar zu glücklich?« flüsterte eine
weiberhöhnende Stimme in seinem Busen, die bis jetzt
gewohnt war, ohne Widerspruch das große Wort zu

führen: »wer kennt denn das Mädchen? wer weiß denn,
ob es nicht auch zu der gewöhnlichen Klasse von Dirnen —«

Weiter ließ Florio die Stimme nicht reden, denn er
war schon längst mit dem Degen unter dem Arme auf dem
Wege nach dem Wäldchen, wohin der wüthende Kammerassessor den Arzt beschieden hatte, ja, er sah den hochmü-
thigen Feind bereits von Ferne und verdoppelte seine
Schritte. »Hier bin ich!« rief er mit der rauhen Baßstimme, die er noch zuweilen aus den Studentenjahren
hervorholte: »ich denke, wir machen es uns bequem.« Er zog ohne Umstände seinen Rock aus, knöpfte
die Weste los und stopfte einen meerschaumenen Pfeifenkopf.

»Was soll das bedeuten?« sagte Stolzenbeck befremdet.

»Sie müssen mir das nicht übel nehmen,« erwiederte
Florio: »wenn ich mich con amore schlagen soll, so muß
ich die Pfeife dabei im Munde haben, das ist so eine alte
Gewohnheit.«

»Aber wer will sich denn mit Ihnen schlagen?«

»Sie haben meinen Freund gefordert, der hat jetzt
Geschäfte. Weil wir nun ein Herz und eine Seele sind, so
gilt es gleichviel, ob Sie von ihm oder von mir erstochen
werden! darum bitt' ich, mit meiner Wenigkeit vorlieb
zu nehmen.«

»Mit Ihrer Wenigkeit,« wiederholte der Kammerassessor spöttisch, »Sie haben Recht, das wäre allerdings
vorlieb genommen. Ihr feiger Freund vergaß, daß
ich bereits der Ehre ein großes Opfer brachte, als ich zu
einem bürgerlichen Arzte mich herabließ. Wenn Sie aber

glaubten, ich würde sogar gegen einen Musikanten einen
Degen ziehen, so haben Sie geirrt.«

»Herr! wenn Sie nicht alsobald Ihre magere Person
in Positur setzen, so wird der Musikant mit seiner Klinge
Sechsachtel-Takt auf Ihrem Rücken spielen. Die Zeiten sind
vorbei, wo euer v o n euch vor der Faust des Bürgers schützte.«

Mit diesen Worten zog er seinen Studentendegen und
drang ohne weitere Vorbereitung auf den Gegner ein.
Stolzenbeck war eigentlich gar nicht Willens gewesen, sich
zu schlagen, weder mit Theodor, noch mit seinem Stell=
vertreter; sondern er hatte ein paar handfeste Bediente mit
Knütteln hinter einen Busch gestellt, die auf seinen ersten
Wink hervorspringen, und den naseweisen Arzt tüchtig
durchprügeln sollten. Jetzt, da er so rasch angegriffen
wurde, schien ihm, außer diesem saubern Mittel, auch
kein anderes zu seiner Rettung übrig zu bleiben. Er sprang
zurück, vertheidigte sich so gut er konnte, und pfiff dabei
aus allen Kräften. Die Kerle stürzten hervor, zwar nicht
zeitig genug, um einen derben Stoß abzuwenden, der so
eben die rechte Schulter ihres gnädigen Herrn durchbohrte,
wobei ihm, mehr vor Schrecken, der Degen aus der Hand
fiel, aber doch nicht zu spät, um des Junkers Schmach zu
rächen; denn mit Banditenmuth überfielen sie den armen
Florio von hinten, ihre Knüttel trafen seinen rechten Arm
so hart, daß er den Degen sinken ließ, und sobald diese
furchtbare Waffe ihm entrissen war, fielen die Streiche
hagelbicht auf Kopf und Rücken. Zwar wehrte er sich wie
ein Löwe, packte, trotz seiner gelähmten Hand, den einen

Kerl mit beiden Armen, drückte ihn so fest zusammen, daß
er schrie wie ein Hase, den die Hunde ergreifen, und würde
ihm die Seele aus dem Leibe gedrückt haben, hätte nicht
ein Schlag, den der andere Schurke nur zu glücklich auf
sein Haupt führte, ihn fast der Besinnung beraubt. Er
ließ seine Beute fahren, taumelte, empfing einen zweiten
Schlag, stürzte zu Boden, und nun hatten die Banditen
gewonnenes Spiel. Der Junker, der daneben stand und
mit einem feinen Schnupftuche, so gut er konnte, die heftig
blutende Wunde verband, bedauerte nichts mehr, als
daß diese ihn hindere, selbst mit zuzuschlagen; indessen
ließ er es an Ermunterungen zu kräftigen Hieben nicht
fehlen, fügte in eigener Person noch einige Fußtritte hinzu,
zerbrach den Degen seines Siegers, und ließ ihn endlich
für todt auf dem Platze liegen.

3. Emma's Geschichte.

Todt war der gute Florio zwar noch nicht, aber einige
Stunden lag er ohne Besinnung, und würde vielleicht
noch später aus der Betäubung erwacht sein, hätte nicht
ein Gewitterregen ihn durchnäßt und erfrischt. Mühsam
raffte er sich auf, kaum vermochte er zu gehen, den Rock
wieder anzuziehen war ihm unmöglich, zum Glück war die
Dämmerung schon herein gebrochen, er hing ihn auf den
Rücken, sammelte gelassen die Trümmer seines Degens,
die Splitter seiner Tabakspfeife, und wankte nach Hause.
In der übelsten Laune? so möchte Mancher vermuthen.

XV.   9

Nichts weniger, er war seelenvergnügt. Denn erstens erinnerte er sich sehr deutlich, daß er dem boshaften Junker
einen derben Stoß beigebracht hatte, an den er wenigstens
vier Wochen zu kuriren habe, folglich außer Stand sein
würde, während dieser Zeit die Geliebte seines Freundes
zu beunruhigen. Zweitens hatte er ja die Prügel um
Emma's willen empfangen; und wäre nur seine rechte
Hand nicht so gelähmt gewesen, daß er fürchten mußte,
in langer Zeit kein Instrument berühren zu können, so
würde er den ganzen Vorfall auf die zwar gequetschte,
aber dennoch leichte Achsel genommen haben. Seinem
Freunde, dessen chirurgische Hilfe er jetzt so nothwendig
brauchte, ließ er zwar den zerschlagenen Leichnam sehen,
und sich denselben gebuldig von ihm bepflastern, doch von
der Veranlassung zu diesem Abenteuer verrieth er ihm kein
Wort, und vielleicht würde Theodor sie nie erfahren haben,
hätte nicht der Kammerassessor selbst mit seiner Tapferkeit
geprahlt. So kam es endlich auch zu seinen Ohren, er
errieth das Uebrige, und wollte dankbar gerührt an seines
Freundes Busen sinken, aber Florio lachte ihn aus. »Nimm
mir's nicht übel," sagte er, »was ich diesmal für dich gethan, ist nur so nebenher geschehen, denn mein Eifer galt
blos der schönen Emma. Ich muß dir bekennen, das Mädchen, ob es gleich den verdammten Zunamen Thomasius führt, hat einen Eindruck auf mich gemacht, wie
Glucks Iphigenie, als ich sie zum Erstenmale hörte, und
ich sehe wohl, ich muß sie näher kennen lernen, um entweder diese stürmischen Gefühle wieder los zu werden, oder —»

»Oder ihr den Zunamen Thomasius abzunehmen?"
unterbrach ihn Theodor lächelnd. »Ach! du bist nicht wohl
gescheit," versetzte Florio, „wer denkt denn gleich an's
Heirathen? ich wette, eine Bekanntschaft von einigen
Wochen wird hinreichen, um meine Erfahrungen über die
Weiber auch hier zu bestätigen." — Wetten wollte er,
aber das verhehlte er seinem Freunde, daß er die Wette
recht gern verloren hätte, und auch im Grunde sie zu verlieren glaubte. Um sich so bald als möglich davon zu überzeugen, ließ er gleich am zweiten Abend dem Arzte keine
Ruhe, bis dieser mit ihm hinauf schlich in das Dachstübchen, wo Emma einsam mit großer Emsigkeit eine weibliche Arbeit für Madame Saalfeld verrichtete. Sie empfing
ihre Beschützer mit einer holdseligen Freundlichkeit, aber
ihre schönen Augen trugen frische Thränenspuren, deren
Anblick dem armen Florio das Herz zusammen schnürte.
Auch Theodor bemerkte sie, und fragte, brüderlich besorgt:
ob sie mit ihrer Lage unzufrieden sei? ob es ihr an irgend
einer Nothdurft mangle? — »Ach nein! nein!" rief sie
mit Herzlichkeit, und die zurückgehaltenen Thränen stürzten hervor: »ich bin zufrieden! Gott hat sich meiner er-
barmt, mir einen Engel gesandt! ihm habe ich schon tausendmal kniend gedankt! ich bin es gewohnt, mit ihm zu
reden. Verzeihen Sie, wenn ich vor Menschen weniger
Muth habe, meine Gefühle ausbrechen zu lassen, als vor
Gott. Verzeihen Sie auch, wenn Sie mich weniger heiter
finden, als Ihre Großmuth um mich verdient. Sie fühlen

9 *

wohl, troz meiner Rettung, die betrübte Lage einer hilf= losen Waise. In die Welt hinausgestoßen, ohne Eltern, ohne Verwandte, muß ich von der Güte eines jungen Mannes leben —" (hoch erröthete sie bei diesen Worten). — »O schaffen Sie mir bald einen Dienst, es sei der ge= ringste, verachteteste; lieber will ich als die schlechteste Magd bienen, als erbulden, daß Ihre Großmuth gemiß= beutet, oder —" (hier stockte sie) »Ach!" setzte sie nach einer Pause schluchzend hinzu, »mein guter Ruf ist ja das Ein= zige, was ich auf der Welt habe!"

Theodor errieth ihre Gedanken, und suchte sie durch das Versprechen zu beruhigen, daß er Alles anwenden werde, um ihr sobald als möglich eine anständige Versor= gung zu verschaffen. »Aber," setzte er vertraulich hinzu, »um desto sicherer Ihren Wunsch erfüllen zu können, muß ich Sie bitten, Ihre Herkunft, Ihre Begebenheiten mir mitzutheilen."

»Von Herzen gern," erwiederte Emma, »meine Ge= schichte ist sehr kurz und einfach. Etwa dreißig Meilen von hier, in einer freundlichen Gegend, liegt ein Dörfchen, wo ich geboren und erzogen wurde. Meine Mutter war die Tochter des Predigers, sie starb, indem sie mir das Leben gab. Auch meinen Vater hab' ich nie gekannt. Ach! leider muß ich glauben, daß er kein guter Mensch gewesen, denn so oft ich meinen biebern Großvater nach ihm gefragt, ist dieser traurig geworden und hat mich so düster angesehen, den Kopf geschüttelt, mir nichts geantwortet. Endlich, als ich schon herangewachsen, entfuhren ihm einmal die Worte:

»Dein Vater war deiner Mutter nicht würdig, und wenn du mich lieb hast, so frage nicht wieder nach ihm.«

»Nun ist es wohl nicht möglich, einen Menschen auf der Welt lieber zu haben, als ich den guten seligen Großvater; ich fragte also nicht mehr nach meinem Vater, so wehe es mir auch that, daß ich nicht einmal erfahren sollte, ob er noch lebte? denn auch d i e s e Frage beantwortete der Alte mir nicht. Vermuthlich haben Familien=Verhältnisse den unglücklichen Zwist veranlaßt, denn da ich auch den Namen Thomasius führe, so muß mein Vater wohl ein naher Verwandter von meiner Mutter gewesen sein.«

Theodor lächelte ob der frommen Einfalt; Florio aber, der doch sonst dergleichen Dinge weit schneller auffaßte, dachte diesmal nichts Arges dabei, denn jedes Wort, das von des schönen Mädchens Lippen floß, war dem Gläubigen ein Evangelium. Emma fuhr fort:

»Die Liebe und Sorgfalt, mit welcher mein Großvater mich erzogen, vermag ich nicht zu schildern, — (große Thränen traten in ihre Augen) — ich darf auch nicht viel davon sprechen, sonst würden Sie bald Thränen für Worte nehmen müssen. Trotz seines hohen Alters unterrichtete er mich mit unglaublicher Geduld in Allem, was er selbst wußte, trotz seiner zunehmenden Schwäche begleitete er mich auf allen Spazirgängen, lehrte die Natur mich kennen, in ihr den Schöpfer ahnen, Gott verehren! Auch zu meinen kindischen Spielen ließ er sich gern herab, ja es gelang mir bisweilen, seinem düstern Ernst ein Lächeln abzugewinnen.«

»Vor ein paar Jahren im Herbſte fühlte er ſich ſehr
ſchwach, da ſchrieb er eines Tages viele Briefe, wohl ſechs
oder ſieben, und nachdem er ſie auf die Poſt geſendet, betete
er eine ganze Stunde in ſeiner Kammer. Aber nach einigen
Wochen kamen dieſelben Briefe, einer nach dem andern
zurück. Als der letzte kam, war er ſehr betrübt, ſtarrte vor
ſich hin mit einem fremden, ſchauberhaften Blick, faltete
ſeine dürren Hände, und ich ſah, daß ſie zitterten. Das
bewegte mich tief, ich wagte es, nach der Urſache ſeines
Kummers zu forſchen. Er ſah mich eine Weile ſtumm und
gerührt an, dann erleichterte ein Seufzer ſeine Bruſt. Es
iſt mir lieb, daß du mich fragſt, antwortete er mir mit ſei=
ner gewohnten Güte, denn Einmal mußte ich doch mit dir
davon ſprechen, und beſſer jetzt, da ich noch die Kraft dazu
habe. Dein Schickſal nach meinem Tode iſt es, was mir
ſo viel Kummer und Sorge macht.«

»Ich erſchrack heftig, denn ich hatte noch nie daran
gedacht, daß mein guter Großvater auch ſterben könne.
Mit bittern Thränen warf ich mich an ſeinen Hals. Er
glaubte, ich weinte um meiner trüben Zukunft willen,
ach! ich dachte in dieſem Augenblicke nur an ihn. Faſſe
dich, ſagte er, Gott wird die Unſchuld nicht verlaſſen:
Sieh, ich fühle wohl, daß es mit mir zum Ende geht,
darum dachte ich hin und her, wie und wo ich eine Zu=
flucht nach meinem Tode dir ausmitteln könnte. Aber mehr
als vierzig Jahre habe ich auf dieſem einſamen Dörfchen
zugebracht, ich kenne Niemanden, alle meine Verwandte
ſind todt. In dieſer Angſt holte ich mein Stammbuch her=

vor; du weißt, daß ich zuweilen darin blättere, um mich
der fröhlichen Universitätsjahre zu erinnern. Diesmal ver=
weilte ich länger bei jedem Namen, denn ich suchte Freunde
auf, mit denen ich einst vertrauter umgegangen, und wel=
chen ich nun dein Schicksal an's Herz legen könnte. Ich
fand auch mehrere, die mir damals mit jugendlicher Herz=
lichkeit Treue bis zum Tode schwuren. An alle diese schrieb
ich, um unter ihnen einen Vater für dich zu finden — ach!
sie sind alle todt! mich allein hat Gott zu Leiden aufgespart!
doch ich murre nicht, sein Name sei gelobt! — Du weißt,
fuhr er nach einer Pause fort, daß meine Einkünfte nur
gering sind, ersparen konnte ich nichts. Darum ergreift
mich oft so feindlich der Gedanke: was soll aus dir wer=
den, wenn ich nicht mehr bin!« —

»Ich war zerknirscht. Ich bat ihn schluchzend, nie
wieder von seinem Tode zu sprechen. Seit diesem Tage
verdoppelte ich meine kindliche Pflege für sein hohes Alter,
und meine Liebe rang gleichsam mit der Natur. Ja, es ist
mein süßer Trost, zu glauben, daß ich der Zerstörenden
vielleicht einige Monden abgerungen. Aber endlich behaup=
tete sie ihre Rechte über den mehr als achtzigjährigen Greis.
Er sank auf's Krankenlager, und fühlte bald, daß es sein
Sterbebett sei. Den Tag vor seinem Tode ließ er sich das
Schreibzeug bringen, schrieb mit großer Anstrengung und
zitternder Hand noch einige Zeilen, hieß mich sie in seiner
Gegenwart versiegeln, machte die Adresse, und befahl
mir dann den Brief, sammt einem Taufschein, den er mir
einhändigte, sorgfältig zu bewahren.«

»Ich hoffte, er würde nun ruhiger werden, aber ver= gebens! es war nur allzu sichtbar, daß sein Todeskampf durch eine tiefe Sorge ihm erschwert wurde. Am letzten Morgen rief er mich an sein Bett, und sagte mit gebroche= ner Stimme: in meinem Pulte wirst du eine Rolle mit Dukaten finden, sie gehört dir. Nimm sie heraus, so bald ich todt bin, miethe dir einen Platz auf dem Postwagen, der hier wöchentlich durchgeht, und reise an denjenigen Ort, der auf dem Briefe angegeben ist, den du verwahrst. Dort suche den Mann auf, an den der Brief gerichtet ist; Gott wird sein Herz rühren, er wird für dich sorgen. — Mit Widerwillen schien er diesen Rath mir zu ertheilen; auch kam es mir vor, als wollte er noch eine Erklärung hinzufügen, denn es entfielen ihm noch manche abgebro= chene Worte, und ein Geheimniß schien sein Herz zu drücken. Aber er schwieg, und als ich sah, daß er betete, schlich ich hinter sein Bett und weinte so still ich konnte. Nach einer Stunde nannte er meinen Namen, ich trat her= vor und kniete an sein Bett. Er forderte meine Hand, und schloß sie in die seinige, die schon erkaltet war. Mit kaum vernehmlicher Stimme sprach er: gelobe mir der Tugend treu zu bleiben, sollte dich auch Gott durch die bitterste Armuth prüfen! — Ich konnte nicht sprechen — ich hob nur meine Hand schwörend zum Himmel auf! Da gab er mir seinen Segen, und betete für mich, und im Gebet ver= schied er sanft.«

Eine lange Pause unterbrach hier die Erzählung der Weinenden. Auch Theodor's Thränen flossen. Nur Florio, der nie weinte, fühlte seine Brust unaussprechlich beengt, alles Blut stieg ihm zum Haupte, und alle seine Muskeln waren in krampfhafter Bewegung. Endlich ermannte sich Emma und fuhr fort:

»Ich erfüllte den Befehl des Entschlafenen pünktlich. Unter dem Schutz eines wackern alten Schirrmeisters kam ich mit der öffentlichen Post hier an, und fragte sogleich nach dem Kaufmann Schneider, an den mein guter Großvater seine letzten Worte schrieb. Aber in der ganzen Stadt war kein Mann dieses Namens zu finden, auch wußte sich Niemand zu erinnern, daß jemals ein solcher hier gewohnt. Mit Angst und Sorge ringend suchte ich ein wohlfeiles Wirthshaus, und bot in allen Zeitungen meine Dienste an: Vergebens! Niemand mochte eine Fremde bei sich aufnehmen, die keine Empfehlung aufzuweisen hatte.«

»K e i n e?« brummte Florio in sich hinein: »Sapper= ment! solch ein Gesicht,« wollte er eben hinzufügen, aber Theodor sah ihn ernst an, und er schwieg.

»Meine Barschaft ging zu Ende,« erzählte Emma weiter, »mein Vertrauen auf Gott wankte, ich betete nur noch, daß er mich vor Verzweiflung bewahren wolle. Wie in einem solchen Augenblick jenes Weib mich fand, mich an sich lockte, wissen Sie schon. Sie war die Erste, die sich eines Kaufmann Schneiders dunkel zu erinnern schien, und mir Hoffnung machte, ihn auszuforschen. Gestern trat sie freundlich in mein Zimmer, und wünschte mir Glück, denn wenn nicht Alles betrüge, so sei der Mann gefunden, den ich suchte. Zwar er selbst wohne in einer andern

Stadt, wenige Meilen entfernt, doch sein Sohn sei eben
hier, und ich möchte keinen Augenblick versäumen, bei ihm
nähere Erkundigung einzuziehen. Sie habe seine Wohnung
erfahren, und wolle mich gern dahin begleiten."

»Hastig sprang ich auf, bereit ihr zu folgen. Mein
Herz klopfte, als wir das Haus jenes Bösewichts betraten,
dessen Namen ich noch nicht weiß, und auch nie erfahren
mag. Im Vorzimmer flüsterte meine Begleiterin dem Be=
dienten einige Worte in's Ohr. Sogleich öffnete er die Thü=
ren; ich faßte mir ein Herz, trat näher mit meinem Briefe
in der Hand, und glaubte, die Alte sei hinter mir. Aber
sie war sogleich verschwunden, die Thüren wurden ver=
schlossen, und die rohe Leichtfertigkeit, welche der Verwor=
fene sich alsobald gegen mich erlaubte, ließen mich keinen
Augenblick in Zweifel über den mir gespielten Betrug.
Anfangs lähmte mich der Schrecken, ich war versteinert und
konnte keine Silbe hervorbringen; doch seine Unverschämt=
heit gab mir die Besinnung, und ein Gedanke an die letz=
ten Worte meines Großvaters die Kräfte wieder. Ach! fast
waren auch diese erschöpft, als mein klägliches Geschrei
Sie, edler Mann, zu meiner Rettung herbei rief.

Jetzt wissen Sie alles."

---

4. Die gefährliche Schülerin.

Eine lange Pause folgte auf Emma's Erzählung. Sie
arbeitete fort, und einzelne Thränen fielen auf ihr Nähzeug
und zugleich auf Florio's Herz, der stumm ihr gegenüber
saß und an seinen Nägeln kaute. Theodor, in sich gekehrt,

sann still auf Mittel, ihr zu helfen; denn so gern er auch
selbst ihren Unterhalt ferner bestritten hätte, so fühlte er
doch wohl, daß ihr Ruf, und auch der seinige darunter
leiden würden.

»Haben Sie den Brief Ihres Großvaters geöffnet?«
hub er endlich an.

»Nein.« —

»Wollen ihn auch nicht öffnen?« —

»Ich weiß nicht, ob ich recht thue.« —

»Mich dünkt ja, denn vielleicht gibt der Inhalt des
Briefes Ihnen nähere Aufschlüsse über den Mann, den
der Verstorbene hier suchte.«

Emma zog den Brief hervor. »Sie besitzen mein gan-
zes Vertrauen,« sagte sie zu Theodor, lesen Sie.«—
Theodor entsiegelte den Brief, und las folgende wenige
Zeilen.

Die Ueberbringerin dieses Briefes ist
das einzige Kind meiner einzigen verstorbenen Tochter. Mehr weiß ich nicht zu sagen,
und mehr wäre überflüssig, wenn bei ihrem
Anblick nicht Ihr eigenes Herz für sie
spricht. Erbarmen Sie sich der verlassenen
Unschuld, und empfangen Sie dafür den
Segen eines Sterbenden.

Ernst Traugott Thomasius,
Pfarrer zu Seligheim.

Diese Zeilen führten zu keiner weitern Aufklärung.
Auch der Taufschein, den Emma vorwies, enthielt weiter

nichts: als daß an dem und dem Tage dem Pfarrer Tho=
masius zu Seligheim eine Enkelin mit Namen Emma ge=
boren worden.

»Nun gleichviel," sagte Theodor, »was liegt am Na=
men? und was konnten Sie in diesem verlornen Kauf=
mann Schneider finden? einen Verwandten? einen Freund?
Beides haben Sie auch in mir gefunden. Vielleicht ist Jener
reicher als ich, aber an gutem Willen Ihnen beizustehen
hätte er mir es wahrlich nicht zuvor gethan. Darum sein
Sie gutes Muthes, ich bin Ihr Bruder."

»Und ich," sagte Florio, indem er sehr ernst die Hand
auf seine Brust legte. Es war schon spät, als beide das
dankbare Mädchen verließen. Unten plauderten sie noch bis
tief in die Nacht, oder vielmehr Theodor plauderte, denn
Florio ging wie ein Träumender auf und nieder und ant=
wortete mit Ja und Nein. Daß er bei seinen vornehmen
Schülerinnen für Emma sich verwenden wolle, versprach
er freilich, und es mochte ihm auch wohl Ernst damit sein;
aber, ob er gleich überall, wohin er kam, an Emma dachte,
und eigentlich nur an sie, so war es ihm doch unmöglich,
ihren Namen über seine Lippen zu bringen. Mehr als ein=
mal fing er an, den Eingang seiner Rede heraus zu stot=
tern, doch immer brach er wieder ab, und legte sich, auch
in den besten Familien, durch den Gedanken ein Schwei=
gen auf: daß dieses Haus noch nicht gut genug sei, um
ein Mädchen wie Emma aufzunehmen.

Im Grunde konnte er die Aussicht nicht ertragen, sie
aus seiner eigenen Wohnung zu verlieren, sie unter Frem=

den zu wissen, wo er sie nur selten und nie allein sehen
würde, ob er sich gleich diesen Beweggrund nie eingestand.
Bisweilen überraschte ihn wohl der Gedanke: Warum hei=
rathest du sie nicht? Doch sein Widerwille gegen das Hei=
rathen war noch zu tief gewurzelt, und eine ganze Schar
von Spöttereien, die er oft selbst über den Ehestand aus=
gegossen, stellte sich ihm sogleich drohend in den Weg. Un=
zufrieden mit sich selbst, wie Jeder, der mit seinen Gefüh=
len im Streite liegt, wurde er mürrisch, vernachläßigte
seine Geschäfte, ließ sogar nicht selten mehrere Tage lang
den Staub auf seinem Klavier sich sammeln. Nur wenn
Theodor ihm erzählte, daß er in seinen Bemühungen für
Emma noch nicht glücklich gewesen, empfand er wider Wil=
len eine geheime Freude; und nur wenn Beide Abends, wie
sie täglich zu thun pflegten, ein Stündchen bei ihr zubrach=
ten, schlich sich eine sanfte Heiterkeit in seine Seele, die
der Wüstling nie vorher gekannt hatte.

Oft trug es sich zu, daß Theodor plötzlich zu einem
Kranken gerufen wurde, dann blieb Florio mit Emma
allein. Anfangs war ihm das so süß und doch so peinlich,
denn stumm und albern saß er ihr gegenüber, aber da sie
von seinen Empfindungen noch nichts ahnete, so gab ihre
kindliche Unbefangenheit auch ihm nach und nach die Sprache
wieder. Dabei war er so bescheiden, so vorsichtig in der Wahl
seiner Ausdrücke, so fromm und sittsam, daß er nachher
sein Erstaunen oft gegen sich selbst sehr komisch äußerte, und
den neuen Menschen in ihm gleichsam schüchtern um Er=

laubniß bat, ſich in einem Monolog durch einige ſeiner alten Lieblingsflüche für jenen Zwang zu entſchädigen.

Eines Abends, als Emma gerade trauriger geſpannt war, als gewöhnlich, Theodor ſich abermals entfernt hatte, und Florio's Troſtgründe erſchöpft waren, gerieth er auf den Einfall, ſie um Erlaubniß zu bitten, ſein Klavier auf ihr Zimmer bringen zu laſſen. Sie bewilligte das gern, und nun öffnete ſich ihm eine neue ſchöne Ausſicht in die Tiefe ihres Herzens. Emma hatte auf ihrem Dörfchen, außer den elenden Cantaten des Schulmeiſters vom Oſter- und Pfingſtfeſte, nie zuvor Muſik gehört; ein ungekanntes Ent-zücken ergriff ihre zarte Seele; jede ſanfte Harmonie fand in ihrem Buſen die verſchwiſterte Empfindung; mit feuch-ten Augen, offenen Lippen, ſog ſie die Töne in ſich, und die freundliche Zufriedenheit, die über ihr ganzes Weſen ſich verbreitete, that dem Künſtler ſo wohl, daß er ſeine einzige Zuhörerin nicht gegen einen Kaiſerhof vertauſcht hätte. Auch hatte er noch vor keinem Hofe, in keinem glän-zenden Saale ſo ſeelenvoll geſpielt, als vor ihr, deren glü-hende Augen jeden herzerhebenden Accord ſo richtig dol-metſchten. Ohne es zu wiſſen, wurde ſie dem Manne herz-lich gut, der ſo ſchöne, ſanfte Gefühle in ihr erregte, den tiefen Gram in der Bruſt ſo oft durch ſeine Harmonien wegzauberte. Mit Sehnſucht harrte ſie der Abendſtunde entgegen, in der er zu kommen pflegte und nie ausblieb; ja ſie ſah es nicht mehr ungern, wie anfangs, wenn Theo-dor abgerufen wurde, denn ſo lange er zugegen war, ſpielte Florio nicht, wenn gleich ſein Freund oft ſelbſt darum bat. Es war ihm, als gehöre seine ganze Kunst nur ihr, als werde sie durch jeden fremden Zuhörer entweiht.

»Ach! wie glücklich,« rief Emma einst begeistert aus, da Florio eben mit der tiefsten Gewalt seiner seelenvollen Kunst fantasirt hatte, »ach! wie glücklich muß man sich fühlen, wenn man im Stande ist, für jede Empfindung des Herzens rasch und sicher den ihr entsprechenden Ton zu greifen; wenn man gleichsam selbst den Vertrauten jedes Kummers sich erschafft, und jede Saite durch den Ausdruck verwandter Gefühle dem wunden Herzen Trost zulispelt.«

»Es steht ja nur bei Ihnen,« ergriff Florio das Wort, »sich ein Glück zu verschaffen, für welches Sie einen so regen Sinn äußern. Mit Freuden will ich Ihr Lehrer werden.«

Emma erröthete, ihren geheimen Wunsch verrathen zu haben; da aber Ziererei ihr fremd war, und Florio sein Anerbieten mit bringender Heftigkeit wiederholte, so nahm sie es dankbar an. Welche Gefahr für beide daraus erwachsen könne, daran dachten beide nicht. Der Unterricht wurde mit einem Eifer angefangen, als ob Emma schon im nächsten Concert sich hören zu lassen versprochen hätte.

Es bleibt immer gefährlich, einen jungen Mann zum Lehrer eines jungen Mädchens zu wählen, doch am gefährlichsten, wenn Musik der Gegenstand des Unterrichts sein soll. Denn nicht allein setzt schon die Zauberei der Tonkunst Marmorherzen und Marmorbusen in Bewegung, sondern es lassen sich auch kleine Vertraulichkeiten nicht vermeiden, welche den Körper sanft beschleichen, indessen die Seele in Harmonien sich auflöst, und ihre Hülle zu bewachen vergißt.

Emma und Florio machten diese Erfahrung, und zwar
besonders bei Gelegenheit der Anweisung zum S e tz e n
d e r F i n g er auf dem Klaviere. Bekanntlich nimmt jeder
Schüler sich anfangs ungeschickt dabei; der Lehrer ist oft
genöthigt, ihm die Finger auseinander zu spreiten, und
jedem derselben die ihm gebührende Taste anzudeuten. Man
hat zwar ein Hilfsmittelchen erfunden, um die Sache zu
erleichtern, indem man nämlich Zahlen über die Noten setzt,
durch welche man die verschiedenen Finger bezeichnet; aber
Florio hatte dieses Mittel verschmäht, und ließ sich die
Mühe nicht verdrießen, alle Augenblicke nach Emma's
irrender Hand zu greifen, sie während einer mündlichen
Demonstration fest in der seinigen zu halten, und endlich
ihre zarten Finger, einen nach dem andern, bedächtig auf
die Tasten zu drücken.

Ein solches Handgemeinwerden führt gewöhnlich bald
zur Herzgemeinschaft, besonders, wenn viel dabei geredet
wird, nämlich mit den Augen, denn der Mund gehört in
dieser Epoche noch nicht zur Sache. An Unterstützung durch
Augensprache ließ Florio es auch nicht fehlen, und Emma —
obgleich noch vor wenig Tagen ihr diese Sprache so fremd ge=
wesen war, als das Chaldäische, konnte sie bald sehr geläu=
fig wenigstens v e r st e h e n, prahlte aber gar nicht mit ihrer
Gelehrigkeit, sondern suchte sie vielmehr zu verbergen. Das
Letztere würde ihr schwerlich gelungen sein, wäre nicht Florio
wirklich sehr verliebt, und folglich blind gewesen.

Zu seinem größten Verdruß machte sie in der Musik
sehr schnelle Fortschritte, und hatte schon in ein paar Tagen

das Setzen der Finger so vollkommen begriffen, daß
sie seiner Nachhilfe nicht mehr bedurfte. Bei ihm hingegen
wuchs mit jedem Tage das Bedürfniß, in leise Berührung
mit ihr zu kommen, und da leider seine Lehrerpflicht ihn
nicht mehr dazu nöthigte, so rückte er wenigstens, bei Er-
theilung des Unterrichts, seinen Stuhl so nahe als möglich
an den ihrigen, und unter dem Vorwand, ihr über die
Achsel zu schauen, berührte sein Kinn nicht selten ihren
Schwanenhals, und seine Wange wurde durch die Bewegung ihres Hauptes von ihrem lockichten Haare gestrei-
chelt. Durch diese sanfte Empfindung einst übermannt,
wagte er es, einen Kuß auf ihren Nacken zu drücken. Seine
Absicht war freilich, dieser Kuß solle nur verstohlen, wie
ein Zephir, der sich durch die Locken stiehlt, ihren Hals
berühren; doch einen Kuß gehörig abzumessen, ist weit
schwerer als eine Grabmessung, und Florio's Lippen ver-
weilten nicht allein zu fest, sondern auch viel zu lange auf
dem warmen Schnee, so daß Emma, so gern sie auch ge-
wollt hätte, seine Kühnheit unmöglich länger ignoriren
konnte. Sie wandte sich um, und sah ihn mit einer Mi-
schung von Ernst und Wehmuth unbeschreiblich rührend
an. Florio ertrug diesen Blick nicht, er schlug die Augen
nieder, und es kam für diesmal zu keiner weitern Erklärung.

Indessen wurde die Eisrinde der Weiberscheue, die sein
Herz umgab, mit jedem Tage dünner, und es bedurfte
nur noch eines lauen Lüftchens, um sie vollends zu zerbre-
chen. Diese letzte Erschütterung führte das bekannte Lied

XV.   10

herbei: Ach, was ist die Liebe für ein süßes Ding! Er, oder vielmehr der schalkhafte Amor, hatte es der Schülerin zur Uebung im Singen vorgelegt, und Emma hatte es so fleißig eingeübt, sang es so lieblich, daß es unmöglich war, an der Süßigkeit des Dinges zu zweifeln.

»Recht gut,« sagte Florio in großer Verwirrung, als sie den Gesang geendigt hatte, »es fehlt nur noch hie und da am Ausdruck — sehen Sie diese Stelle — und diese — besonders muß das Wort Liebe mehr gezogen, mehr gehaucht werden — O ich bitte, wiederholen Sie es noch einmal.« — Emma gehorchte. Sie zog und hauchte das Wort Liebe so tief in sein Herz, daß er plötzlich aufsprang, und mit komischem Zorn ausrief: »Ich weiß aber auch gar nicht, warum ich Ihnen nicht schon längst gesagt habe, daß ich Sie liebe?«

Emma erglühte, stand zitternd auf, band eine Blume fest, suchte eine Nähnadel auf der Erde, und machte sich allerlei zu schaffen, was ihr das Auf- und Anblicken ersparen konnte; an das Antworten war vollends gar nicht zu denken. Florio sah ihr lange in heftiger Bewegung zu, und sagte endlich (um ihr einen Vorwurf zu machen, der aber in die sanfteste Bitte ausartete), »Sie antworten mir nicht?«

Emma brach in Thränen aus. »Ich bin ein armes, sehr armes Mädchen,« sagte sie, »was soll, was darf ich Ihnen darauf erwiedern?«

Mit diesen Worten floh sie aus der Thür, die Treppe hinab zu Madame Saalfeld, um — Zwirn bei ihr zu

holen; ein befferer Vorwand fiel ihr in der Eile nicht bei. Florio stand noch eine Weile mitten im Zimmer, stampfte mit den Füßen, rief: »nun ist's vorbei!« schwur: »ich will sie auch nicht länger lieben!« und rannte hinunter auf die Straße, um den ersten, der ihm begegnen würde, mit dem Ellenbogen aus dem Wege zu stoßen.

5. Die Feuersbrunst.

So sehr es auch dem armen Florio bei seinem hastigen Schwur mit dem Wollen Ernst sein mochte, so stand doch das Vollbringen nicht mehr in seiner Macht. Er ver= suchte einige Mal den Amor in Bacchus Armen erdrücken zu lassen, aber ein berauschtes Herz macht jeden andern Rausch zuwider; der Johannisberger schmeckte ihm nicht mehr. »Mir ist ein großes Unglück wiederfahren,« sagte er zu Theodor, »ich bin in allem Ernst verliebt, und zwar in ein Frauenzimmer.«

»So heirathe sie,« war des lächelnden Freundes Trost.

»Schon wieder heirathen! — freilich, du hast Recht; um die Liebe am sichersten los zu werden, darf man das Mädchen nur heirathen, so ist gewiß in wenig Monden die Ruhe wieder hergestellt, aber eine Grabesruhe.«

»Sinnlicher Mensch!« erwiederte Theodor, »hast du gut gewählt, so wird gerade dann, wenn das Verliebt= sein aufhört, die wahre Liebe beginnen. Das behagliche Gewöhnen an einander; das süße Gefühl, sich wechselsei= tig unentbehrlich zu sein; das Unschmackhafte jeder allein

10 *

genoſſenen Freude; das Hinwegſehnen aus großen Zirkeln
zur traulichen Mittheilung, wo die Gedanken kaum der
Worte bedürfen; die erquickende Ueberzeugung: es lebt
ein Weſen, dem ich Alles bin! ich habe meine Seele ver=
doppelt —"

»Biſt du bald fertig?" unterbrach ihn Florio mürriſch.
»Ich könnte deine poetiſchen Floskeln durch eine Menge
Epigramme beantworten, aber ich bin jetzt nicht aufgelegt
dazu." (Eigentlich hätte er ſagen ſollen: ich bin jetzt nicht
witzig; denn in der That hatte ihm die Gewalt der Liebe,
wie dem Herrn Falk die Gewalt der Eitelkeit, den Witz
über alle Berge entführt.) »Ja," fuhr er fort, »ich will
hinaus in die weite Welt! ich will ihr zeigen, daß ich
ohne ſie leben kann."

»Aber auch ohne ſie glücklich ſein?" fragte Theodor
ſchlau. Ohne zu antworten, ſetzte der verliebte Freund ſich
an ſein Schreibepult, und ſchrieb einen langen Brief an
einen vormaligen Univerſitäts=Freund, einen reichen Edel=
mann, der ſeitdem Hofmarſchall an einem benachbarten
Hofe geworden war.

»Vermuthlich, Herr Bruder," ſo drückte er in ſeinem
vormaligen Studenten=Tone ſich aus: »Biſt du in deinem
jetzigen Amte auch das Oberhaupt einer Kapelle. Kannſt
du mich brauchen, ſo laß mich geſchwind kommen; du
haſt mich wohlfeil, denn ich will nur fort von hier."

Mit umgehender Poſt traf die Antwort ein: Ew.
Hochedelgeboren geehrtes Schreiben habe richtig empfan=
gen." Weiter las Florio nicht. Er warf den Brief mit

einem Fluch in's Feuer. »Elender Mensch!« rief er aus, »ich habe ihm beim Baden das Leben gerettet. Hol' ihn der Teufel!«

Eigentlich war der Schritt, den er gethan, ganz über-flüssig, denn wollte er durchaus den Ort seines Aufenthal-tes verlassen, so durfte ein so geschickter Künstler ja nur eine Zeit lang auf seine Kunst reisen, und konnte eines reichlichen Erwerbes gewiß sein. Es fehlte ihm auch keines-wegs am Selbstvertrauen; woran es ihm aber eigentlich fehlte, das war der ernste Wille, sich zu entfernen. Nur um sich selbst zu täuschen, hatte er ein Schnippchen in der Tasche geschlagen. Wäre auch des Hofmarschalls Antwort völlig erwünscht ausgefallen, er würde dann noch immer einen Vorwand gefunden haben, sich selbst von seinem raschen Gelübde zu entbinden. Um so willkommener war ihm jetzt die Hochadeliche Erbärmlichkeit.

»Ich brauche den Menschen nicht,« sprach er, sich aber-mals täuschend, »ich brauche Niemanden. Dem Mädchen zum Trotz will ich hier bleiben, ja ich will sogar fortfahren, ihr Stunden zu geben, und das Gefühl meines eigenen Werthes soll mich vor jeder Thorheit schützen.«

Mit diesem heroischen Entschluß im Kopfe, aber nicht im Herzen, setzte er seine Besuche bei Emma muthig fort, und hielt sich eine Zeit lang tapfer. Ihre anfängliche Ver-legenheit schien ihm sogar ein Triumph. »Sie wartet wohl nur darauf,« dachte er mit einer Art von verliebtem Grimm, »daß ich ihrer Eitelkeit ein neues Opfer bringen soll? aber daraus wird nichts. Von mir soll sie künftig, außer dem Taktschlag, wenig hören."

Es war allerdings nicht ganz ohne, daß Emma insgeheim einer neuen Erklärung entgegen sah, aber, wie sie steif und fest glaubte, nur um sich dafür zu fürchten und noch einmal davon zu laufen. Als sie nach und nach sich überzeugte, daß sie in diese Verlegenheit nicht mehr kommen werde, regte sich ein kleiner Unwille in ihrer Brust, den sie hinter kalter Höflichkeit zu verbergen strebte. So fingen die Stunden des Unterrichts an, etwas peinlich zu werden; man kürzte sie ab, man wurde sich fremder, man täuschte sich wechselseitig durch ein kindisches Schmollen.

Arme Emma! auch in dein unerfahrenes Herz war der Pfeil der Liebe gedrungen, dein künftiger Unterhalt nicht mehr dein erster Kummer. Oft weintest du jetzt in deiner Einsamkeit und schämtest dich zu weinen, denn dein Gewissen sprach laut: »diese Thränen fließen nicht mehr um den Großvater."

In einem solchen gefährlichen Augenblick, in dem das Herz in ihren Augen schwamm, überraschte sie Florio, fand sie in ihrer Schwermuth reizender als jemals, und seine Liebe brach um so heftiger aus, je gewaltsamer bis jetzt sein Bestreben gewesen, sie zurück zu zwingen. Er stürzte zu ihren Füßen, er drückte sie in seine Arme, er bedeckte sie mit heißen Küssen. Sie wollte sich loswinden, entfliehen, ihr mangelten die Kräfte, ihr vergingen die Sinne, und ohne zu wissen, was sie that, mit dem Ausruf Gott! Gott! erwiederte sie glühend Einen seiner Küsse.

Bis zu dieser gefährlichen Minute hatte ihr Schutzengel müßig die Bewachung der Unschuld dem eigenen reinen Herzen überlassen. Jetzt schwebte er herbei, sah die Gefahr, erschrack und rauschte mit seinem Flügel, daß die verwandten Geister es vernahmen. Feuer! Feuer! schrie man plötzlich auf der Straße, die Trommel wirbelte, die Glocke erschallte dumpf, das Zimmer wurde gräßlich hell, das Haus gegenüber stand in Flammen. Die Liebenden fuhren aus ihrem Taumel auf. »Helfen Sie! retten Sie!« kreischte Emma, und fort stürzte Florio, der Glückliche, hinüber in das brennende Haus. Emma sah es, zitterte, weinte, bebte, vergaß der eigenen Gefahr, und heulte zum Fenster hinaus: rettet ihn! rettet ihn!

Eben als die letzte Kraft sie zu verlassen drohte, und sie sich noch bebend an die Fensterstäbe klammerte, taumelte Florio aus dem zusammenstürzenden Gebäude mit dem einzigen Kinde der Nachbarin auf dem Arme. Emma sah es, und mit den Worten: »Gott sei gelobt!« sank sie ohnmächtig vom Fenster auf den Boden.

Indessen hatten wirksame Anstalten die Flamme verhindert, weiter um sich zu greifen. Als Emma erwachte, war alles still geworden, die Straße leer, ja sie würde die ganze Begebenheit für einen Traum gehalten haben, wenn nicht der aufsteigende Rauch und die leere Brandstätte die Wirklichkeit derselben bezeugt hätten.

Aber was ist aus Florio geworden? habe ich ihn wirklich ein Kind aus dem Hause tragen sehen? warum kam er nicht zurück? — wer beantwortete ihr diese Fragen? —

ihre Angſt wuchs mit jedem Augenblicke — ſie konnte nicht länger allein bleiben, ſie wankte hinunter zu Madame Saalfeld, wo ſie noch Alles in größter Beſtürzung fand. Ihr erſtes Wort würde eine Frage nach Florio geweſen ſein, hätte nicht jungfräuliche Scham ihr die Lippe verſchloſſen. Mit ſeinem Namen, ſo kam es ihr vor, verrieth ſie auch ihr Geheimniß.

Glücklicherweiſe war die Witwe ſelbſt zu voll von des Jünglings edler, kühner That. »Wiſſen Sie ſchon," rief ſie der Koſtgängerin entgegen, »unſer Hausgenoſſe Florio hat mit Gefahr ſeines Lebens des Nachbars Kind gerettet."

»Das lohne ihm Gott!" ſtammelte Emma.

„Ja, das wird, das muß er ihm lohnen," rief Madame Saalfeld aus, »da er noch obendrein jede andere Belohnung ausſchlägt."

»Welche?"

»Der reiche Nachbar, in der erſten Freude, ſein einzi= ges, ſchon verloren geglaubtes Kind in ſeine Arme zu ſchließen, hat dem Retter ſein halbes Vermögen angeboten, aufgedrungen, aber vergebens. Sie ſind mir gar nichts ſchuldig, hat Florio geſagt, ich war ſo glücklich gerade in dem Augenblick, als die Flamme ausbrach, nur dieſes Glück gab mir den Muth; Sie haben des Kindes Rettung wahrlich nicht mir zu banken, und damit iſt er fortgegangen, ohne ſich näher zu erklären."

Emma's Wange färbte ſich hochroth, und ihr Gefühl bei dieſen Worten war unbeſchreiblich. Jetzt konnte Florio's

Bild nie wieder aus ihrem Herzen weichen, denn immer
sah sie ihn, von Rauch geschwärzt, mit dem Kind auf dem
Arme, zu dessen Rettung ihr Kuß ihn befeuert hatte. Ha!
wenn schon jede tapfere, männliche That die Neigung eines
Weibes zu bestechen vermag, wie viel mehr dann, wenn es sich
sagen darf: ich war es, die solche edle Kühnheit ihm ein=
hauchte. Madame Saalfeld war unerschöpflich in dem Lobe
des braven Mannes (wie sie ihn, als Gegenstück zu
Bürgers Ballade, nannte), und Emma hörte so gern ihr
zu, so gern, daß sie darüber sogar zu fragen vergaß: was
denn eigentlich aus dem braven Manne geworden sei? —
Von ungefähr ließ Madame Saalfeld die Worte fallen:
»wenn er nur davon kommt!«

Todtenbleich und stammelnd wiederholte Emma die
schrecklichen Worte: »davon kommt? ist er denn verwundet?«

»Das Feuer,« sagte die Witwe, »hat ihn übel zuge-
richtet, und ein brennender Balken ihm, wie ich höre, die
linke Schulter gequetscht.«

Eine zweite Ohnmacht würde jetzt die Liebende umschlei-
ert haben, wäre nicht glücklicherweise in diesem Augenblicke
Florio mit den Worten hereingetreten: «Nun nun, so arg
ist es nicht gewesen.« Ihrer Empfindung nicht Meister,
schrie sie laut auf, der entwichene Glanz ihres Auges kehrte
verdoppelt zurück, und ohne die Gegenwart der Witwe
würde sie ihm an den Hals geflogen sein, das Feuermahl
auf seiner Wange durch ihre Küsse noch mehr entzündet
haben. Er sollte erzählen, er that es so anspruchlos, und

fügte jedesmal, wenn von dem, was er gewagt, die Rede
war, die Bemerkung hinzu: »ich darf mich wahrlich des
Wagestücks gar nicht rühmen, denn gestern hätte ich es
schwerlich vollbracht, ja, noch vor wenigen Stunden,« —
(ein flüchtiger Blick, nur für Emma bemerkbar, deutete
dies Bekenntniß) — »Was ist der Mensch!« fuhr er fort,
»wenn der Leib gesund und die Seele heiter ist, so verrich=
tet er spielend Dinge, die man ihm für Heldenthaten an=
rechnet, und im Grunde war es nur die aufgeregte Kraft,
welche die Maschine in Bewegung setzte. Heute hätte ich
für jeden Bettler mein Leben gewagt — vielleicht würde
ich es auch morgen thun,« setzte er mit einem zärtlichen,
auf Emma ruhendem Blick hinzu.

Sie verstand ihn und schlug die Augen nieder. Es
wurde spät, und Florio, fröhlich schwatzend, ging noch im=
mer nicht. Daß ihn seine Schulter heftig schmerzte, davon
sagte er kein Wort. Das Glück, geliebt zu werden, welches
er so deutlich in Emma's Augen las, verstattete keiner an=
dern Empfindung Raum. — Sie fühlte wohl, daß es un=
schicklich sei, länger zu verweilen. Mehr als Einmal stand
sie im Begriff aufzubrechen, aber eine dunkle Ahnung
sagte ihr jedesmal: er wird dich begleiten, du wirst allein
mit ihm sein, und wo nähmest du heute die Kraft her, dem
stürmischen Liebhaber zu widerstehen? — Sie hatte ganz
recht vermuthet. Florio, der sonst so edle Jüngling, den
nur sinnliche Leidenschaft und verkehrte Begriffe von den
Weibern zu einer Schlechtigkeit hinreissen konnten, Florio
wich nicht von der Stelle, war entschlossen seinen Sieg zu

verfolgen, geschähe es auch auf Kosten einer gemordeten Unschuld.

Noch Einmal wachte ihr Schutzengel. Schon wollte sie — ihre Furchtsamkeit als Folge des Schreckens vor= schützend — die Witwe um Erlaubniß bitten, diese Nacht bei ihr zuzubringen, allenfalls auf einem Stuhle; als Theodor hereintrat, der seinen Freund überall vergebens gesucht hatte. Er flog auf ihn zu, er lobte ihn nicht, aber er drückte ihn brüderlich an sein Herz und wischte sich Thränen aus den Augen. Dann fragte er ängstlich nach seinem Befinden. »Nun da haben wir den Herrn Doktor,« sagte Florio lachend, »er trifft mich heiter in der besten Gesellschaft, und fragt noch wie ich mich befinde. Geh nur, mein Freund, bei mir ist nichts zu verdienen, ich fühle mich enorm gesund.«

»Dies Gefühl täuscht bisweilen,« erwiederte Theodor, »ist oft nur Wirkung gespannter Nerven. Ich habe mit dem Wundarzt gesprochen, der dich verbunden hat, er war nicht außer Sorgen; d'rum erlaube mir deinen Puls.« — Mit diesen Worten griff er ihm nach der Hand, die Florio vergebens wegzuziehen strebte. »Dachte ich's doch,« fuhr Theodor fort, »du hast ein starkes Wundfieber. Ich bitte dich, folge mir sogleich auf unser Zimmer, du mußt dich zu Bett legen, Arzeneien nehmen.«

Alles Protestiren des Patienten, alle Versicherungen, daß er nie in seinem Leben sich so wohl befunden, als eben heute, halfen zu nichts. Theodor befahl, Madame Saalfeld überredete, Emma bat, Florio fluchte, und wurde im Ernst

bitterböse auf seinen lästigen Freund; aber dieser erklärte
mit Festigkeit: »du kannst mich schlagen, wenn es dir beliebt;
aber bei Gott! ich weiche nicht eher von deiner Seite,
bis ich dich zur Ruhe gebracht.«

»Zur Ruhe!« wiederholte Florio mit höhnischem Lachen, »nun, du verdammter ruhiger Mensch! so komm und
schneide mir die Gurgel ab!«

---

6. Die Freistatt.

Ruhiger, doch keineswegs beruhigt, hatte auch Emma
nun in ihrem Dachstübchen sich verschlossen. Durch die Begebenheiten des verflossenen Tages war das sechzehnjährige
Mädchen plötzlich um zwei Jahr älter geworden; ihr Herz
hatte sich entfaltet, sie liebte — und sie wußte, daß sie liebte.
Von diesem gefährlichen Augenblicke pflegte ihr guter Großvater oft zu sprechen, und sie mit einer Wehmuth dafür zu
warnen, die jedesmal helle Tropfen an seine grauen Wimper
hing. Damals hörte sie ihm mit kindlicher Aufmerksamkeit
zu, ohne ihn zu verstehen; ja, sie wunderte sich wohl im
Stillen, warum der gute Alte, gerade dann, wenn er von
der Liebe spreche, so bewegt werde, da die Liebe doch im
Evangelio geboten sei. Jetzt verstand sie ihn, und als die
Mitternachtsstunde schlug, war es ihr, als träte sein Geist
vor sie hin, und spräche wie vormals: „Kind, sobald du
einem Manne deinen Kuß nicht mehr verweigern kannst,
so sei nie mit ihm allein! versprich es mir bei der Asche
deiner unglücklichen Mutter und bei meinem eigenen nahen
Grabe!" — Mit einem Thränenstrom versprach sie damals

alles, nicht als hätte sie von der Gefahr, vor welcher sie gewarnt wurde, auch nur die leiseste Ahnung empfunden; aber der Großvater war so feierlich, er sprach von seinem Grabe, er nannte ihre Mutter u n g l ü c k l i c h, was er sonst nie that, ja der Ausdruck schien ihm wider Willen ent= schlüpft zu sein; ein dunkles Gefühl sagte ihr, dieses Un= glück müsse wohl in Verbindung mit jener gefährlichen Liebe gestanden haben; darum wünschte sie herzlich der= gleichen nie zu empfinden, und die ganze feierliche Scene hinterließ einen tiefen Eindruck in ihrem jungen Herzen. Die= ser Eindruck wurde plötzlich wieder lebendig; sie sah den Greis mit gefalteten Händen vor sich stehen, sie hörte seine war= nende Bitte; die eben verlöschende Lampe, die Dunkelheit, die sie jetzt umgab, vermehrten ihre Seelenangst; sie sank an ihrem Lager auf die Knie und betete mit frommer Innigkeit um Rath und Stärke.

Ihr Gebet blieb nicht unerhört; früher als am Hori= zont dämmerte es in ihrer Seele, und als der erste Strahl der Sonne den Rosenstock vor ihrem Fenster traf, da war bereits ein muthiger Entschluß gefaßt, und eine sanfte Heiterkeit verscheuchte von der blassen Wange die Spuren der durchwachten Nacht. Kaum konnte sie die Stunde erwarten, in welcher die Magd ihr Thee zu bringen pflegte. Sie sandte sogleich hinunter zu Theodor, und ließ ihn bit= ten, ihr einige Minuten zu schenken.

Er kam. Er bemerkte ihre Blässe. »Sind Sie krank?" fragte er hastig. Eine Röthe überflog ihre Wange, sie suchte sich zu ermannen, sie kämpfte mit der Scham. Eine pein=

liche Stille herrschte einen Augenblick. »Wirklich Sie sind
krank,« sagte Theodor, und wollte ihre Hand fassen. Sie
zog sie hastig zurück.

»Nicht doch,« hub sie an, »ich befinde mich wohl; nur
was ich Ihnen zu sagen habe, mein Freund, mein Bruder!
setzt mich in diese fieberhafte Bewegung. Seit mehreren
Wochen bin ich nun in diesem Hause, verdanke Ihnen
meinen Unterhalt. So kann, so darf es nicht länger blei=
ben. Ihnen die Gründe anzugeben, wäre überflüssig bei
Ihrer zarten Denkungsart. Darum beschwör' ich Sie
zum letzten Mal, verschaffen Sie mir einen Dienst, wäre es
auch nur als Magd bei einem Handwerksmann. Sie sehen
mich entschlossen, lieber die niedrigsten Arbeiten zu verrich=
ten, als länger Ihre Güte zu mißbrauchen.«

»Mein Gott, ja doch,« erwiederte Theodor, »ich gebe
mir täglich Mühe, haben Sie nur Geduld — vielleicht
bald —«

»Ach!« rief sie aus, »ich muß auf die Gefahr, Ihnen
zu mißfallen, grillenhaft zu scheinen, fest erklären, daß ich
noch heute dies Haus verlasse, können Sie mich nirgend
unterbringen, nun so übergebe ich mich dem Schutze Got=
tes! ich habe noch drei Dukaten, damit setze ich mich auf
die Post, fahre von Dorf zu Dorf und suche mir Brot bei
einem Bauer. Ich verstehe die Landwirthschaft, ich bin un=
verwöhnt; hat nur irgend ein ehrlicher Landmann Vertrauen
zu mir, es soll ihn nicht gereuen.«

Vergebens drang der erstaunte Theodor in sie, ihm den
Beweggrund eines so raschen Entschlusses zu entdecken,

von dem sie noch gestern keine Ahnung gehabt zu haben
schien. Alles was er, durch Ernst und Bitten, von ihr
herauszupressen vermochte, waren die Worte: »Sie haben
mich von einem Bösewicht errettet; ich beschwöre Sie, retten
Sie mich jetzt vor mir selbst!"

Dies halbe Bekenntniß, das mit einer Art von Schauder gewaltsam aus ihrer Brust hervordrang, gab dem Arzte
plötzlich Licht über ihr seltsames Betragen. Zwar hatte
Florio ihm nichts verrathen, denn trotz seiner sogenannten
Grundsätze, hielt eine heimliche Scham ihn zurück, seine
leichtsinnigen Hoffnungen dem strengen Freunde zu vertrauen; allein der sonderbare Widerwille, den er gestern
äußerte, ihm zu folgen, entschlüpfte Winke, und endlich
in der Nacht, während eines ziemlich starken Wundfiebers
ausgestoßene Worte, verbunden mit ältern Bemerkungen,
die ihm erst jetzt auf's Herz fielen, ließen das Geheimniß
ihn errathen. Emma's unwillkürlicher Ausruf gab seiner
Vermuthung neue Stärke. Alsobald drang sein scharfsehen-
der Blick in das Innere ihrer reinen Seele, er betrachtete
sie mit einer Art von Ehrfurcht, faßte ihre Hand, drückte sie
herzlich, und sagte: »Sein Sie ruhig, seit einigen Tagen
schon habe ich Hoffnung, Ihnen in Kurzem einen Platz zu
verschaffen, den ich Ihrer Lage für angemessen halte, wenn
nur nicht —"

»Gleichviel welcher!" unterbrach ihn Emma hastig,
„aber nicht in Kurzem, heute! heute! sonst kommt Ihre
Hilfe zu spät!"

Theodor verstand sie wohl, und gern hätte er auf der Stelle den Grund ihrer Aengstlichkeit hinweggeräumt, hätte es nur mit jener zarten Schonung geschehen können, die er jetzt ihr doppelt schuldig zu sein glaubte. Vielleicht noch heute, begnügte er sich ihr zu sagen, und lenkte dann das Gespräch auf andere Gegenstände, natürlich zuerst auf das Haus, das gegenüber noch in rauchenden Trümmern lag. »Ich habe das Kind besucht," sagte er hingeworfen, »es hat außer dem Schrecken nichts gelitten. Auch mein Freund wird höchstens nur drei oder vier Tage das Bett hüten müssen, denn er hat noch ein starkes Fieber, ist aber übrigens ganz außer Gefahr."

Die Wirkung dieser Nachricht hatte der schlaue Arzt richtig berechnet. Eine sichtbare Verwirrung überfiel das arme Mädchen, als Florio's Name genannt wurde. Aber sie erholte sich bald. Die doppelte Gewißheit, daß Florio nicht in Gefahr sei, und doch sie auch nicht besuchen könne, beruhigten sie augenscheinlich, sie sprach jetzt mit zunehmender Fassung von ihrer Zukunft, und als Theodor sie verließ, wiederholte sie zwar noch einmal ihre Bitte um schleunige Entfernung aus diesem Hause, fügte aber doch hinzu: ein paar Tage wolle sie sich noch gedulden, nur nicht länger. Der Arzt unterdrückte ein Lächeln und ging.

Wirklich hatte er seit einigen Wochen einen Plan zu ihrer Versorgung entworfen, und nur noch nähere Nachrichten von dem Manne einzuziehen gesucht, dem er sie anvertrauen wollte. Dieser Mann hieß Robert, und war

Inspektor des Stadtgefängnisses, in welchem muthwillige
oder unglückliche Schuldner eingekerkert wurden. Seit mehr
als dreißig Jahren verwaltete er sein Amt mit Redlichkeit
und Menschenliebe, Bösewichtern ihr Schicksal nicht er=
schwerend, Unglücklichen es gern erleichternd. So war er
ein Greis geworden, seine Gattin ihm längst vorangegan=
gen, und nur eine Tochter ihm übrig geblieben, des Vaters
Ebenbild, die ihn fromm und kindlich pflegte, ja bei des
Alters zunehmender Schwachheit die Besorgung der Ge=
fangenen menschenfreundlich mit ihm theilte. Diese Tochter
hatte er jetzt vor Kurzem verheirathet, und wenige Wochen
nachher lernte ihn Theodor kennen, da er, wegen einer
Krankheit, der er selbst keinen Namen zu geben wußte, den
Arzt zum ersten Mal in seinem Leben zu sich rufen ließ.

Theodor bemerkte bald, daß eigentlich eine Gemüths=
krankheit den guten Alten peinigte, und sagte es ihm. »Sie
mögen wohl Recht haben,« versetzte der Greis, »ich mache
mir selbst Vorwürfe über einen Kummer, den ich nicht be=
meistern kann. Ich habe mein einziges Kind, fünf Meilen
von hier, an einen wackern Mann verheirathet. Darüber
sollte ich mich freuen, denn meine Tochter ist glücklich;
aber ich, Herr Doktor, ich habe Alles verloren! Man pflegt
wohl einen Vater zu beneiden, wenn es ihm gelingt, sein
Kind gut zu versorgen, und freilich soll der Vater nur auf
dessen Glück dabei Rücksicht nehmen. Nun das habe ich
auch gethan, aber lieber Gott! ich bin nur ein Mensch. Die
ganze Freude meines Lebens ist dahin! meiner Tochter

XV.   11

Hochzeittag war mir bitterer, als mit Gottes Hilfe einst mein Sterbetag sein wird. Ich habe ihr das nicht merken lassen, nein, behüte mich der Himmel! ich will ihr Glück nicht trüben. Ich habe standhaft ausgehalten, und habe noch gelächelt, als sie in den Wagen stieg. Aber als der Wagen durch die Pforte rollte, und ich nun in meine ver= ödete Wohnung zurückkehrte, da fiel mir eine Zentnerlast auf's Herz, und die liegt auch noch darauf!"

»Lieber Alter!« sagte Theodor gerührt, »wenn Ihre Tochter so nahe ist, so wird sie ja oft zum Besuch —«

»O ja," unterbrach ihn der Greis, »sie wird kommen, einmal, zweimal des Jahrs, das werden erquickende Tage für mich sein. Aber es ist doch nun alles anders. Ich hatte mich so an sie gewöhnt — Niemand kann es mir jetzt recht machen, denn selbst wenn dies und jenes besser geschieht, so ist es doch anders, als sie es zu machen pflegte. Und dann, Herr Doktor, es lebte doch ein Ge= schöpf auf der Welt, dem ich Alles war; jetzt ist das vor= bei, ihr Mann, ihre Kinder werden ihr Alles sein, und der Vater steht allein, ein abgestorbener Baum. Ich weiß wohl, das muß so sein, die Natur hat das weislich so gemacht, und ich murre nicht: aber ist es denn meine Schuld, daß ich dem Gefühl unterliege? daß ich mir elen= der vorkomme, als irgend Einer der Gefangenen, die in diesen Mauern seufzen!"

Seit Theodor seine Kunst praktisch übte, war es immer sein Bestreben, der Freund seiner Patienten zu werden;

nicht selten war es ihm gelungen, und nicht selten hatte
er Wunderkuren vollbracht, indem er sie durch Mittel heilte,
die in keinem dispensatorio stehen. Auch hier sah er wohl
ein, daß seine Pulver und Tränkchen mehr verderben als
nützen würden; einen Ersatz für das Verlorene mußte er
dem Greise schaffen, sonst verzehrte ihn der stille Gram.
Sein erster Gedanke fiel auf Emma. Aber es war leichter
der Tochter Stelle zu besetzen, als dem Vater glaubend zu
machen, daß sie wiederum besetzt sei. Er berührte diese
Saite einigemal, doch der Alte äußerte entschiedenen Widerwillen gegen neue Bekanntschaften. »Ich glaub' es
wohl,” sagte er, »Sie würden mir ein gutes Kind zuwei-
sen, aber brächten Sie mir auch einen Engel vom Himmel, es wäre doch nicht meine Christel.” — Theodor brach
für's Erste ab, besuchte ihn aber täglich, verschrieb ihm
wenig, plauderte mehr mit ihm, und machte sich dem
Greise bald so unentbehrlich, daß dieser ihm mit einem
Händedruck versicherte: »ich kann die Stunde kaum erwarten, wo Sie zu kommen pflegen; es ist meine einzige heitere Stunde im Tage.” — Freilich sprach Theodor jedesmal von seiner Tochter mit ihm, und ließ sich geduldig die
geringsten Kleinigkeiten hundertmal erzählen.

Indessen hatte, ohne eigentliche Krankheit, die Schwachheit des alten Mannes so sehr zugenommen, daß er genö-
thiget war, das Bett zu hüten. Ihm mangelte nicht blos
Pflege, sondern sein Zustand wurde auch durch die Sorge
um die Gefangenen noch verschlimmert, die er jetzt mit

11 *

Miethlingen theilen mußte, zu welchen er kein Vertrauen
hegte. Dennoch konnte er sich nicht entschließen, den Rath
seines freundschaftlichen Arztes zu befolgen, auch nicht ein=
mal, nachdem Theodor ihm Emma's Geschichte erzählt hatte.

»Ich will es Ihnen nur gestehen," sagte er schmerzhaft
lächelnd, »es ist eine große Schwachheit von mir. Sehen
Sie, so lange ich N i e m a n d um mich habe, kommt es
mir vor, als sei meine Tochter blos abwesend; sobald ich
aber ein a n d e r e s Frauenzimmer hier erblicken würde, ach!
so könnt' ich des Gedankens mich nicht erwehren, daß sie
todt sei, wenigstens für mich! Lieber will ich mich behel=
fen, und mich selber mit dem Troste täuschen: wenn sie
zurück kömmt, wird es besser werden.«

Aber der arme Alte k o n n t e sich nicht länger behelfen,
denn seine Hände fingen so stark an zu zittern, daß er keine
Tasse, keinen Löffel mehr zum Munde führen konnte.
Theodor überraschte ihn eines Morgens beim Frühstück,
dem er gegenüber saß, wie Tantalus, und schon seit einer
halben Stunde auf die schmutzige Köchin wartete, die ihm
Thee einschenken und kredenzen sollte. Als sein Arzt kopf=
schüttelnd vor ihn trat, rief er mit einem Seufzer: »ich
weiß schon, was Sie sagen wollen: ein alter Mann darf
wohl ein wenig eigensinnig sein, doch ich treibe es gar zu
arg. Wohlan, bringen Sie mir Ihre Waise, ich will ver=
suchen, mich an sie zu gewöhnen. Hat doch Kant in sei=
nem hohen Alter an eine andere Bedienung sich gewöhnen
müssen. Aber freilich, Kant war ein Philosoph, und sein
Bedienter war nicht seine Tochter.«

Theodor benutzte augenblicklich die vom Bedürfniß erzwungene Erlaubniß, denn sie wurde ihm gerade an dem Morgen ertheilt, als Emma Tages vorher den Blick in ihr offenes Herz ihn hatte thun lassen. Er flog zu ihr, beschrieb den Zufluchtsort, den er für sie ausgemittelt, bat sie, vor dem Worte Gefängniß nicht zu erschrecken, und schilderte ihr den Greis der Wahrheit so getreu, daß sie plötzlich ausrief: »Mir ist, als sprächen Sie von meinem guten Großvater. O geschwind, führen Sie mich zu ihm, lieber in dieser, als in der nächsten Stunde. Jede Freistatt wäre mir jetzt willkommen! selbst eine solche, wo Verdruß und Mangel mir drohten; wie gern eile ich an Ihrer Hand zu der, wo Uebung alter, liebgewordener Pflichten mir eine wohlthätige Wirkung auf mein Herz zusagt.« — Theodor versprach sie Nachmittags abzuholen. Seinem kranken Freunde, der noch immer fluchend das Bett hütete, sagte er vor der Hand kein Wort davon.

---

7. Ueberraschung und Ersatz.

Die mannigfaltigen Gespräche des alten Inspektors, die, wenn sie auch von der Sonne oder von einem Kirchthurm anhuben, doch immer bei seiner Tochter endigten, hatte Theodor, theils aus Gefälligkeit, theils in der geheimen Absicht sie zu benutzen, stets mit großer Aufmerksamkeit angehört, und war dadurch in den Stand gesetzt worden, jene geliebte Tochter, die er nie gesehen hatte, allenfalls zu malen, wenigstens vom Kopf bis zu den Füßen zu beschreiben. Er wußte, welche Kleidung sie täglich im

Haufe getragen, in welche Locken fie ihr Haar gelegt; er kannte ihren Gang, ihre Manieren; er wußte, daß Emma mit ihr von gleicher Größe war, und auch gerade wie jene ein wenig fchnarrte. Ferner hatte er fich die kleinen Gewohnheiten des Alten, die Art, wie er am liebften bedient fein mochte, wohl gemerkt; in Allem ertheilte er Emma umftändlichen Unterricht, und das gute Mädchen faßte ihn fchnell. Als er Nachmittags fie abholte, hatte fie ihre Kleidung ganz nach feiner Anweifung verändert; ihr Herz brauchte fie nicht zu verändern.

Das dunkle Gefängnißthor, durch welches der Wagen rollte, und die raffelnden Ketten der Zugbrücke beklemmten ihre Bruft, doch fie fchalt fich felbft ein Kind, und fprach fich Muth ein durch den heitern Gedanken, daß fie diefen finftern Zufluchtsort im Geleite ihrer geretteten Unfchuld betrete. Theodor hatte die Abendftunde gewählt, in welcher der Greis Thee zu trinken pflegte. Das gefchah fehr pünktlich in einer gewiffen Minute, und fo lange feine Tochter ihn pflegte, war diefe Minute nie verfäumt worden. Nur feitdem fie ihn verlaffen, und einem Manne nachgezogen war, mußte der Vater fich in eine andere Ordnung, oder vielmehr Unordnung fügen, und felten ftand die rauchende Mafchine mit dem beftimmten Glockenfchlage vor ihm. Theodor führte Emma nicht zu dem Alten, fondern zuerft in die Küche, zeigte ihr aus dem Küchenfenfter die Thurmuhr, wiederholte ihr feinen Unterricht, und ging dann hinein zu Robert, der im Sorgeftuhle faß, und an feiner Tafchenuhr die Minuten zählte.

»Verzeihen Sie,« sagte der Arzt, »daß ich zur unge=
wöhnlichen Stunde komme. Wenn Sie erlauben, so trinke
ich Thee mit Ihnen.«

Wehmüthig lächelnd erwiederte der Greis: »Verzei=
hung? Erlaubniß? Da Sie mir eine Wohlthat erzeigen? —
O bemühen Sie sich doch die Klingel zu ziehen, um die
Köchin an die Theestunde zu erinnern, sonst stehe ich
Ihnen nicht dafür, daß wir ihn so bald bekommen. Viel=
leicht bleibt er auch ganz aus, denn leider wiederfährt mir
das auch bisweilen. Ja, vormals — setzte er mit einem
Seufzer hinzu — als meine Tochter noch hier war, — o
ich bitte, klingeln Sie.«

Wir wollen es einmal darauf ankommen lassen,« sagte
Theodor, setzte sich dem Alten gegenüber, und hub ein
gleichgiltiges Gespräch an. Robert antwortete nur zerstreut,
denn aus Gewohnheit haftete sein zählender Blick auf der
vor ihm liegenden Uhr. Als der Zeiger die gewohnte Mi=
nute berührte, hob der Greis sein Haupt empor, und
wiegte es nickend, indem er nach der Thür sah, als wollte
er sagen: »Ja, die Stunde ist wohl gekommen, aber der
Thee —« Noch hatte er den Gedanken nicht ausgedacht,
siehe da öffnete sich die Thür, und ein freundliches Mädchen
trat herein, gerade so gewachsen, so gekleidet, als seine
Christel; sie trug auf blankem Teller das blanke Theezeug,
setzte es genau auf die ihr angewiesene Stelle, schwenkte,
ohne ein Wort zu sagen, die Theekanne aus, that genau
so viel Thee hinein, goß nicht mehr und nicht weniger

Waſſer barauf, als ihr vorgeſchrieben war, ſetzte dann die Kanne hin, um die Blätter ziehen zu laſſen, griff muthig nach dem Schlüſſelbund, welches neben dem Inſpektor lag, hing es ſich an die rechte Seite, und ging wieder hinaus, um Zucker zu holen.

Theodor hatte, während dieſer ſtummen Scene, den Greis aufmerkſam beobachtet: In dem Augenblicke von Emma's Erſcheinung ſtutzte er, maß ſie mit großen Augen vom Kopf bis zu den Füßen, folgte jeder ihrer Bewegungen mit Blicken, welche noch mehr Aengſtlichkeit als Neubegier ausdrückten. Als ſie den Thee ſo unbefangen und gerade auf ſeine Weiſe zubereitete, ſchlich ſich wohl ein Lächeln ihm auf die Wange, und eine heitere Wehmuth glänzte in ſeinem feuchten Auge. Als ſie ihm vollends den Schlüſſelbund von der Seite nahm, und damit hinaus lief, da rollte ihm eine Thräne herab, und er ſagte: »Ja, ja, ſo hat ſie es auch gemacht, aber es iſt doch nicht meine Chriſtel!« —

»Sie wird es werden,« nahm Theodor das Wort, »ſie wird in Kurzem Ihnen eine liebe Tochter werden.« — Der Alte ſchüttelte ungläubig den Kopf, ſchien ſich aber ſelbſt darum zu ſtrafen, dankte ſeinem Arzte herzlich für die Ueberraſchung, und meinte doch, das Mädchen habe ſo etwas an ſich, das Vertrauen erwecke; mit der Zeit werde er ſich wohl an ſie gewöhnen.

Emma trat wieder herein, und ſpielte die ihr geläufige Rolle mit gutmüthiger Behendigkeit fort. Sie ſchenkte jetzt den Thee ein, und der Greis bemerkte wohlgefällig, daß sie genau so viele Stücke Zucker in seine Tasse legte, als er hinein zu legen gewohnt war. Dann gab sie mit Vorsicht die Tasse in seine beiden zitternden Hände, setzte sich neben ihn und fing an zu stricken, denn so hatte es auch die Tochter gemacht. Als der Alte nun zum ersten Male wieder ein weibliches Wesen in derselben Beschäftigung neben sich sitzen sah, da ergriff ihn das Bild seiner Tochter mit sanfter Gewalt, große Thränen rollten ihm über die Wangen, und er schluckte hastig seinen Thee hinunter, um nicht in ein lautes Weinen auszubrechen. Emma nahm ihm sogleich die Tasse ab, doch ohne sie wieder zu füllen, denn sie hatte nicht vergessen, daß genau zehn Minuten zwischen der ersten und zweiten Tasse verstreichen mußten. Ein beobachtender Blick, den sie von Zeit zu Zeit auf die Uhr warf, verrieth dem Alten, daß sie auch mit dieser Gewohnheit schon vertraut war; er warf einen dankbar lächelnden Blick auf Theodor und reichte ihm die zitternde Hand.

Noch hatte er kein Wort mit seiner neuen Hausgenossin gesprochen, sie immer nur verstohlen angesehen. Jetzt, da sie neben ihm saß, und mit gesenkten Augen emsig strickte, wagte er die erste Frage: »wie heißest du, mein liebes Kind?"

»Ich heiße Christel," antwortete Emma, der Verabredung gemäß.

Der Name seiner Tochter, und fast mehr noch das gelinde Schnarren, mit welchem Emma ihn aussprach, erschütterten den Alten heftig; er brauchte einige Minuten, um seine tiefe Rührung zu überwältigen, dann aber sprach

er mit feierlicher Wehmuth: »du trägst ihren Namen, du
hast ihre Stimme, und gewiß auch ihr Herz — nun so sei
mir willkommen, meine zweite Tochter!« Er breitete bei die=
sen Worten seine Arme aus, und Emma flog an seine Brust.

Theodor entfernte sich nunmehr mit dem seligen Be=
wußtsein, Gutes gewirkt zu haben. So bald er fort war,
fragte Emma ihren neuen Pflegevater, ob sie ihm nicht
vorlesen solle? denn sie wußte, daß nun die Stunde die=
ses Zeitvertreibes gekommen war, den er freilich seit seiner
Tochter Abreise hatte entbehren müssen. Fast erschrack er
ein wenig, weil die Frage ihn überraschte, und er eine
Art von zärtlichem Widerwillen bei dem Gedanken empfand,
daß dieses fremde Mädchen wirklich Alles für ihn sein
könne, was seine Christel ihm gewesen; ja fast hätte er ein
wenig mit Emma geschmollt, als sie mit seiner Bewilli=
gung ihr Vorleseramt nun wirklich antrat, und er sich nicht
verhehlen konnte, daß sie besser lese, als seine Tochter.

So machte Emma in sehr kurzer Zeit Theodor's Pro=
phezeihung wahr. Sie wurde dem Greise unentbehrlich,
sie pflegte ihn mit der sorgfältigsten Liebe, sie fügte sich
immer heiter in alle seine Eigenheiten — und siehe, das
Herz, von Kummer und Sehnsucht zusammengezogen,
that sich wieder auf, die Frühlingssonne schien hinein, und
schuf einen heitern Wintertag. Das frohe Gemüth gab dem
Körper neue Kräfte, das Zittern seiner Hände verschwand,
er konnte wieder gehen ohne Stab, und die Mittagsstunde
rückte ihm wieder zu spät heran, weil, wie vormals, einer
Tochter Hand die Speisen bereitete, einer Tochter kind=

liche Unterhaltung sie würzte. Nie hörte Theodor wieder
die Worte aus seinem Munde: »es ist doch nicht meine
Christel!« ja, wenn er sich selbst zuweilen in einsamen Au=
genblicken auf diesen Ausruf ertappte, zürnte er auch mit
sich selbst über seine eigene Ungerechtigkeit.

Den größten Beweis von Liebe und Zutrauen, den
er seiner neuen Tochter gab, war der Auftrag, wöchentlich
zweimal die Gefangenen zu besuchen, wenn ihn selbst des
Alters Schwäche daran verhinderte. Dann mußte sie Abends
ihm Bericht erstatten, und hier begegneten sich beider Her=
zen so oft in menschenfreundlichen Gefühlen, lernten so
ganz sich kennen, daß bald des Greises Liebe zu Emma,
und Emma's Achtung vor dem Greise den höchsten Gipfel
erreichten.

Ein Leben, das so still und sanft dahin floß, geschmückt
durch das Bewußtsein, die heiligsten Menschenpflichten zu
erfüllen, ein solches Leben konnte nicht unglücklich sein.
Wenn gleich der wuchernde Keim der ersten Liebe in
Emma's Herzen nicht erstickt war; wenn gleich eine stille
Sehnsucht oft ihren Busen ausdehnte und ihren Blick um=
düsterte; so gingen solche Augenblicke doch immer schnell
vorüber, denn Thätigkeit, der stärkste Zaum der Leiden=
schaft, zügelte jedes Gefühl, das ihr zu mächtig werden
wollte. Den größten Theil des Tages widmete sie ihrem
guten Vater; die übrigen Stunden füllte die Sorge für
die Gefangenen, unter welchen sich fast immer Kranke be=
fanden, die ihrer Pflege bedurften. So wiegten sie fast
jeden Abend Müdigkeit, Jugend und Zufriedenheit mit

sich selbst, schnell in einen tiefen Schlummer, und immer
seltener dachte sie an Florio zurück, gegen den überdies
ein geheimer Unwille sie erfüllte, denn sie hatte seit jenem
Abend nichts wieder von ihm gehört; Theodor vermied ihn
zu nennen, und sie schämte sich, nach ihm zu fragen. Freilich deutete eben der geheime Unwille noch nicht auf Gleichgiltigkeit, und sie zürnte mit sich selbst, daß sie an einen
Menschen, der nach einer solchen Scene fähig war, sich
gar nicht mehr um sie zu bekümmern, noch immer nicht
ganz ruhig denken konnte; aber sie hoffte, die Zeit werde
sein Bild endlich ganz aus ihrer Brust vertilgen.

Und war denn Florio wirklich so gleichgiltig gegen
Emma geworden? — Nichts weniger. — Noch hatte sein
Freund ihm nicht erlaubt, das Zimmer zu verlassen, als
er schon eines Morgens, von Sehnsucht ergriffen, den
Ueberrock um sich warf, und die beiden steilen Treppen zu
dem Dachstübchen so hastig hinauf stieg, als die Reste sei-
nes Fiebers nur immer verstatten wollten. Er fand die
Thür verschlossen, er klopfte, nannte seinen Namen —
vergebens! keine Antwort. Das kam ihm bedenklich vor.
Aengstlich sprach er bei Madame Saalfeld ein, und, der
Verstellung ungewohnt, fragte er sogleich nach Emma. —

»Mein Gott, Sie wissen nicht? —«

»Was? ist sie todt? —«

»Gott bewahre! schon seit einigen Tagen hat Ihr
Freund ihr einen Dienst bei dem Inspektor Robert ver-
schafft. Ich wundere mich, daß er Ihnen nichts davon
gesagt.« —

Florio ftand verfteinert. »So?" ftammelte er, »ei wirk=
lich? — wer ift der Infpektor Robert? warum nennen
Sie nur i h n? hat er keine Frau?"

»Er ift fchon längft Witwer."

»Witwer? verdammt! fchickt fich das? ein Mädchen
wie Emma — ift mein Freund von Sinnen? eine folche
Unfchuld — zu dem Wollüftling —"

»Wollüftling, Herr Florio?" lächelte Madame
Saalfeld, »der Mann ift hoch in die fiebzig."—

Das war ein Wort zu rechter Zeit und beruhigte den
irrenden Künftler plötzlich, der fchon vor Wuth an allen
Gliedern bebte. Aber mit bitterm Groll gegen feinen Freund
im Herzen, kehrte er zurück in die Krankenftube, die er
mit großen Schritten maß. Als Theodor herein trat, fah
er ihn gar nicht an, fondern fetzte feinen Spazirgang nur
noch haftiger fort. Der Arzt beobachtete ihn eine Zeit lang
fchweigend, merkte wohl, daß etwas vorgefallen fei, und
redete ihn freundlich an: »Was haft du, Florio?"

Der Mufikus blieb vor ihm ftehen mit funkelnden Blicken und fagte bitter: »Mit uns ift's aus!"

»Wie fo? warum?"

»Wo haft du Emma hingebracht?" —

»Zum Infpektor Robert."

»Warum haft du mir nichts davon gefagt? —"

»Du haft mich nie darum befragt."

»Aber du wußteft doch, wie nahe mir das Mädchen
am Herzen lag?"

174

»Ich glaubte, die Grille sei längst verflo=
gen, weil du gegen mich, deinen Freund, nichts
mehr davon äußertest.«

»Dazu hatte ich meine Ursachen.« —

»Die können wohl nicht die besten gewesen
sein.«

»Das Mädchen liebte mich.« —

»Desto schlimmer!« —

»Warum?«

»Weil du vermuthlich sie nur verführen und
nicht heirathen wolltest.«

»Was ging das dich an?« —

»Mit deiner Erlaubniß, das ging mich sehr viel an:
Ich war's, der ihre Unschuld rettete, in meinen Schutz
hatte sie sich begeben; ich hatte geschworen, ihr Bruder
zu sein; darum war es meine Pflicht, sie einer größern
Gefahr, der Berückung ihres eigenen Herzens, zu entreißen.«

»Auch dann, wenn man einem Freunde dabei den
Dolch in die Brust stoßen mußte?«

»O ja, auch dann. Dieser Freund wird zu sich selbst
kommen, oder ich habe ihn nie gekannt. Könnte ich in die=
ser Zuversicht mich irren, so wäre es allerdings aus mit uns.«

Theodor sprach die letzten Worte mit einem so hohen
Ernst, daß Florio erschüttert wurde. Er schwieg einige Au=
genblicke, mit sich selbst unzufrieden, und da nichts den
Menschen störrischer macht, als dieses drückende Gefühl,
so konnte die bessere Seele auch noch nicht die Oberhand ge=

winnen. »Sehr wohl, Herr Ritter,« sagte er mit verbissenem Grimm, »prunke nur mit deiner Tugend; thu dir immerhin auf deine unerbetene Hilfe recht viel zu Gute; dir zum Trotz will ich das Mädchen sehen, lieben und — und —«

»Und heirathen?« unterbrach ihn Theodor.

»Nein, zum Teufel! nein!« —

»Ach!« rief Theodor, und eine große Thräne trat in sein Auge, »so muß ich aufhören, den Menschen zu lieben, für den ich bis jetzt mit Freuden mein Leben geopfert hätte!«

»Das traf. Florio stürzte an seinen Hals. »Nein, du Satan!« schrie er schluchzend, »du sollst mich lieben! habe ich denn etwa vergessen, daß ein Freund mehr werth ist, als ein Mädchen?«

Theodor hielt ihn fest umarmt. »Ich habe dich wieder,« sagte er, »ich kannte dich wohl.«

Florio hielt Wort, so gut er konnte, das heißt, er suchte die Bekanntschaft des Inspektors nicht; er vermied sogar die Gegend, wo Emma wohnte, um sie nicht etwa am Fenster zu erblicken. Aber er wollte auch gar nicht mehr an sie denken, und er dachte nur an sie; ihr Name sollte nicht über seine Lippe kommen, und alle Augenblicke entschlüpfte er ihm. Er wurde still, verschlossen, und alle seine Kompositionen erhielten einen Anstrich von düsterer Schwermuth. Zu dieser gesellte sich noch ein Unglücksgefährte, das Mißtrauen, mit dem er sogar seinen Freund, und mehr noch, sich selbst quälte, denn er konnte den Gedanken nicht los werden, Theodor habe ihm Emma nur aus den Augen gerückt, weil er selbst in sie verliebt sei. Er glaubte es nicht, er wollte es nicht glauben, und doch verfolgte ihn das Schreckbild, wie ein Gespenst.

-----

8. Verleumbung.

Vergebens zerbrach der gute Theodor sich den Kopf, um die scheue Wortkargheit seines Freundes zu erklären. Daß Jemand auf der Welt an seiner Treue gegen Ottilien zweifeln könne, kam ihm gar nicht in den Sinn; am we= nigsten hielt er Florio dessen fähig, weil er vergaß, daß ein eifersüchtiger Liebender an Allem zu zweifeln fähig ist. Hätte Florio nur sein Herz geöffnet, so hätte sicher die Freundschaft schnell den asmodischen Unrath herausgefegt; allein er schwieg finster und machte blos finstere Beobach= tungen, die sämmtlich, wie er meinte, seine Vermuthung= en bestätigten; denn es ist sonderbar, daß der Mensch eben so leicht glaubt, was er fürchtet, als was er hofft.

Theodor's Liebe war ein umwölkter Fels, man sah ihn nicht, aber er stand unerschüttert. Der Arzt trieb seine Ge= schäfte nach wie vor, der Freund hatte immer noch Stun= den und Ohren für den Freund, der Mensch immer noch Rath und Hilfe für leidende Menschen. Das Alles, meinte Florio, könne unmöglich Statt finden, wenn man ernst= lich liebe, denn er erfuhr es ja leider täglich an seiner eigenen Person, und so sehr auch Philosophen und Nichtphilosophen mit Maßstäben, aus Prinzipien zusammengesetzt, sich brü= sten, nach welchen sie ihre Brüder neben sich zu messen vorgeben, so sind doch diese Maßstäbe gewöhnlich nur aus ihrem eigenen schwachen Fleische geschnitten; ihre Gefühle, ihre Denkart, besonders, wenn beide schlecht sind, schieben sie gar zu gern den Handlungen des Nachbars unter.

Doch soll diese Bemerkung hier nur von dem verblendeten Florio gelten; daß auch die verblendete Ottilie den Geliebten treulos glaubte, war verzeihlicher; denn die Hölle in ihres Vaters sündiger Brust umstrickte sie mit Täuschungen, welchen das arme Mädchen nicht entrinnen konnte. Als Herr Klumm seinen Tobias aussandte, um die Spur der hübschen Dirne zu verfolgen, die am Arme des verhaßten Geliebten seiner Tochter ihm begegnet war; da hatte er selbst nur wenige Hoffnung, etwas in seinen Kram Taugliches zu entdecken. Er wußte, daß Theodor ein schlichter Bürger mit altbürgerlichen Gesinnungen war. Darum hielt er das fremde Mädchen blos für eine Verwandte von ihm, etwa für des Vetter Leinewebers Tochter, und meinte, wie schon erwähnt, er werde seine eigene Erfindungskraft zu Hilfe nehmen müssen, um der Sache bei Ottilien die gehörige Schwärze zu leihen. Aber hocherfreut, wie ein Räuber, der ein Haus brennen sieht, in dem er längst gern gestohlen hätte, vernahm er Dinge durch seinen Spion, die keines weitern Schmucks bedurften, und deren nackte Erzählung die giftige Wirkung auf Ottiliens Herz nicht verfehlen konnte.

Der Doktor und der Musikus, so hieß es in der ganzen Stadt, halten sich zusammen eine Maitresse in ihrer

XV.   12

eigenen Wohnung, sie bringen täglich die Abende bei ihr
zu, und wechselsweise auch die Nächte. Sie ist von einem
Gute des Ministers von Stolzenbeck gebürtig, eines ehrlichen Landmanns Tochter, darum hat der edle Kammerassessor von Stolzenbeck sich ihrer annehmen, sie den Klauen
ihrer Verführer entreißen wollen, aber der Wüstling Florio
hat ihn mit blankem Degen überfallen, und unverwarnt
tödtlich verwundet. Die wackere Madame Saalfeld hat
endlich den Gräuel in ihrem Hause nicht länger dulden
wollen, und den beiden saubern Herren das Quartier auf-
gesagt, wenn sie die berüchtigte Person nicht sogleich fort-
schafften. Da hat der Doktor einen alten schwachen Mann,
den Inspektor Robert, breit geschlagen, daß er die Dirne
zu sich genommen, und weil der Alte weder sehen noch
hören, und von seinem Stuhle sich gar nicht mehr bewegen
kann, so treiben die Buhler ihr Wesen dort wieder nach
Gefallen.

Dieses Gift, aus Stadtklatschereien destillirt, wurde
täglich tropfenweis in Ottiliens Ohren geträufelt. Sie wehrte
sich lange mit der Halsstarrigkeit der Liebe gegen die
Schlangenzungen, die in ihr Herz sich bohren wollten. Es
ist nicht wahr, sagte sie zu dem Bedienten; ich glaub'
es nicht, zu dem Vater; der hat es erfunden, zu sich
selbst. Man will mich nur dem Kammerassessor
in die Arme liefern, gleichviel ob ich dann, nach
entlarvter Verleumdung, der Verzweiflung
Preis gegeben werde. Sie bat ihren Vater, sie mit

Mährchen zu verschonen, es sei vergebliche Mühe, von Theodor lasse sie nicht.

Herr Klumm sah wohl, daß sie nur seinen Berichten nicht traue, doch sicher wanken werde, wenn sie ihr von fremden Zungen bestätigt würden; darum entschloß er sich plötzlich, ihr die Freiheit wieder zu geben, wenigstens auf kurze Zeit, und während derselben seine Wachsamkeit zu verdoppeln, damit weder der Liebhaber noch sein Freund, Gelegenheit fänden, sie zu sprechen. Diese Vorsicht war überflüssig, denn Theodor's strenge Denkungsart verbot ihm jeden heimlichen Schritt, und Florio's Kampf mit dem Aufruhr in der eigenen Brust, ja selbst der falsche Verdacht, durch den er seinen Freund beleidigte, hinderten ihn jetzt, auf's neue für eine Liebe etwas zu wagen, die er für erloschen hielt.

Die Thüren von Ottiliens Kerker öffneten sich. »Was geschehen ist, sei vergessen,« sagte Klumm zu ihr, »ich verzeihe deiner Leidenschaft, daß sie die Warnungen eines liebenden Vaters verschmähte; ja ich verzeihe ihr sogar, daß sie ein Mißtrauen in meine Erzählung setzen konnte. Du bist jetzt frei, prüfe selbst.« — Fast erschrack Ottilie über diese unerwartete Freiheit. Sollte sie wirklich nur dadurch zu der fürchterlichen Ueberzeugung von des Geliebten Untreue geführt werden, ach! so wäre sie ja glücklicher in ihrem öden Kerker geblieben.

Der Bankdirektor veranstaltete einen großen Ball in seinem Hause, zu dem er alle die geschwätzigen Muhmen

12 *

und alle die neidischen Freundinnen seiner Tochter lud, sicher, daß auch selbst auf den Fall, wenn sie zu fragen unterlassen sollte, die dienstfertigen Zungen nicht erman= geln würden, ihr die verbrämten Stadtgerüchte mitleidig zu eröffnen.

Es gibt keine Erwartung in der Welt, in der man sich weniger irrte, als die, daß man die Menschen jederzeit bereitwillig finden wird, Nachrichten, die den guten Ruf eines Dritten schänden, zu verbreiten. Herr Klumm hatte sich nicht verrechnet. Man ersparte Ottilien die Mühe zu fragen, und ehe noch die dritte Polonaise ausgetanzt war, wußte sie schon dreimal mehr, als ihr Vater und sein Sprachorgan Tobias ihr zugetragen hatten. Wie konnte sie noch länger an der unseligen Wahrheit zweifeln? Unter den plauderhaften Muhmen befanden sich einige sehr respek= table Damen, welche Alles bekräftigten, nicht als hätten sie täuschen w o l l e n, sondern weil sie selbst davon über= zeugt waren; denn die Menschen überhaupt (auch die Bes= seren) und besonders die Weiber (auch die Besten) unter= suchen nur dann sehr genau, wenn von etwas Gutem die Rede ist; das Böse nehmen sie auf Treu und Glau= ben an.

In Ottiliens Brust erhob sich ein Sturm der widrig= sten Gefühle. Die erste Wirkung dieser Empörung ihres Gemüths war eine erzwungene, ausgelassene Fröhlichkeit; sie lachte über Alles, versäumte keinen Tanz, walzte wie eine Bacchantin, trank hintertrein Eiswasser, und wollte sich tott lachen, als man sie vor einer Lungenentzündung warnte. Wäre Stolzenbeck zugegen gewesen, an diesem Abend hätte er ihr Jawort ohne Bedenken erhalten, denn es gelang ihr, sich völlig zu betäuben, es war ein Rausch der Verzweiflung! — Freilich verschwand dieser schnell, als sie gegen Morgen ermüdet ihr einsames Zimmer betrat, als das Geräusch der Musik, das Getöse der Sprechenden ihren Kopf nicht mehr umsauste, und in der Grabesstille das zusammengezogene Herz sich wieder entfaltete. Dann erst flossen Thränen, bittere Thränen aus ihren Augen und badeten den Pfühl, den der Schlummer floh.

»Ach Theodor!« rief sie schluchzend, »warst du es werth, daß ich an dieser Stelle so oft andere, süßere Thränen um dich geweint habe?« — Ihre Weiblichkeit empörte sich. Du bist ein schönes Mädchen, flüsterte die Eitelkeit ihr zu: wie viele Opfer hast du ihm gebracht! von den ersten, reichsten Jünglingen der Stadt umgaukelt, hattest du nur Augen für ihn. Einen Mann, der dir Rang und Reichthum bot, verschmähtest du um seinetwillen. Du warst eine Thörin. Ist es einmal der Weiber Loos, an diese Sklaven ihrer Sinne gefesselt zu werden, nun so geschehe es mindestens ohne Liebe, deren sie Alle spotten; so wähle das Mädchen nur den Mann, der sie mit Glanz umgeben und ihre Ketten vergülden kann.

Durch solche Eingebungen empörter Weiblichkeit erbittert, traf Klumm am Morgen seine Tochter so verwandelt, als er es längst gewünscht hatte. Mit einer Hastigkeit fragte sie selbst nach Stolzenbeck, mit einer hastigen Aengstlichkeit, die freilich dem Unbefangenen leicht würde verra-

then haben, daß nur ihr Stolz Rache suchte. Doch ihm
war es ja einerlei, aus welchem Grunde sich Ottilie seinem
Willen unterwarf; wenn es nur geschah und er gerettet
wurde, denn bald, bald mußte er gerettet werden. O wie
vermaledeite er jetzt den abscheulichen Musikus, der
den schon genesenen Incroyabel wiederum auf mehrere
Wochen außer Stand gesetzt hatte, die letzten Hoffnungen eines schiffbrüchigen Vaters zu erfüllen. Wer stand
ihm dafür, daß Ottilie in dieser erwünschten Stimmung
blieb? wer stand ihm dafür, daß die Geduld seiner Gläu-
biger noch Monden lang die Probe halten würde?

Um indessen wenigstens die nun wieder geliebte Tochter in ihren Gesinnungen zu bestärken, umarmte er sie feierlich, bestach ihr Herz durch eine erkünstelte Freudenthräne,
und ihre Eitelkeit durch die Erlaubniß, die versäumten Mo-
den nicht allein nachzuholen, sondern auch Juwelen und
Spitzen, so viele sie deren bedürfe, um jeder Gräfin gleich
zu schimmern, auf seinen Namen zu erborgen. Er hatte
allerdings das rechte Mittel getroffen, Ottiliens Betäubung zu verlängern, denn das erbitterte wie das leere
Weiberherz findet nur Zerstreuung oder Trost in befriedig-
ter Eitelkeit.

Ottilie machte sich auf der Stelle die gegebene Erlaubniß zu Nutze, ja, sie überschritt die Grenzen derselben,
noch immer in dem Wahne stehend, daß sie eines reichen
Mannes Tochter sei. Sie fuhr aus einem Kaufmannsge-
wölbe in das andere, von einem Juwelenhändler zu dem
andern; in wenigen Stunden hatte sie Tausende verschleu-

dert, und eilte jetzt nach Hause, um ein Prunkgewand zu
garniren, in dem sie geflissentlich jede Gesellschaft aufsu-
chen wollte, wo sie ihren Ungetreuen zu finden hoffen dürfte.
Sie wußte, er liebte den Glanz nicht, darum wollte sie ihn
eben damit ärgern, sie wollte gleichgiltig und stolz auf ihn
herabblicken, sie wollte — ach! was wollte sie nicht Alles!
ein schmollendes Weib ist um nichts vernünftiger als ein
schmollendes Kind.

Ihn zu finden wurde ihr nicht schwer, denn kaum hatte
Theodor erfahren, daß sie ihrer Gefangenschaft entledigt
sei, als er selbst wider seine Gewohnheit in alle öffentliche
Versammlungen sich drängte, wo ihre Gegenwart zu vermuthen war. Zum ersten Male sah er sie im Schauspiel
wieder, aber sie in einer Loge, er im Parterre, sie mit
flüchtigen Blicken verachtend über ihn hingleitend, er mit
bekümmerten Blicken fest an ihr hängend; sie vom Glanz
kostbarer Ohrgehänge umstrahlt, von jungen vornehmen
Herren mit großen Backenbärten umflüstert, er im schlichten Oberrock im einsamen Winkel. Eine eben so widrige
als traurige Empfindung bemächtigte sich seiner bei dieser
Erscheinung. Es war gewiß, sie hatte ihn erkannt, ihr
Vater war nicht gegenwärtig, und dennoch vermied sie
seine Blicke oder ließ die ihrigen verachtend auf ihn fallen;
sie lachte, scherzte mit den hirnlosen Köpfen, die sie um-
ringten; die interessantesten Scenen des Schauspiels konnten sie nicht einmal von dieser faden Unterhaltung abzie-
hen — Ach! was sollte er davon denken! Traurig sinnend
stützte er den Arm auf das Orchester und legte den Kopf

in die Hand. Ottilie wurde diese Stellung sogleich gewahr, denn sie verstand, wie alle Weiber, die Kunst, zu sehen was sie sehen wollte, ohne den Schein davon zu geben. Mit dem Munde fuhr sie fort zu plaudern, aber in des Herzens Tiefe fing die Liebe sich an zu regen, und eine sanfte Stimme schallte herauf: sieh, wie bekümmert er da steht, er ist doch wohl unschuldig.

Nur noch wenige Minuten durfte Theodor's Jammergestalt verweilen, so war es um ihre stolze Fassung geschehen. Doch unglücklicherweise wurde er in einem Augenblicke, in dem sie eben abgewendet saß, zu einem gefährlichen Kranken gerufen, als sie wieder hinabblickte, war er verschwunden, und der Gedanke: »jetzt ist er zu seiner Buhlerin gegangen, um sich zu trösten,« fiel wie ein Eisklumpen auf ihr Herz. Jetzt wurde sie still, die übelste Laune trat an die Stelle der erzwungenen Fröhlichkeit, und erbitterter als zuvor fuhr sie nach Hause.

Einige Tage nachher trafen sie abermals in einem Concert zusammen. Theodor hatte sich früher eingefunden als Ottilie, er stand in dem Gange, durch welchen sie durch mußte, um zu den für die Damen gesetzten Stühlen zu gelangen. Sie erschien am Arm ihres Vaters, in einem silberdurchwirkten Kleide vom feinsten indischen Moufselin, ihr Haar mit Brillanten durchwunden. Sie streifte nahe an Theodor vorbei, und ließ im Vorübergehen denselben verachtenden Blick auf ihn fallen, der schon im Schauspiel ihm so weh gethan hatte. Da sie zu spät gekommen war, so fand sie nur noch einen Stuhl am Ende einer Reihe leer, der nicht fern von Theodor stand. Sie setzte sich, und Herr Klumm näherte sich dem Orchester, doch so, daß er seine Tochter im Auge behielt. »Wohlan,« dachte Theodor, dem das drückende Gefühl,so übersehen zu werden, unerträglich wurde, »wohlan, ich will sie sprechen. Jetzt, in ihres Vaters Gegenwart, von ihm beobachtet, darf ich mit ihr sprechen. Zwei Worte werden hinreichen, mich zu belehren, ob ich verleumdet, oder ob mein redliches Herz durch gleiß= nerischen Schimmer hintergangen worden.« — Mit diesem Vorsatz bahnte er sich nach und nach einen Weg durch die ihn umgebenden Zuhörer, und in wenigen Minuten stand er neben Ottiliens Sessel. Sie wurde es gewahr, ihr Bu= sen wallte, ihr Herz schlug hoch empor, ihre Farbe wech= selte. Auch Herr Klumm wurde es gewahr, und fing schon an, seinen dicken Bauch mühsam rückwärts zu schieben. Theodor sah, daß er keine Zeit zu verlieren hatte.

Er bog sich über die Lehne des Sessels, und flüsterte mit rührender Stimme leise in ihr Ohr: »Ottilie! bin ich bei Ihnen verleumdet worden?«

»Ich verachte Sie!« antwortete sie. »Das ist zu viel!« rief er empört, und verließ den Platz, den sogleich der Bankdirektor einnahm. Ach, wie gern hätte Ottilie all ihren Schmuck der ersten Bettlerin geschenkt, hätte sie das rasch gesprochene Wort damit zurück erkaufen können. Der rührende Ton seiner Stimme, der nun erst tief und immer tie= fer zu ihrem Herzen drang, setzte sie in eine Bewegung, deren sie nicht mehr Meister blieb. Thränen der Wehmuth dräng= ten sich in ihr Auge. Der Vater sah und fragte, ob ihr nicht

wohl fei? fie fchob es auf den erfchütternden Klang einer
Harmonika, die eben gespielt wurde. Aber noch immer
perlten die Zähren neu hervor, als die Harmonika schon
längst geschwiegen. Ach! wenn er dennoch unschuldig wäre!
seufzte ihr Herz, und schüchtern wandte sie den Nacken, um
in seinen Zügen die schon halb geglaubte Versicherung seiner Unschuld zu lesen. Ihr Auge fand ihn nicht mehr, er
war fort, und dennoch konnte sie den schrecklich tröstenden
Gedanken diesmal nicht hervorrufen, daß er zu ihrer Ne-
benbuhlerin gegangen sei. Vor dem Thore, in düsterm Gebüsch, einsam klagend, ihren Leichtsinn verwünschend, sah
sie ihn im Geiste, und das Bild des Traurenden, von ihr
gemißhandelten Geliebten, verbunden mit der drückenden
Luft, die sie umgab, wirkten so gewaltsam auf ihre Nerven, daß ihr plötzlich schlimm wurde. Kaum hatte sie noch
die Kraft, ihren Vater zu bitten, sie aus dem Gedränge
zu führen. Man machte ihm Platz, er eilte mit der Wan-
kenden nach der Thür. Dort hatte sich Theodor an den
Pfosten gelehnt, mit verschränkten Armen. Fast wäre sie
in die Knie gesunken, als sie ihn erblickte. Er sah es und
sprang zu. Herr Klumm stieß ihn unsanft zurück. »Bemühen Sie sich nicht,« sagte er höhnisch, und rief dann seinen Bedienten zu, den Wagen schnell vorfahren zu lassen.
Diesen einzigen freien Augenblick benutzte Ottilie, um vorüber rauschend, und ohne Rücksicht auf die hundert Menschen, die sie umgaben, dem Geliebten ziemlich laut zu sagen:
»vertheidigen Sie sich, wenn Sie können!«

Bleich und zitternd vor Schrecken hatte er ihre Worte
kaum verstanden, als sie seinen Augen schon entschwunden
war. Doch, nachdem er sich erholt, und wieder Besinnung
genug gewonnen hatte, um das Echo in seinem Busen zu
vernehmen, das ihm unaufhörlich zurief: »vertheidi=
gen Sie sich, wenn Sie können!« da beschlich ein
sanftes Gefühl tröstend sein Herz. »Ich bin also doch ver=
leumdet worden? Gott sei Dank! — es ist keine elende
Weiberlaune, die so kränkend sich offenbarte — sie glaubt
mich schuldig — ich soll mich vertheidigen — gern! gern! —
aber wie? — und wogegen? —

9. Der Krug geht zu Wasser, bis er bricht.

Seit mehreren Wochen schon hatten die beiden Freunde
von ihren Herzensangelegenheiten kein Wort mit einander
gesprochen. Florio schwieg, weil das brüderliche Vertrauen
in seiner Brust umnebelt war, und Theodor schwieg, weil
ihm Florio aus dem Wege ging, oder ihm nur einsilbig
antwortete. Jetzt aber, bei dieser wichtigen Begebenheit,
wo es darauf ankam, die Geliebte zu überzeugen, daß er
kein Schurke sei, und wo doch alle Mittel und Wege zu
seiner Vertheidigung ihm abgeschnitten waren; was blieb
jetzt ihm übrig, als an des Freundes Busen zu fliehen, dort
Rath, Trost, Hilfe zu suchen. — Er folgte dieser ersten
Regung seines Gemüths, er stürmte zu dem finstern Florio
in das Zimmer, fiel ihm um den Hals, und erzählte ihm
hastig, was vorgefallen. »Nun rathe, wie fange ich's an,
aus ihrem Irrthum sie zu reißen, und doch des Vaters

Rechte nicht zu kränken? rathe mir! du bist ja sonst so
schlau. Du siehst, mein Glück, mein Leben, und was mehr
als beides, die Achtung meiner Geliebten stehen auf dem
Spiele.”

Florio sah ihn mit großen Augen an: »liebst du sie
denn wirklich noch?” —

»Welche Frage!” —

»Aber du gehst ja täglich zum Inspektor Robert?”

»Was hat der Inspektor Robert damit zu schaffen?”

»Seine Pflegetochter — Theodor! Theodor!” —
schmerzlich seufzend hob er den drohenden Finger auf. Jetzt
erst verstand ihn Theodor und ein edler Unwille glühte in
seinem Auge. »Pfui!” sagte er mit einiger Bitterkeit, »das
habe ich nicht geahnet. Denkst du so von mir, so warst du
nie mein Freund.”

Mit diesen Worten wollte er ihn verlassen, aber Florio
umschlang ihn von hinten mit beiden Armen, drehte ihn
herum, sah ihm in's Gesicht, und da er eine Thräne in
seinem Auge erblickte, rief er mit triumphirender Wehmuth
aus: »Gott sei Dank, ich war ein Esel! Bruder, vergib
mir! ich habe das Unglück, verliebt zu sein, wie ein Ra=
sender, und du weißt, wie dumm, wie schlecht die Liebe
den Menschen macht.”

»Ich glaubte bisher das Gegentheil,” erwiederte der
schnell beruhigte Theodor lächelnd, »doch gleich viel, ich
stimme herzlich in dein Gott sei Dank! und vergef=
sen sei, daß auch du mich einen Augenblick verkennen
konntest.”

Eine herrliche Stunde wechselseitigen Herzensergusses folgte auf diese Erklärung. Seit vielen Wochen war die sonst verschwisterte Heiterkeit ein fremder Gast in Florio's Brust geworden, aber heute bezog sie freundlich die verlassene Wohnung wieder und wurde jubelnd empfangen. »Nun soll auch der Kellerschlüssel nicht mehr rosten," rief der Glückliche, dem dieser Augenblick seinen verlornen Schatz, Vertrauen zu dem Freunde, wieder gab, »heute müssen wir trinken! trinken! unsere Liebe feiern! unsern Bund erneuern! und im blinkenden Glase finden wir auch wohl Rath für dich und mich!" Ohne Theodor's Antwort abzuwarten, rief er die Magd, sandte sie in den Keller, und bezeichnete ihr die roth gesiegelten Flaschen, von welchen sie eiligst ein Paar herauf bringen sollte.

Die Magd gehorchte, die Flaschen standen auf dem Tische; aber noch suchte Florio das Werkzeug, das vormals sich von seiner Tasche nicht zu trennen pflegte, den Korkenzieher, als ein unerwarteter Zufall seine Freude störte. Der Sekretär des Gouverneurs trat herein, und berichtete, daß an den Grenzen der Provinz eine gefährliche Epidemie, eine Art von gelben Fieber ausgebrochen sei. Seiner Instruktion gemäß, habe der Herr Gouverneur beschlossen, einen Arzt dahin zu senden, um den Gang der Krankheit näher zu beobachten. Ihm sei nicht entfallen, welchen preiswürdigen Dienst vor einiger Zeit der Herr Doktor seiner Gemahlin erwiesen — (man erinnere sich, daß im ersten Kapitel dieser Geschichte von der alten Katze der Frau Gouverneurin die Rede war) — schon lange habe er nur auf

eine Gelegenheit gewartet, ihm fein thätiges Wohlwollen
zu bezeugen, diese fei nun gekommen, und ihm, dem Herrn
Doktor übertrage er das ehrenvolle Geschäft, sich noch in
dieser Nacht, ja in dieser Stunde auf die Reise zu begeben,
um sein Vaterland mit einer medizinischen Grenzwache zu
versehen. Wöchentlich erwarte er einen Rapport üben den
Verlauf der Sache, und wenn der Herr Doktor — als
woran Se. Excellenz nicht zweifelten — mit medizinischen
Lorbeern gekrönt, zurück kehrte; so würde der Herr Gou=
verneur solches nach Hofe berichten, worauf ein Medaille,
ober wohl gar ein Titel zu erwarten stehe, als fürstliche
Belohnung für das Bischen Lebensgefahr.

Am Schluß dieser zierlichen Rede überreichte der Sekretär ein spärlich zugemessenes Reisegeld, empfahl dem
Arzte nochmals bringend, ja sogleich nach einer Postchaise
zu schicken, weil die Sache nicht den geringsten Verzug
leide, und ging feiner Wege.

»Hol' ihn der Teufel!« brummte Florio ihm nach,
»hätteft du doch die alte Katze lieber sterben lassen.« —
Auch dem Arzte kam dieser Auftrag feines hohen Gönners
sehr ungelegen, und doch — ihn abzulehnen, verboten
Pflicht und Ehrgefühl. »Der Gouverneur hat Recht,«
sagte er, »es ist Eines der wichtigsten Geschäfte, das man
einem Arzte übertragen kann, es ist ein Vertrauen, das
mich ehrt, eine Mühe, die sich selbst lohnt, wenn auch
Titel und Medaillen ausbleiben. D'rum rasch an's Werk!«

Er sandte eilig nach der Post, packte hastig feinen Kof=
fer, und bat Florio, dessen Unbesonnenheit er kannte und

fürchtete, bis zu seiner Zurückkunft nichts zu unternehmen, um Ottilien aus ihrem Irrthum zu reißen. »Meinen Auftrag erfährt sie Morgen ohnehin durch das geschwätzige Gerücht, und folglich wird ihr Herz mich entschuldigen.«

Der Wagen kam, das Posthorn tönte, Florio fluchte, und Theodor fuhr davon.

Ganz richtig hatte er vermuthet, daß Ottilie bald genug erfahren würde, welch ein mißliches Geschäft den Geliebten so plötzlich entfernt hatte. Noch leichter würde es ihm geworden sein, der Pflicht zu gehorchen, hätte er gewußt, wie tief bekümmert sie um ihn war. Verschwunden aus ihrem Gedächtniß war vor der Hand jede ihm aufgebürdete Schuld, so wie die ihm abgeforderte Rechtfertigung. Sie sah nur die Gefahr, in welche er sich so edelmüthig stürzte, sie zitterte für sein Leben, und fühlte mehr als jemals, wie innig es noch immer mit dem ihrigen verwebt war.

»Ist es möglich, unglücklicher zu werden!« rief das arme vom Glück verwöhnte Mädchen, unwissend wie nahe schon eine andere, blitzschwangere Wolke über ihr hing. —

Der Bankdirektor hatte wohl Ursach, den Renomisten Florio zu verwünschen, denn ohne jenen derben Stoß durch die hochadeliche Achsel, war seine Tochter vielleicht nun schon Frau von Stolzenbeck, er mit dem Minister verschwägert, sein Kredit erhalten, und von Rechnungen, Kontrollen und dergleichen keine Rede. Jetzt hingegen hatte die Verzögerung der Fama Zeit gelassen, die Nachricht von der Verplemperung des Minister-Söhnleins mit einer Bürgerlichen, bis zu den Ohren des stolzen Vaters zu tra-

gen, welcher, hoch ergrimmt, ſich nicht damit begnügte, dem
Herrn Kammeraſſeſſor ein ſchriftliches Donner-Wort zuzu-
ſenden und ihn augenblicklich von ſeinem Poſten abzurufen,
ſondern auch die Genugthuung ſich nicht verſagen wollte,
den übermüthigen Bankdirektor zu züchtigen. In dieſer Ab-
ſicht ſandte er auf der Stelle einen fürſtlichen Kommiſſarius
ab, um den Zuſtand der Bank zu unterſuchen, und erhielt vom
Fürſten ein Belobungsſchreiben für den Eifer, mit welchem
er ſich zum Wohl des Staates auch entfernten Angelegen-
heiten annahm. Daß er den alten Klumm — der, wie ſchon
erwähnt, noch immer für einen reichen und folglich einen
ehrlichen Mann galt, wirklich auf einem fahlen Pferde er-
tappen werde, fiel ihm zwar nicht ein; nur necken wollte
er ihn, nur ſeinen Stolz bemüthigen, an den weitreichen-
den Arm des Miniſters ihn erinnern, und in dieſem Geiſte
war die Inſtruktion des Kommiſſarius abgefaßt.

Neugier verbreitete die Ankunft dieſes finſtern Mannes
in der Stadt, und Todesſchrecken in der Wohnung des
Bankdirektors. Sein Gewiſſen war ſo ſchwer belaſtet, daß
er bei der erſten Nachricht alſobald an Rettung verzweifelte.
Doch verlor er den Kopf nicht, ſondern beſchloß in Eile
noch alle die Mittel anzuwenden, mit welchen er vertraut,
und deren Kraft ihm wohl bekannt war. Feierlich lud er
den Herrn Kommiſſarius zu einem prächtigen Mittags-
mahl, allein der kränkliche alte Mann verbat ſich alle
Schmauſereien, wenigſtens bis nach geendigten Geſchäften.
Als dieſes Mittel zu ſeinem Erſtaunen fehl ſchlug — denn

er hatte ja so oft gesehen, daß reiche Verbrecher, ihren Rich=
tern an der Tafel gegenüber, in köstlichen Weinen von
aller Schuld sich rein waschen — da griff er zu dem letzten,
souverainen, dem nur ein Wunder die beiwohnende Kraft
rauben konnte. Er raffte nämlich Alles zusammen, was er
an Kleinodien besaß, und Ottilie noch kürzlich geborgt hatte,
und übersandte es dem furchtbaren Manne mit einem krie=
chenden Billet, in welchem er demüthig bat, beifolgende
Kleinigkeit der Frau Gemahlin als ein schuldiges Opfer
der Ehrfurcht zu überreichen.

Doch welche Feder malt sein Schrecken, als das ganze
Packet auf der Stelle zurück gesandt wurde, von folgenden
trocknen Zeilen, im Kanzleistil abgefaßt, begleitet:

»Für Dero guten Willen dienstfreundlichst verbunden;
jedoch will sich nicht geziemen, sothanes Geschenk zu accep=
tiren, sintemal es Erstens keine Kleinigkeit zu nen=
nen, und ich Zweitens mit keiner Gemahlin versehen
bin. Morgen Vormittag um neun Uhr gedenke ich mit Got=
tes Hilfe des hochfürstlichen Auftrages mich zu entledigen,
und ersuche desfalls Dero Bücher in Bereitschaft zu halten.

Regierungsrath Selten.«

Ja wohl selten!« rief Klumm zähneknirschend, »zu
meinem Verderben hat der Minister in der ganzen Residenz
den einzigen Sauertopf ausgesucht, der fähig war, solche
Diamanten auszuschlagen. Alles ist verloren! es ist um
mich geschehen! — Plötzlich öffnete sich der Abgrund unter
seinen Füßen. Er sah sich umringt von Schimpf und

XV.   13

Schande, vom Hohn seiner Mitbürger, ihm drohten Ar=
muth und Gefängniß, vielleicht gar eine noch schimpflichere,
öffentliche Strafe. Von diesen fürchterlichen Bildern ergrif=
fen, beschloß er sein Leben schnell zu endigen, und so der Furie
zu entrinnen, die ihn schon beim grauen Haare faßte. Er
schloß sich ein, er lud eine Pistole, er schrieb Briefe, in denen
er sich blos als einen Unglücklichen darstellte, der, durch das
Bestreben Andern zu helfen, in dieses Labyrinth gerathen sei.
Noch sterbend wollte er die Welt betrügen, und vielleicht
wäre es ihm gelungen, wenn er nur den Muth gehabt hätte,
seinen Vorsatz auszuführen. Aber so oft er nach der Pistole
griff, zog er bebend die Hand zurück, und ein schmachvolles
Leben hatte mindere Schrecknisse für ihn, als ein schmerz=
licher Augenblick. Er kämpfte die ganze Nacht hindurch
mit sich selbst und suchte vergebens die feige Seele zu der
freiwilligen Trennung von dem stumpfen Werkzeug ihrer
Sünden zu bewegen. Als es Tag wurde, verbrannte er
seine Briefe und hing die Pistole an die Wand.

Ein neuer Rettungsplan beschäftigte ihn. Trotz seines
Alters und seiner Unbehilflichkeit wollte er die Flucht ergrei=
fen. Er hatte ja noch etwas bares Geld, und viele, wenn
gleich unbezahlte Diamanten. Die Grenze war nicht fern;
er konnte unter fremdem Namen die nächste große Stadt
erreichen, dort seine Geschicklichkeit im Spiele wieder her=
vorsuchen, und so im Alter noch neue Lorbeeren sammeln.
Zwar, Postpferde durfte er nicht kommen lassen, ohne Auf=
sehen zu erregen, und sich verdächtig zu machen; aber er
hatte ja selbst ein paar stolze Gäule im Stalle, denen man

wohl zumuthen durfte, acht bis zehn Meilen in einem Fut=
ter zu traben, sollten sie auch auf der Grenze liegen bleiben.
Es war erst vier Uhr Morgens. Flugs ließ er anspannen,
und raffte indessen Alles zusammen, was ihm gehörte
oder nicht gehörte, und nur immer in Taschen sich fort-
bringen ließ. Auch vergaß er nicht, die geladene Pistole zu
sich zu stecken, auf den Fall, wenn etwa der Kutscher, der
nur zu einer Spazirfahrt befehligt war, Umstände machen
sollte, ihn weiter zu führen. Der gespannte Hahn des
Mordgewehrs sollte dann jede Bedenklichkeit aus dem
Wege räumen. So ausgerüstet, stieg er in den Wagen und
näherte sich dem Thore.

Aber bleich vor Schrecken starrte er mit offenem Munde
den wachhabenden Offizier an, als dieser ihm höflich eröff=
nete: er habe Befehl, ihn nicht hinaus zu lassen. Der
Commissarius nämlich, durch das angebotene kostbare
Geschenk stutzig gemacht, glaubte berechtigt zu sein, ihn
als einen fugae suspectum zu behandeln, und hatte
unter der Hand sogleich die nöthige Hilfe reklamirt, um
einem solchen Unheil zuvorzukommen. Der Offizier, der
blos seine Ordre hatte, konnte keine weitere Auskunft
geben, allein der Bankdirektor fragte auch nicht einmal
nach Ursachen, die sein eigenes Gewissen ihm laut genug
zuheulte. »Nun so fahre wieder nach Hause in's Teufels
Namen!" sagte er zu dem Kutscher, und ließ umwenden.

Noch einmal versuchte er daheim sich Muth zum Selbst=
mord einzusprechen, aber vergebens. Gegen acht Uhr schleppte

13 *

er sich zu dem Regierungsrath, bat um Gehör bei verschlossenen Thüren, und als ihn der Commissarius in sein
Kabinet geführt hatte, fiel er auf beide Knie nieder, bekannte einen ansehnlichen Defekt, kroch vor dem Manne
im Staube herum, weinte, beschwur ihn bei seinen grauen
Haaren, bei dem Glücke seines einzigen schuldlosen Kindes — und schon gelang es ihm wirklich die harte Dienst-
rinde zu erweichen, die pflichtmäßig des biedern Mannes
Herz umgab, als er zu seinem Unglück, um den Bitten
größern Nachdruck zu geben, nicht allein das Anerbieten
von Geschenken wiederholte, sondern auch sehr deutlich
merken ließ: der Herr Commissarius könne Jahr für Jahr
eine ansehnliche Summe mit ihm theilen, wenn er jetzt
und künftig durch die Finger sehen wolle.

»Sie sind ein böser Mensch,« sagte der ehrliche Regierungsrath, »heben Sie sich hinweg von mir! in Ihrer
Expedition sehen wir uns wieder.«

»Herr!« schrie Klumm, »wenn Sie mich zur Verzweiflung bringen, so erschieße ich mich in Ihrer Gegenwart,
und lade mein Blut auf Ihr Gewissen!«

»Wenn Sie zur Hölle fahren wollen,« sagte Herr
Selten, »so kann ich es nicht hindern, ich thue meine
Pflicht.« — Er klingelte und ließ Leute herein kommen,
um im Nothfall den Verbrecher mit Gewalt zu entwaff-
nen. Allein die Vorsicht war überflüssig, Herr Klumm
erschoß sich nicht.

Die gefürchtete Untersuchung ging zur bestimmten
Stunde vor sich, und bestätigte des Bösewichts Aussage.

Sogleich ließ der Commissarius ihn in Verhaft nehmen. Die Nachricht verbreitete sich schnell, der Pöbel lief zusammen. Um Aufsehen zu vermeiden, wurde ein Miethwagen geholt, um den Verbrecher in der Stille nach dem Gefängniß abzuführen. Allein der müssige Pöbel ließ sich das willkommene Schauspiel nicht ganz rauben. Er umringte den Wagen, und begleitete ihn durch die Straßen, wobei Verwunderung, Neubegier und Spott in rauhen Tönen sich äußerten.

Unglücklicherweise mußte der Zug an Klumm's Wohnung vorüber. Hier verdoppelte sich das Getöse, Ottilie trat an's Fenster, fragte, erfuhr, sank ohnmächtig zu Boden.

Mit der Ruhe der Verstockung sah der von Gottes Rache ereilte Verbrecher bald links bald rechts zum Wagen hinaus, grüßte sogar Bekannte mit dem gewohnten lächelnden Stolze. Nur als die schwere Gefängnißpforte sich seufzend um ihre Angeln drehte, und hinter ihm sich klirrend schloß, überflog eine braune Röthe sein bleiches Gesicht; aber schweigend stieg er aus dem Wagen, folgte dem Polizeibeamten durch die langen, finstern Gänge, und wurde dem Inspektor Robert abgeliefert.

---

10. Opfer kindlicher Pflicht.

Kaum war Ottilie ihrer Besinnung wieder mächtig, als sie aus dem Hause stürzte, und Jedem, der ihr begegnete, ankreischte: »wohin ist mein Vater gebracht worden?" Wer sie nicht kannte, oder von Klumm's Entlarvung noch nichts erfahren hatte, hielt sie für wahnsin-

nig und ging schüchtern ohne Antwort vorüber. Ein mit=
leidiger Gewürzkrämer, der vor seinem Laden Alles mit
angesehen und nach Allem sich erkundigt hatte, gab ihr
endlich Auskunft. »Es thut mir herzlich leid,« setzte er
hinzu, »der liebe Papa war immer ein contanter Kunde.«

Ottilie flog der abgelegenen Gegend zu, die sie bis jetzt
nur dem Namen nach gekannt; sie schauderte, als sie von
ferne die schwarzen Mauern erblickte. Bebend zog sie die
Glocke. Der finstere Thorwart öffnete ein handbreites ver=
gittertes Loch in der Pforte, und fragte mit rauher Stimme:
»Wer da?«

»Ich wünsche meinen Vater zu sehen,« antwortete
Ottilie stammelnd.

»Wer ist Ihr Vater?« —

»Der Bankdirektor Klumm.« —

»Aha, der Zeisig, der den Fürsten bestoh=
len hat. Na komme Sie nur herein, Jüngfer=
chen, und melde Sie sich bei dem Herrn Inspek=
tor; wenn es der erlaubt, so kann Sie meinet=
wegen alle Tage kommen.«

Mit Mühe erhielt sich Ottilie auf ihren Füßen. Der
Athem verging ihr, als sie auf den düstern Hof des Ge=
fängnisses trat. Das falbe Gras, mit dem er bewachsen
war, die kleinen Fenster mit Eisenstäben verwahrt, die ihn
rings umgaben; der alte Soldat mit gezogenem Säbel,
der grämlich auf und nieder ging, und dessen Fußtritt
allein die Todtenstille unterbrach; der Anblick aller dieser
Gegenstände beklemmte ihre Brust noch heftiger. »Wo

finde ich den Herrn Inspektor?" fragte sie die Schildwache.
Der Soldat deutete auf einige Fenster, die unvergittert
waren, und vor welchen Blumentöpfe standen; die einzi=
gen Merkmahle, daß hier auch Menschen wohnten; aber der
Unglücklichen schienen die Blumen auf Gräbern gewach=
sen. Sie wurde vor den alten Robert geführt, der sie zwar
freundlich empfing, jedoch bedauerte, daß er ihren Wunsch
vor der Hand nicht erfüllen könne, weil er noch keine In=
struktion, den Gefangenen betreffend, erhalten habe. »Doch
erwarte ich diese bald," fügte er hinzu, »kommen Sie
Nachmittag wieder; ich hoffe, daß man mir nicht die saure
Pflicht auflegen wird, die Tochter von der Thür des Vaters
abzuweisen."

Leise schluchzend verließ Ottilie die Wohnung des
Schreckens, und schon warteten ihr daheim abermals er=
schütternde Scenen. Alle Zimmer des Hauses waren ver=
siegelt worden, die Bedienten liefen in der Irre herum; die
bessern empfingen weinend ihre gute Mamsell; die schlech=
tern stahlen, was noch zu stehlen war, und schlichen ohne
Abschied davon. Ottilie, die noch vor einer Stunde sich
reich genug glaubte, um mehr als einem Armen eine Frei=
statt zu gewähren, fand jetzt keine Zuflucht in dem Hause,
in welchem sie geboren war, keine Kammer, in der sie
ungesehen weinen konnte. Sie wankte fort zu einer Muhme,
die seit vielen Jahren bei keinem Gastmahle ihres Vaters
fehlte, und von der sie stets mit Liebkosungen überhäuft
worden. Die vortreffliche Frau Muhme verschwand vom
Fenster, als die Verlassene sich ihrer Wohnung näherte;

ein Dienſtmädchen, beſſer als ihre Herrſchaft, kam ihr ent=
gegen und ſagte mitleidig verlegen: Madame iſt nicht
zu Hauſe. Bei zwei Andern ging es ihr eben ſo. Ach!
für den Unglücklichen iſt Niemand zu Hauſe!

Mit ungewiſſen Schritten irrte ſie jetzt auf den Stra=
ßen umher, und wußte nicht, wo ſie bis zum Nachmit=
tag verweilen, noch minder, wo ſie die Nacht zubringen
ſollte, wenn man ihr das Glück verſagte, ſich mit ihrem
Vater in den Kerker einzuſperren. Da ergriff plötzlich
Jemand ihre Hand und drückte ſie ſchluchzend an die Lip=
pen: es war Minchen, ihr geweſenes Kammermädchen,
das, wegen des Billets an Theodor, aus dem Hauſe
gejagt worden, und nachher noch manchen vergeblichen
Verſuch gemacht hatte, ihre gute Mamſell zu ſehen und
zu ſprechen. »Biſt du es, Minchen?" ſagte Ottilie tief
bewegt, »kennſt du mich noch? —"

»Ach!" erwiederte das treue Geſchöpf, »erſt vor einer
halben Stunde habe ich Ihr Unglück erfahren. Ich rannte
nach Ihrer Wohnung wie ich ging und ſtand — da ſieht
es aus — lieber Gott! — ich fragte nach Ihnen, Sie wa=
ren eben ausgegangen; ich erblickte Sie noch von ferne und
folgte Ihnen, getraute mich aber lange nicht Sie anzure=
den, denn es kam mir vor, als ob mein Anblick Ihnen
jetzt vielleicht zuwider ſein könnte. Nun habe ich aber ſehen
müſſen, wie Sie vor den Thüren hoffärtiger Verwandten
abgewieſen worden; das letzte Mal hörte ich den Seufzer
wohl, den Sie zu Gott hinauf ſchickten, er drang mir durch
Mark und Bein, ich trat Ihnen in den Weg, ich hoffte,

Sie sollten mich gewahr werden, es kam mir auch so vor, als hätten Sie mich starr angesehen, aber guter Gott! Sie hatten die Augen wie ein Blinder auf mich gerichtet, es war ein Blick, den ich nimmermehr vergessen werde. Da konnte ich mich nicht länger halten, und ergriff die liebe Hand, die mir so manche Wohlthat erwiesen hat. Beste Mamsell, wenn Sie in der Eile nirgend unterzukommen wissen, verschmähen Sie meine geringe Wohnung nicht. Ich habe einen Witwer geheirathet, einen Leineweber; er ist nicht jung mehr, aber ein braver ordentlicher Mann, der sein Auskommen hat, und der sich von Herzen freuen wird, die gute Herrschaft unter seinem Dache zu bewirthen, von der ich ihm so oft erzählt habe."

Die dankbare Liebe der wackern Bürgersfrau erweichte Ottiliens Herz, ein erleichternder Thränenstrom brach aus ihren Augen. »Ja, mein gutes Minchen," schluchzte sie, »ich bin sehr unglücklich! gewähre mir eine Zuflucht in deiner Wohnung nur bis diesen Nachmittag. —"

»O, so lange Sie wollen! Ihnen gehört Alles, was wir haben und vermögen!" —

Des Leinewebers Hütte war nicht weit entfernt, Ottilie wurde mit ehrfurchtsvoller Herzlichkeit empfangen, man führte sie in ein wohlaufgeputztes Stübchen, man nöthigte sie, auf einem weichen reinlichen Bette auszuruhen; der ehrliche Bürger trug das Beste herbei, was er in Küche und Keller hatte, und es schmerzte ihn nur, daß sein lieber Gast weder essen noch trinken wollte.

Mit steigender Beklemmung erwartete Ottilie die be=

stimmte Stunde, und war schon auf dem Wege, noch ehe
sie schlug. Ihre großmüthige Wirthin ließ sich nicht ab=
halten, sie zu begleiten. »Es könnte Ihnen etwas zustoßen,"
sagte sie, »und es wäre Niemand bei der Hand, Ihnen
zu helfen. Ich will nicht beschwerlich fallen, ich will drau=
ßen vor der Pforte Ihre Zurückkunft erwarten."

Dießmal wurde Ottilie von einem schönen, freundli=
chen Mädchen empfangen; es war Emma. Mit einem
Auge voll Seelengüte kam diese ihr entgegen. »Mein Pfle=
gevater hat mir aufgetragen, Sie zu Ihrem Vater zu führen.
Sie haben die Erlaubniß, ihn täglich zu sehen." —

»Darf ich auch ganz bei ihm bleiben?" fragte Ottilie
hastig.

»Das weiß ich nicht. Wollten Sie denn ganz bei
ihm bleiben?" setzte Emma gerührt hinzu.

»Wo sonst!" rief Ottilie, und eilte mit beflügelten
Schritten den düstern Gang hinab, der zu Klumm's Kerker
führte. »Hier," sagte Emma, indem sie auf eine kleine
niedere Thür deutete, und aus ihrem Schlüsselbund einen
schweren Schlüssel absonderte. Ottilie bebte, während ihre
Führerin das dreifache Schloß öffnete; sie zitterte vor ihres
Vaters Anblick, sie zitterte, daß der ihrige ihm ein Vor=
wurf scheinen möchte, und fast verließen sie ihre Kräfte,
als die Pforte sich aufthat. Klumm saß auf einer hölzernen
Bank, die, sammt einem Tische, der von hundert Namen
seiner Vorgänger zerschnitten war, die einzige Geräth=
schaft der von Rauch geschwärzten Zelle ausmachte. Vor
ihm stand ein Wasserkrug und eine Schüssel mit Grütze,

die er nicht berührt hatte. Mit einem Schrei des Jammers stürzte die Tochter an die Brust des Vaters — Emma trat zurück, lehnte die Thür an und harrte draußen, um den Ausbrüchen kindlicher Liebe keinen Zwang aufzulegen.

»Was willst du hier?" sagte Klumm, indem er Ottilien ziemlich unsanft von sich weg schob. —

»Was ich will? kann das mein Vater noch fragen? — Ihren Kummer theilen, ihren Zustand erleichtern, so viel in meinen Kräften steht."

»Bemühe dich nicht," versetzte er kalt, »ich bedarf deiner nicht. Oder willst du an dem Anblick eines Vaters dich weiden, den deine Halsstarrigkeit, deine Verschwendung in dieses Elend gestürzt haben?" — Ottiliens Innerstes erbebte.

»Ich?" stammelte sie kaum hörbar. —

»Ja, du! du allein! hättest du vor mehrern Monaten schon dem Kammerassessor deine Hand gereicht, ich wäre frei, wohlhabend und geehrt wie vormals. Hätte deine Eitelkeit nicht mein Vermögen verpraßt, es wäre nie dahin mit mir gekommen." — Ottilie stand vernichtet, es flirrte ihr vor den Augen, eine scharfe Kralle schlug sich in ihr Herz, es blutete.

»Ich? — ich hätte? — wußte ich denn? — o mein Gott!" — Sie hielt sich an der Wand. Er achtete ihres Jammers nicht.

»Habe ich dich nicht hundertmal gebeten?" fuhr er fort, »habe ich dir nicht drohende Winke genug ertheilt? Du wolltest sie nicht verstehen. Dir lag das Schicksal bei=

nes alten Vaters minder am Herzen, als deine romanti=
sche Liebelei. Freue dich, du bist nun erlöst von der lästi=
gen Obhut des Vaters; geh nun hin und wirf dich
deinem Buhler an den Hals, und heirathe ihn mit meinem
Fluch belastet!" — Bei diesen Worten sank Ottilie zu=
sammen, kroch ächzend auf dem Boden zu ihm hin, um=
faßte seine Knie und flehte um Barmherzigkeit. »Nie!
Nie!" rief sie schluchzend, „will ich gegen Ihren Willen
mich vermählen! nie aus Ihrem Kerker weichen! — Hat
meine Verschwendung zu Ihrer Verarmung beigetragen,
o, so geschah es doch nur, weil Sie mich selbst dazu er=
munterten, und ich keine Ahnung von Ihrer Lage hatte.
Ach! der Vorwurf, den ich hören müssen, wird ein ewi=
ger Stachel in meiner Seele bleiben! Vergönnen Sie mir
mindestens nach meinen Kräften wieder gut zu machen!
Behalten Sie mich hier! auf nacktem Boden will ich schla=
fen, trockenes Brot genießen, Tag und Nacht arbeiten,
um Ihnen die gewohnten Bequemlichkeiten zu verschaffen,
und nur dann von meiner Arbeit aufstehen, wenn Sie
meiner Pflege bedürfen."

»Fort mit dir!" unterbrach sie der Barbar, »soll dein
Winseln mir noch die letzten Tage verbittern? — ich will
allein sein, niemand um mich haben, am wenigsten dich.
Willst du meinen letzten Befehl erfüllen, und nicht mir
zur Schande in meiner Vaterstadt betteln gehen, so
begib dich zu einer alten Verwandtin nach Grafen=
rode. Die Närrin hatte stets an meiner Lebensweise und
Erziehung etwas auszusetzen, hat mich oft ersucht, dich

ihr zu schicken; vielleicht ist sie auch jetzt noch albern ge=
nug, sich deiner anzunehmen." — Bei diesem Ausspruch
blieb der Unmensch, der Bitten, Thränen und Verzweif=
lung seiner Tochter nicht achtend. »Geh!" rief er endlich
wüthend, »du hast mich zum letzten Male gesehen!" —
    Ottilie wankte hinaus, mehr tobt als lebend. Draußen
sank sie in Emma's Arme, welche tief erschüttert die Un=
glückliche nach ihrem Zimmer brachte, und ängstlich alles
herbei trug, was sie erfrischen und erquicken konnte. Ottilie
war zu betäubt, um ihre Liebe dankbar erwiedern zu
können. Lange blieb ihr Schmerz stumm und thränenlos.
Starr in einen Winkel blickend, als sähe sie ein Gespenst,
suchte ihre zerrüttete Seele Hilfe für den Augenblick, Rath
für die Zukunft. »Ja, ich will ihm gehorchen!" so brach
sie endlich das düstere Schweigen, »ich will einen Ort
fliehen, der mir täglich mit erneuertem Jammer droht! aber
was soll aus dem Greise werden, der meine kindliche Hand
zurückstößt, und hilflos seinem Grabe zuwankt!"
    »Sorgen Sie nicht," sagte Emma mit sanfter, herz=
ergreifender Stimme, »es ist meine liebste Pflicht, den
Unglücklichen, welche in diesen Mauern seufzen, beizu=
stehen. Von gleichen Gefühlen ist auch mein guter Pfle=
gevater beseelt, und wo unser Beider Kräfte nicht aus=
reichen, da tritt noch ein edler Freund hinzu, ein jun=
ger Arzt, der nicht blos kranke Körper, sondern auch
kummervolle Herzen zu heilen vermag. Leider ist er jetzt
abwesend, aber sobald er zurückkömmt, werde ich ihm die
Sorgfalt für Ihren Vater bringend empfehlen —ich werde

ihm nämlich sagen, daß der Mann unglücklich ist; einer andern Empfehlung bedarf es bei Theodor nicht."

Ottilie erschrack, erglühte, wollte hastig reden, schwieg, starrte das Mädchen an, in ihrem Busen entstand ein Getümmel, ihr Gedächtniß kehrte zurück: das ist sie! rief es ihr plötzlich zu, das ist die schöne Fremde, die — Gott! so war auch das noch mir vorbehalten." Sie kennen diesen Theodor?" stotterte sie kaum vernehmlich.

»Ob ich ihn kenne? er war mein Retter! er ist mein Bruder! o ich lieb' ihn unaussprechlich!« — Ottilie taumelte von ihrem Sitze auf. »Wohlan, Mademoiselſl — so sagen Sie ihm — wenn er meiner noch bisweilen gedächte — ich heiße Ottilie — wenn die Unglückliche, die diesen Namen trägt, noch Anspruch auf seine Freundschaft machen dürfe, so solle er meines alten, verlassenen Vaters sich annehmen. Unter dieser Bedingung verzeihe ich ihm alles! Leben Sie wohl, Mademoiselſl! Sein Sie glücklich! so glücklich, als ich einst zu werben hoffte!«

Diese letzte überraschende Gemüthsbewegung gab ihrem Körper plötzlich überspannte Kräfte; sie entfloh als verfolge sie ein Geist, sie hörte nicht mehr die bittende Stimme hinter ihr, athemlos erreichte sie die Straße, ergriff hastig die Hand ihrer harrenden Begleiterin, und rannte so schnell voraus, daß diese, nachgezogen, ihr kaum zu folgen vermochte. Diese unnatürliche Spannung dauerte noch lange fort; sie war unaufhörlich in Bewegung, konnte keinen Augenblick sitzen, rannte immer auf und nieder, seufzte

nicht, weinte nicht, sprach wenig, stieß das Wenige hastig heraus, und mitten in diesem Sturm ihrer Seele
stand nur der einzige Gedanke fest: ich will fort! —
Sie zog einen kleinen Ring von einigem Werth vom Finger, und bat die Frau des Leinewebers, ihn zum nächsten Juwelier zu tragen, und um jeden Preis zu verkaufen. Von der Summe, welche für den Ring gelöst wurde,
zog sie gewissenhaft nicht mehr ab, als eben hinreichte,
um eine Reise mit der öffentlichen Post nach Grafenrode zu bestreiten; das übrige händigte sie Minchen ein,
mit der Bitte, es ihrem Vater gleich nach ihrer Abreise
zuzustellen. Dann ließ sie, trotz aller Vorstellungen, daß
sie Erholung bedürfe, sich nicht abhalten, noch in derselben
Nacht, eine Stadt zu verlassen, wo sie so lange als Schmuck
und Krone der weiblichen Jugend beneidet und angebetet
worden war. Ihre Hast vermehrte sich, als die treuher-
zige Wirthin, in der Hoffnung, sie zurückzuhalten, ihr
lächelnd vertraute; Theodor sei ihres Mannes Vetter, und
besuche ihr Haus recht oft, denn er sei gar nicht stolz. »Wäre
er nur nicht eben verreist,« fügte sie hinzu — »doch wer
weiß, vielleicht kommt er bald, vielleicht noch heute zurück.«

Ottilie erschrack vor dieser Möglichkeit, beschleunigte
ihre Anstalten, und empfand nicht eher eine Art von Ruhe,
als bis die wohlbekannten Sterne ihr wieder auf der Landstraße leuchteten.

Hätte Florio nicht, während die ganze Stadt von
dieser Begebenheit voll war, gerade Tage lang zu Hause
an seinem Flügel gesessen, und seiner Schwermuth Töne

geliehen, er würde diese Flucht nimmermehr zugegeben, ober, hätte er sie nicht verhindern können, die Fliehende wenigstens begleitet haben. So aber erfuhr er das erste Wort von der ganzen Sache, nachdem die Kaffeeschwestern schon das letzte barüber gesprochen hatten. Er wollte wissen, wohin Ottilie entwichen, er rannte auf die Post, aber auch da wußte man ihm nur die erste Station zu nennen. Verbrießlich schlug er sich vor die Stirn: »Ich Dummkopf! was wird Theodor sagen, wenn er zurückkommt!«

_____

11. Rache des Himmels.

Aber Theodor's Abwesenheit verlängerte sich wider Vermuthen von einer Woche zur andern, von einem Monat zum andern. Die epidemische Krankheit hatte einen furchtbaren Charakter angenommen, und drohte sich immer weiter zu verbreiten. Theodor schonte nicht seiner Ruhe noch seines Lebens, und erschöpfte seine ganze Kunst, um dem Uebel vorzubeugen. Er schilderte seinem Freunde in einem langen Briefe die Gefahren, mit welchen er täglich kämpfte, die traurigen Beschäftigungen, die seine Zeit fraßen, und bat, ihn wenigstens durch Nachrichten von Ottilien zu erquicken. »Das lasse ich wohl bleiben,« sagte Florio finster, »der arme Teufel trägt schon schwer genug; das Schlimmste erfährt er immer noch zu früh.« Und so gab er in seiner Antwort vor: daß Kränklichkeit ihn schon seit vielen Wochen hindere, auszugehen; er also von Ottilien ihm nichts zu melden wisse. Nur daß ihren Vater eine mißliche Untersuchung betroffen, schrieb er ihm, und daß es übel mit dem Alten ablaufen könne, der sein Vermögen durch= gebracht habe. Ottiliens Verarmung mußte für Theodor eine willkommene Nachricht sein, und alle seine Hoffnun= gen auf's neue beleben, das wußte sein Freund wohl, und darum eilte er, diesen Trost ihm mitzutheilen; nur daß sie fort über alle Berge sei, verschwieg er weißlich. »Die Weiber fliehen ja doch nur,« meinte er bei sich selbst, »um sich verfol= gen zu lassen, und verstecken sich, um gefunden zu werden.«

In den ersten Tagen seiner Gefangenschaft behauptete Klumm seine Störrigkeit, die er gern für männlichen Muth ausgegeben hätte. Aber Muth ist nicht blos Bekannt= schaft mit der Gefahr (wie Leisewitz einst ihn defi= nirte) Muth ist Gesundheit des Leibes und der Seele. Der redlichste Mann, dessen Körper kränkelt, hat selten Muth, und den stärksten Bösewicht lähmt das Ge= wissen. Bei dem alten Klumm vereinigte sich beides, den morschen Grundpfeiler seiner Störrigkeit umzustürzen. Die magere Kost, das klare Wasser, welches an die Stelle nahr= hafter Speisen und feuriger Weine trat, schlug die stolzen Lebensgeister nieder, die ohne künstliche Hilfe sich nicht er= neuern konnten. Die lästige Einsamkeit, die furchtbare Langeweile traten hinzu; Alles zusammen genommen pflegt in Gefängnissen fromme Bekehrung oder kleinmü= thige Verzweiflung zu bewirken. Aber Bekehrung folgt auf Reue; denn die Tugend kann nicht eher wurzeln, bis der Flugsand eines bösen Gemüthes erst durch den ausgestreu= ten Samen der Reue zur Aufnahme edler Pflanzen befe=

XV.   14

ſtigt worden. Reue ſetzt hinwiederum Erkenntniß voraus, und wo ließe ſich die bei einem verſtockten Egoiſten hoffen, der jeden Menſchen, mit dem er in Berührung kommt, nur als eine Zahl betrachtet, die vorhanden ſei, um ſeiner eigenen Lebensnull einen Werth zu leihen. Alſo Reue war es nicht, die den Bankdirektor folterte; aber eine L e e r e, ſchrecklicher als Reue, weil die letztere doch immer eine Art von tröſtendem Gefühl erzeugt: man ſei nicht ganz ver= worfen, ſo lange man noch bereuen könne. In Klumm's hohler, leerer Bruſt zogen jetzt die Geſpenſter der Vergan= genheit hin und her, auf und nieder. Er mochte ſich ſträu= ben, wie er wollte, bald faßte ihn hier die Jammergeſtalt des biebern Pfarrers am Sarge ſeiner verführten Tochter, bald dort das Bild der ſterbenden betrogenen Gattin, und wenn er die Phantome durch Gottesläſterungen verſcheucht hatte, ſo hob ſich aus der Tiefe der Geiſt der unglücklichen Mutter, die ihre blinde Liebe ſo ſchwer gebüßt hatte; und wenn er dieſem drohenden Geiſte den Rücken kehrte, ſo erblickte er ein Kind in der Irre, vergebens nach einem Vater rufend, eine hilfloſe Waiſe dem Laſter Preis gege= ben! — So ſchwebten ſie alle, die grauen Schatten, an den düſtern Wänden ſeines Kerkers hin und her, und in ſchlafloſen Nächten ſtanden ſie alle um ſein Lager. Grinſend ſpottete er des Gewiſſens, und ſpottend zitterte er vor ſei= nem Donner.

Nur e i n e Erſcheinung vermochte dann und wann ihn zu erweichen — Emma's Beſuch — ihre Geſtalt, ihre Züge, die ihm nicht fremd ſchienen, und oft in ſeinem

Innern eine seltsame Regung bewirkten. Ihres Verspre=
chens eingedenk, und von eigenem Mitleid gezogen, kam
sie täglich, wenigstens einmal, um den alten Mann durch
einen sich selbst abgesparten Bissen zu erquicken, oder, wenn
sie nichts zu bringen hatte, ihn wenigstens durch ihren
freundlichen Zuspruch zu erheitern.

Einst, an ihres Pflegevaters siebzigsten Geburtstage,
hatte sie eine Flasche Wein und einen Teller mit Kuchen
für den alten Klumm zurückgesetzt, die sie, während der
Inspektor seinen Mittagsschlummer hielt, dem Gefangenen
brachte, ihn aber auch sogleich wieder verließ, weil sie An=
stalten zu einer kleinen festlichen Mahlzeit machen mußte,
durch welche der Geburtstag des Greises mit einigen alten
Freunden gefeiert werden sollte. Bei ihm wurde, nach der
Sitte unserer Väter, von Zinn gespeist. Vormals war er
reichlich mit diesem Geschirr versehen, er hatte aber den
größten Theil desselben seiner Tochter zur Ausstattung
mitgegeben, und für sich selbst kaum so viel übrig behalten,
daß er ein paar Gäste darauf bewirthen konnte. Darum
ließ auch Emma gegen Abend den Teller zurückholen, den
sie bei dem Gefangenen stehen lassen, und wollte, da nur
trockener Kuchen darauf gelegen, blos mit ihrer weißen
Schürze darüber hinfahren, und ihn dann zu den übrigen
stellen. Bei einem flüchtigen Blicke, den sie, während die=
ses eiligen Geschäftes auf den Teller warf, wurde sie etwas
frisch darauf Gekritzeltes gewahr, betrachtete es näher, und
ließ fast vor Schrecken den Teller aus der Hand gleiten —

14 *

es war der Name ihrer Mutter, Amalie Thomasius. In Gedanken versunken, hatte Klumm unwillkürlich diese Züge gekritzelt, da Emma's freundliche Erscheinung ihn eben jetzt so lebhaft an seine vormalige Krankenwär= terin erinnert hatte.

Schrecken, Erstaunen, Neubegier, Hoffnung wechsel= ten schnell in Emma's bewegtem Gemüthe. »Der Mann hat meine Mutter gekannt, das ist gewiß — auch meinen Vater, das ist wahrscheinlich. Wenigstens wird er mir zu sagen wissen, wo ich den Kaufmann Schneider antreffen werde, den hier Niemand kennen will.«

Sie konnte diesen Abend sich keinen Augenblick abmüs= sigen, um einen Zufall aufzuklären, der ihre ganze Seele mit Erwartungen erfüllte, sie zerstreut und untheilnehmend bei der fröhlichen Mahlzeit machte, und für die nächste Nacht ihr den Schlaf raubte. Mit dem frühesten Morgen bereitete sie selbst für den Gefangenen das Frühstück, setzte es auf den nämlichen weissagenden Teller, und trug es, wider ihre Gewohnheit, selber ihm hinauf. Er stutzte, als er sie hereintreten sah, noch mehr, da er eine ungewohnte, scheue Aengstlichkeit an ihr gewahr wurde. So wie heute, hatte sie ihn noch nie betrachtet, so forschend, so wohlwol= lend, und doch so ernst. Mit einem stammelnden Morgen= gruß setzte sie das Frühstück auf den Tisch. »Sie werden sich wundern,« sagte sie, »daß ich so früh erscheine, und schwerlich errathen, welche Sehnsucht mich herführt. Irre ich nicht, so haben Sie diesen Namen auf den Teller

geſchrieben, den ich Ihnen geſtern brachte?" — Sie ſchob
ihm den Teller hin und erwartete zitternd ſeine Antwort.

Er ſchien verwirrt. »Es iſt wohl möglich," ſagte er,
»in der Zerſtreuung —"

»Haben Sie meine Mutter gekannt?" —

»Ihre Mutter? —"

»Ja, ſie hieß Amalie Thomaſius —"

»Des Pfarrers Tochter zu Seligheim?"

»Dieſelbe —"

Das war ein Blitz, der des alten Baums dicke Rinde
endlich von einander riß. Todtenbläſſe überzog Klumm's
Geſicht, ſein Auge verglaſte ſich, und gichteriſche Zuckun=
gen verzerrten ſeinen Mund. Noch ehe er ſich erholen konnte,
ſchmetterte der zweite Schlag ihn vollends zu Boden.

»O gewiß," rief Emma, »gewiß haben Sie meine
Mutter gekannt! und von Ihnen werde ich erfahren, wer
und wo mein Vater iſt."

»Ihr Vater —!" ſtammelte Klumm mit gelähmter Zunge.

»Wenigſtens werden Sie den Mann mir nachweiſen
können, an den mein Großvater in ſeiner Todesſtunde
mir dieſe Zeilen gab." Sie legte ihm den Brief offen hin.
»Leſen Sie, er iſt an einen Kaufmann Schneider gerichtet,
den Niemand kennen will. Ach! wenn auch Sie nichts
von ihm wüßten, das würde mich ſehr traurig, ſehr un=
glücklich machen!"

Mit gebrochener Stimme ſagte Klumm: „ich weiß
nichts von ihm —" Er hatte die zitternde Hand des Grei=
ſes erkannt; auch die Worte: Die Ueberbringerin

ift das einzige Kind meiner einzigen Tochter,
waren ihm gleichsam mit feurigen Buchstaben erschienen —
Erinnerung und Reue kochten in seiner Brust — er wagte
es nicht, die starren Augen auf das Kind zu richten, das
er verstoßen, dessen Mutter er gemordet, und das jetzt im
Gefängniß sein Wohlthäter war. Emma, zu beschäftigt
mit ihren Hoffnungen und Gefühlen, hatte noch immer
nicht wahrgenommen, welche blutige Wunden jedes ihrer
Worte dem Gefangenen schlug. »Ach!« seufzte sie, »finde
ich auch bei Ihnen keine Aufklärung über das Räthsel
meiner Geburt, so erzählen Sie mir wenigstens von meiner
Mutter! Sie haben sie gekannt — es soll eine so gute Frau
gewesen sein — und nicht glücklich! warum nicht glück=
lich? — welch ein trauriges Geheimniß! — nie hat mein
Großvater mir es entdecken wollen — ach! ich fürchte, mein
Vater hat sie unglücklich gemacht!« —

Emma schluchzte, und endlich ergossen sich der Weh=
muth bittere Tropfen in die Gewissenswunden des Ver=
brechers. Ihn ergriff ein Schauder — vergebens zuckte er
unter der gewaltigen Hand des furchtbaren Rächers — sie
brach ihm den krampfhaft verschlossenen Mund auf, und
wie aus einem alten aufgebrochenen Geschwür die ver=
pestende Jauche quillt, so stürzten die Worte aus seinem
Munde: »Ich habe sie verführt! ich bin dein Vater!«

Geknickt fiel die Blume zu seinen Füßen. »O ich
Elender!« heulte Klumm, »es ist doch ein Gott!«
und zum Ersten Male seit seiner Kindheit weinte er bitter=
lich. Emma wimmerte und legte wimmernd ihren Kopf

auf seine Knie. Glühende Thränen fielen auf ihr Haupt
herab, und brannten durch die Locken auf ihre Stirn.

Der Tochter weiches Herz konnte des Vaters Jammer
nicht ertragen; sie umschlang seine Füße, und sah bittend
und schluchzend zu ihm hinauf. Die Scham verdrehte sein
Auge von dem Kinde weg. »Deine Mutter ist gerochen!”
heulte er, »du bist Gottes Werkzeug! — O ich leibe tau=
sendfachen Tod! ich kann deinen Anblick nicht ertragen! —
Erbarme dich meiner! rächender Engel! laß ab von mir!” —
Er verhüllte sein Gesicht mit beiden Händen.

»Ich will Sie trösten,” stammelte Emma kaum vernehmlich, denn die Thränen erstickten ihre Worte.

»Jetzt nicht! jetzt nicht!” rief der Zerknirschte, »um
Gotteswillen, laß mich allein!”

Emma wankte hinaus, doch nur bis vor die Thür, da
fiel sie auf ihre Knie und betete mit kindlicher Inbrunst
um Ruhe für den Unglücklichen! dann ging sie träumend
an ihre Geschäfte, aber schon nach einer Stunde zog ihr
Herz sie wieder zu dem Vater. In stummer, starrer Ver=
zweiflung fand sie ihn — heftig fuhr er zusammen, als sie
herein trat. Aber sie hatte ihre Thränen mühsam getrocknet,
und erkünstelte mit frommer Verstellung die gewohnte holde
Freundlichkeit. Ihre Engelsmilde, ihre kindliche Angst, die
schmerzende Wunde ja nicht zu berühren, ihre zarte Sorge,
ihr liebevoller Trost, besänftigten nach und nach den Sturm
in seinem Gemüthe, und nur die Regenspuren des furcht=
baren Ungewitters blieben zurück. Die Eisdecke des Egois=
mus war gesprengt, in die kalte, finstere Tiefe drang ein

heller warmer Strahl, und entlockte ihm die Worte: Ach! daß ich beten könnte!" `

Alsobald fiel Emma nieder und betete laut! und rief den Geist ihrer Mutter um Versöhnung an. Unwillkürlich faltete Klumm die zitternden Hände — mitbeten konnte er nicht, aber seine Lippen bewegten sich, und schwere Tropfen fielen von der grauen Wimper herab. — Es währte lange, ehe sein schüchternes Auge wagte, dem der Tochter zu be= gegnen, als ob er die Vorwürfe darin zu lesen fürchtete, die nur in seinem Gewissen standen. Allmälig aber gelang es ihr durch schonende Liebe an ihren Blick ihn zu gewöh= nen, daß er zu ihr hinauf sah, wie eine Seele im Fegfeuer nach dem Engel, der die rettenden Arme nach ihr ausstreckt. So gern sie auch von der Geschichte ihrer Mutter noch mehr erfahren hätte, so nahm sie sich doch sehr in Acht, diese Seite nur leise wieder zu berühren. Daß sie in ihres Vaters Gewissen tief und schmerzlich anklinge, wußte sie nun, und das war ihr genug, um jeden Ausdruck ängstlich zu ver= meiden, der als Beziehung auf jenes unglückliche Geheim= niß hätte können gedeutet werden.

Lange kämpfte sie mit sich, ob sie ihrem guten alten Pflegevater vertrauen sollte, was vorgegangen; sie fühlte wohl, sie sei ihm unbedingtes Vertrauen schuldig, und hätte gern, wie sie gewohnt war, die süße Pflicht in ihrem ganzen Umfang erfüllt, wäre Nachtheil nur für sie allein daraus entsprungen. Aber sie kannte den alten Robert, seine stren= gen Grundsätze und strengere Tugend. Sie wußte gewiß, daß eine solche Entdeckung ihn gegen seinen Gefangenen

erbittern, und Einfluß auf dessen Behandlung haben würde.
So gern er Unglückliche, wenn auch strafbarer Leichtsinn sie
in's Verderben stürzte, durch Nachsicht und Güte aufrich=
tete, so unerbittlich hart war er bisweilen gegen solche, deren
Verbrechen aus dem Giftquell eines bösen Herzens geflossen
waren. Je mehr er Emma liebte, je weniger würde er bei
dem alten Klumm eine Ausnahme gemacht, sondern sich
unabweichlich an die ihm ertheilte Vorschrift gebunden
haben, deren Inhalt die strengste Gerechtigkeit diktirt hatte.
Wie hätte sie, bei solchen ihr bekannten Gesinnungen, hoffen
dürfen, für den schuldigen Vater bessere Pflege zu erbitten?
— Darum sprach sie nur von dem Gefangenen, als von
einem unglücklichen Greise, dessen Schicksal sie tief rühre,
und so gelang es ihr nach und nach, dem Pflegevater die
Erlaubniß abzubetteln, von seinem eigenen Tische Jenen
zu speisen, ihn mit bequemeren Möbeln zu versehen, ja sie
durfte ihn sogar nicht selten hinunter in den Garten führen,
um durch Luft und Sonnenschein ihn zu erquicken. Mit er=
finderischer Genauigkeit theilte sie Sorge, Zeit und Liebe
zwischen den beiden Alten, so daß dennoch Jeder sie ganz
besaß. Körper und Seele wurden dadurch so ununterbrochen
in Thätigkeit gesetzt, daß ihr Herz nur selten an die erste
Liebe sie erinnerte, ja, daß sie sogar bisweilen glaubte, der
in der Asche glimmende Funke sei ganz verloschen.

Wohlthätig war ihre Pflege für Klumm's Körper, denn
seit vielen Jahren hatte er sich keiner so festen Gesundheit
erfreut; aber der Aufruhr, den sie in seiner Seele erregt
hatte; die verlorne Einigkeit mit sich selbst, die leider

auch dem Laſter nicht fremd iſt und oft der Tugend ihre
Ruhe nachlügt; die tägliche Qual und Beſchämung, gerade
von dieſem Kinde, der Tochter jener verführten und er=
mordeten Mutter, Wohlthaten zu empfangen — alle dieſe
widrigen Gefühle zu ertragen, dazu fehlte ſeiner Seele Kraft.
Mit Schrecken wurde Emma gewahr, daß eine Geiſtesver=
wirrung täglich mehr und mehr überhand nahm; daß er ſie
zuweilen nicht erkannte, oder für ihre Mutter ſie hielt, und
daß bald ein düſterer Wahnſinn ihn mit einem ſchrecklichen
Ende bedrohen würde.

»Ach!« rief ſie jammernd, »Gottes Hand liegt ſchwer
auf ihm! um ſo heiliger wird mir die Pflicht, ihm ſeine
ſchwere Bürde tragen zu helfen!«

---

12. Körbe.

So ſeltſam verwandelt hatte ſich die Bühne, als Theodor
zurückkehrte. Was er Gutes gewirkt hatte (und es war
viel) belohnte der Fürſt huldreichſt durch den Titel eines
Hofraths.

Theodor nahm ſeinen Hofrath gelaſſen hin, und, des
geſtifteten Guten ſich bewußt, machte er auf keine andere Be=
lohnung Anſpruch. Auch ließ ſein Herz ihm keine Zeit, jetzt
daran zu denken. Wo iſt Ottilie? war ſeine erſte Frage;
wird ſie nun die Meinige werden? ſeine zweite. Ihres Va=
ters Unglück betrübte ihn, denn er fühlte, was die gute
Tochter dabei gelitten hatte; aber die Armuth, in welche ſie
verſunken war, machte ihm heimlich Vergnügen, denn jetzt
konnte er ihr beweiſen, daß nur ſie ſelbſt, nicht der verlorne

Glanz, der sie einst umgab, ihn gefesselt hatte. Kaum gedachte er noch des Mißtrauens, durch welches sie ihn gequält, der Vertheidigung, zu welcher sie ihn aufgefordert hatte. Er hielt es für eine bloße Neckerei der Liebe, von der in der jetzigen Lage keine Rede mehr sein werde; und sollte wider Vermuthen wirklich noch ein Verdacht in dem Herzen der Geliebten wurzeln, so mußte ja, was er zu thun entschlos= sen war, Jenen schnell vernichten.

Daß er weder auf der Post, noch bei seinem ehrlichen Vetter erfahren konnte, wohin Ottilie geflohen, beunru= higte ihn wenig, denn der Vater mußte es doch wissen, und an den Vater wollte er sich wenden, hoffend, daß der arme Gefangene ihn günstiger aufnehmen werde, als der stolze Bankdirektor einst gethan hatte. Sein Stand und Amt öffneten ihm ohne Hindernisse Klumm's Kerker, und Emma führte den Freund, den Bruder, so gern zum Vater. Doch leider hatten die Geistes = Abwesenheiten des alten Mannes sich so schnell vermehrt, daß Theodor erst nach mehreren Tagen einen hellen Augenblick fand, in welchem Klumm seinen vormaligen Arzt erkannte, und des Ver= gangenen sich bewußt war. Natürlich verursachte dies Be= wußtsein ihm abermals widerliche Empfindungen; er schämte sich, vor dem Gemißhandelten in dieser demüthigenden Lage zu erscheinen, verhehlte nicht, daß dessen Besuch ihm un= willkommen sei, und gab ihm zu verstehen, daß er für edler würde gehalten haben, wenn Theodor sich diesen Triumph versagt hätte.

O wie wenig kannte er den edlen Jüngling! und wie

fehr wurde er überrafcht, als diefer feine Anwerbung um
Ottilien erneuerte. Stammelnd nannte er ihm Grafen=
rode, als den Ort ihres jetzigen Aufenthalts; stammelnd
fügte er hinzu, daß er keine Gewalt mehr über feine Toch=
ter fich anmaße, und daß ihre Hand jetzt blos ein Gefchenk
ihres Herzens fein müffe. — Kaum hatte er diefe Erklärung
von fich gegeben, als er den feltfamen Gefühlen unterlag,
mit welchen diefe neue, unerwartete Begebenheit ihn be=
ftürmte. Scheue Blicke, irre Reden, krampfhaftes Lächeln,
verriethen dem kundigen Arzte die Zerrüttung feines Geiftes.
Theodor verfprach Emma feine ganze Kunft aufzubieten,
um den Wahnfinnigen zu heilen, und entfernte fich für
diesmal befriedigt, denn er wußte doch nun, wo Ottilie zu
finden, und hing doch nun fein Glück allein von der ab, an
deren Liebe er nicht zweifelte.

Haftig eilte er in feine Wohnung, fchrieb einen rühren=
den Brief an Ottilien, meldete ihr, daß ihr Vater der
Wahl ihres eigenen Herzens ihr Schickfal anvertraue, und
bat liebevoll um baldige Entfcheidung des feinigen. Als
er vollendet hatte, las er das Gefchriebene Florio vor, der
ihn wider feine Gewohnheit fchweigend anhörte, und mit
großen Schritten auf und nieder ging. »Du haft mir nichts
zu fagen? mir keinen Rath zu ertheilen? —»

Keinen, verfetzte Jener mürrifch.

Theodor fiegelte und fandte den Brief auf die Poft.
Als das gefchehen war, wollte er den wortkargen Freund
verlaffen, und an feine Gefchäfte gehen, aber plötzlich hielt
Florio ihn auf.

»Höre,« sagte er, »du willst heirathen, du machst einen dummen Streich; aber hol' mich der Teufel! du sollst ihn nicht allein machen, denn kurz und gut, ich will auch heirathen.«

Theodor sah ihn befremdet an und wußte nicht, ob er lachen oder ernsthaft bleiben sollte.

»Unter uns, mein Freund,« fuhr jener fort, »aber sage es Niemanden wieder, denn ich schäme mich — während deiner Abwesenheit habe ich ein Hundeleben geführt. Gott weiß, ich habe gegen die verdammte Liebe gekämpft wie St. Georg gegen den Lindwurm, aber es ist Alles vergebens. Setze ich mich an meinen Flügel, so sitzt sie neben mir; schlage ich einen weichen Accord an, so höre ich ihre Stimme; male ich einen Notenkopf, so sehe ich ihren Augapfel. Der Wein schmeckt mir nicht, der Scherz ist von mir gewichen, wenn es noch länger so dauert, so werde ich ein verrückter Musikant, ziehe auf den Dörfern mit der Geige umher, und lasse mich von den Bauern verspotten. Das muß anders werden, wenn auch schlimmer, und darum habe ich beschlossen, das Mädchen zu heirathen, es gehe wie Gott wolle.«

»Es wird gut gehen,« sagte Theodor lächelnd, »du meinst doch Emma?«

»Dumme Frage!« erwiederte Florio. —

»Nun so geh' auf der Stelle zu ihr.«

»Narr! wenn ich das könnte? ich bin ja schon dreimal bis an die Pforte gewesen, und jedesmal habe ich davor gestanden wie ein Schulknabe, der seiner schlecht gelernten

Lection sich bewußt, vor dem Präceptor erscheinen soll.
Wenn ich vollends die Klingel fassen wollte, so war mir's,
als hätte ich den Kopf eines Zitter-Rochen berührt. Nein,
mit ihr sprechen kann ich nicht.»

»Ei so nimm flugs die Feder und schreib. —»

»Meinst du? —»

»Je eher, je lieber. Was fürchtest du? Emma liebt dich.»

»Ach! was weißt du kalter Mensch von der Liebe?
du gehst an deine Geschäfte, du kurirst Kranke, du schlägst
dich mit der Pest herum, und bist immer dabei verliebt;
aber ich armer Teufel! nicht eine Polonaise kann ich kom-
poniren, und neulich bin ich im Konzert einmal aus dem
Takt gekommen; siehst du, das ist Liebe. —»

»Jeder hat seine Weise,» sagte Theodor, und Florio schrieb.

Als er fertig war, konnte sein Freund sich kaum des La-
chens enthalten, denn der Brief war das vollständigste Gemälde von dem Wirrwarr seines Herzens. Daß er Emma
unaussprechlich liebe, und sie ehrlich bitte, ihm ihre Hand zu
reichen, konnte man allerdings daraus zusammen lesen; übrigens aber war die Feuersbrunst beim Nachbar, und Madame
Saalfeld, und das Dachstübchen, und die Arie: »ach was
ist die Liebe für ein süßes Ding,» und Gott weiß, was sonst
noch Alles, so komisch durch einander geworfen, daß man
den Schreiber leicht für verrückt halten konnte.

»Es hat nichts zu bedeuten,» sagte Theodor, »das liebende Herz wird dich schon verstehen. Nur frisch gesiegelt
und abgesendet. Ich wünsche dir Glück, jetzt erst wirst du
wahren Lebensgenuß kennen lernen. —»

»Das gebe Gott!« schrie Florio, denn er verbrannte sich eben die Finger am Siegellack.

In großer Angst erwartete er die Zurückkunft des Bedienten; Theodor durfte ihn nicht verlassen. Bald an der Thurmuhr, bald an der Taschenuhr zählte er die Minuten, fluchte auf die schleichende Zeit, auf den schleichenden Boten, und als endlich der Mensch ganz vernünftig mit einem gemäßigten Schritt die Straße herabwanderte, stürzte Florio die Treppe hinunter, und rannte ihm entgegen. Aber langsam, verdrießlich, und mit leeren Händen kam er zurück, denn Emma hatte blos mündlich sagen lassen, sie werde Morgen die Antwort schicken. — »Sie liebt mich nicht!« rief er in Verzweiflung, »wenn sie mich liebte, sie hätte auf der Stelle geantwortet.«

»Wie ungerecht!« erinnerte Theodor, »du hast dich Monden lang bedacht, ehe es dir beliebt hat, deine Hand ihr anzutragen, sie aber soll ohne Bedenken hastig zugreifen, und der jungfräulichen Sittsamkeit nicht einmal das Opfer von einigen Stunden bringen. Sei ruhig, Morgen ist sie dein.

»Aber leb' ich denn bis morgen?« schrie Florio fast weinend wie ein verzogenes Kind. Theodor schlug ihm vor, noch einige Stunden der Nacht bei einer Flasche Wein sich mit der künftigen Einrichtung ihrer beiderseitigen Wirthschaft zu beschäftigen, da er voraussetze, daß sie ein Haus zusammen miethen, wie bisher verbunden bleiben, und ihre Frauen sich als Schwestern lieben würden.

Er hatte das Mittel getroffen, den ungeduldigen Liebhaber zu zerstreuen. Florio's Einbildungskraft fing augen=

blicklich Feuer, des Weines bedurfte sie nicht; er setzte
sich mit funkelnden Augen dem schwärmenden Freunde
gegenüber, und sah ihm andächtig zu, wie er das liebliche
Bild der Zukunft malte; wie er Emma und Florio auf
der rechten Seite des Hauses, Ottilien und sich selbst
auf der linken einquartirte, und in der Mitte einen
gemeinschaftlichen Speisesaal setzte, wie er die Sorge für
die Wirthschaft den jungen Frauen, in jeder Woche ab-
wechselnd, übertrug, die Kinderstuben einrichtete u. s. w.
»Siehst du,« sagte er, »so kommen wir wenigstens täglich bei der Tafel zusammen, und nach dem Abendessen
wird geplaudert (die Kinder schicken wir zu Bette), da
theilen wir uns unter acht Augen alles mit, was bisher
unter vier Augen blieb; da tragen uns die Frauen ihre
höheren Wirthschaftsangelegenheiten zur Entscheidung vor;
da entwerfen wir Pläne für glückliche Jahre oder einzelne
fröhliche Tage; und vor dem Schlafengehen setzest du dich
an den Flügel, wir Arm in Arm dir gegenüber, horchen
deinen Fantasien —«

Länger konnte es Florio nicht aushalten, er sprang
auf, nahm den Freund beim Kopfe, drückte ihn ungestüm
an die Brust, und rief: du bist ein prächtiger
Mensch!

Nach einer schlaflosen Nacht und einem von stürmi-
scher Ungeduld zu Jahren ausgedehnten Morgen, erschien
endlich ein Knabe, der ein Briefchen von Mamsell Thomasius brachte. Florio riß es ihm zitternd aus der Hand,
das Couvert flog in Stücken auf den Boden, mit einem

einzigen Blicke verſchlang er den Inhalt, taumelte hinter
ſich auf dem Sofa, ſtieß aus hohler Bruſt ein bitteres
h a! hervor, und ließ den Zettel fallen. Theodor hob ihn
auf und las:

»Ihre Liebe hat mich tief bewegt, und ich glaube
Ihnen das Bekenntniß ſchuldig zu ſein, daß ich Sie
herzlich wieder liebe. Doch eine heilige Pflicht gebietet
mir, Ihnen zu entſagen. Forſchen Sie nicht weiter.
Ich habe dieſen Entſchluß unter tauſend Thränen ge=
faßt, aber ich kann und darf ihn nicht ändern. Ver=
geſſen und bedauern Sie

die arme Emma.”

»Unbegreiflich!” murmelte Theodor. »Nichts we=
niger,” knirſchte Florio, »ſie iſt ein Weib! dies einzige
Wort löſt alle Räthſel.” — In ſtummer Wuth ſaß er
da, und rief vergebens die ganze Hölle zu Hilfe, um
ſeine Liebe in Haß zu verwandeln.

»Verdamme ſie nicht zu vorſchnell,” ſagte Theodor.
»Bekennt ſie nicht ſelbſt, daß ſie dich liebt? Daß es
ihr ſchmerzliche Ueberwindung koſtet, deine Hand aus=
zuſchlagen? — Wer weiß, welche grillenhafte Bedenk=
lichkeit — ich gehe zu ihr, ich werde mit ihr ſprechen.” —
Das verbat ſich Florio ſehr ernſtlich. Seine Frau den
Ueberredungen eines Freundes zu verdanken, die Idee
war ihm allzu bemüthigend. »Es iſt genug,” ſagte er,
»ich bin ein Thor geweſen, ich büße für meine Thor=
heit! aber zum bettelnden, girrenden Korydon ſoll das

XV.   15

Mädchen mich nicht erniebrigen." — »Es ist recht gut
so," rief er nach einer Pause, mit einem lauten er=
zwungenen Lachen, »es ist vorbei! ha! ha! ha! — ich
schwöre dir, Bruder, ich liebe sie nicht mehr, ich schäme
mich nur noch.«

Er glaubte wahr zu reden, aber Theodor sah, was er
litt, denn während dem Lachen traten ihm die Thränen
in die Augen. Darum ging er, ohne das Verbot zu
achten, noch am selben Morgen zu Emma, um zu er=
forschen, aus welcher Quelle ihr seltsamer Beschluß ent=
sprungen, und ob er in der That unabänderlich sei?
— Das erste erfuhr er nicht, trotz seiner brüderlichen
Bitten um Vertrauen; vom zweiten überzeugte er sich
nur allzubald. Aus Emma's schon verweinten Augen
brachen neue Thränen hervor.

»O!« rief sie, »wenn mein großmüthiger Wohlthäter
mich darum verachten könnte, dann wär' ich doppelt un=
glücklich! Nur dies einzige Geheimniß habe ich vor Ih=
nen, es gehört nicht mir zu. Betheuern Sie Florio,
daß ich ihn liebe! daß ich nie einen andern lieben werde!
aber kann ich — darf ich —«

Hier stockte sie. Die Worte: darf ich meinen
wahnsinnigen Vater verlassen? schwebten schon
auf ihrer Lippe — gewaltsam wurden sie zurückgedrängt.
Emma schwieg, weinte still; Theodor gab die Hoffnung
auf, ihr unbegreifliches Geheimniß ihr zu entreißen, und
entfernte sich betrübt, des unglücklichen Freundes An=

blick scheuend. Er, der Glückliche, der täglich von Ottilien
ein freundliches Ja erwartete, mußte er nicht das Schau=
spiel seines Glückes den Augen des Leidenden entziehen?
Ihm bangte, Florio's wegen, vor des Briefes Ankunft,
denn ihm den Inhalt zu verheimlichen, das hätte dem
ohnehin Gereizten Verrath an der Freundschaft scheinen
mögen; und ihm die nahe Erfüllung der schönsten Hoff=
nungen mitzutheilen, das hieße doch wohl Feuer in seine
Wunden gießen. Uebrigens sprach Florio kein Wort
mehr, weder von seiner getäuschten, noch von des Freun=
des hoffnungsvollen Liebe, er kletterte den ganzen Tag
auf den nahen Bergen herum, und wenn er Abends
nach Hause kam, so schlug er den Flügel mit solcher
Gewalt, daß jedesmal einige Saiten sprangen.

Ottiliens Antwort erschien endlich, und ersparte Theo=
dor'n die Sorge, daß er sein Entzücken in des Freundes Ge=
genwart nicht werde mäßigen können. Sie schrieb:

»Ich habe Sie sehr geliebt — vielleicht liebe ich Sie
noch zu meinem Unglücke! — Ich bin eine Bettle=
rin — mein Vater ist ein Verbrecher — mit bluten=
dem Herzen schreibe ich dieses Wort. Eine Verbin=
dung mit mir würde Ihre Laufbahn unterbrechen, über
kurz oder lang Ihnen Reue gebähren. Selbst unter
günstigern Umständen müßte ich Ihnen entsagen, denn
mein verwöhntes Herz fordert ungetheilte Liebe. Wäre
aber auch alles anders, und könnten Sie mich über=
zeugen, daß Robert's Pflegetochter Sie minder interes=

15 *

firt, als die Welt behauptet, und des Mädchens eige=
nes Geständniß mir bestätiget hat; so bliebe dennoch
eine ewige Kluft zwischen uns, denn in der Abschieds=
stunde hat mein Vater seinen Fluch auf diese Ver=
bindung gelegt, und so auf immer uns getrennt! —
Leben Sie wohl! Leben Sie glücklicher als

Ihre Freundin Ottilie."

Vom kaltem Schauer ergriffen, hielt Theodor das
Blatt in der bebenden Hand! und reichte es abgewendet
mit stummen blaſſen Lippen seinem Freunde hin.

Florio las und lächelte bitter. „Unglücksgefährte!"
rief er aus, den Arm um des Freundes gebeugten Na=
cken schlingend, »laß uns bekennen, wir waren beide
Thoren, und ich der Größere, denn du kanntest ja die
Weiber nicht, aber ich! Doch, wenn ich dieser heuchle=
rischen Brut je wieder traue, so will ich verdammt sein,
deine Recepte zu componiren. Gedenke des Sprichworts:
Kurze Narrheiten sind die besten; laß fahren die eitlen
Hoffnungen, auf eitle Mädchen=Herzen gebaut. Ermanne
dich und höre meinen Vorschlag."

———————

Die
Frucht fällt weit vom Stamme.

Drittes Buch.

1. Flucht vor der Liebe.

»Jedes Thier,« hub Florio an, »kann seine Stelle ver=
ändern, etwa den Armpolypen ausgenommen; selbst die
Auster, wäre sie auch noch so fest an die Klippe gewachsen,
kann sich los machen, aus der Schale strecken, und auf
eine erbärmliche Weise vorwärts schieben. Vollends der
Mensch, der hat nicht blos eigene Füße, sondern ihm
gehören auch die Beine aller Postpferde, Postkameele und
Posthunde in Europa, Asia und Kamtschatka. Und wozu
traf die Natur diese weise Veranstaltung? damit er der
verdammten Liebe entrinnen möge; weil nun einmal kein
Fürst einen Kordon gegen diese heillose Landplage zieht,
wie gegen das gelbe Fieber. — Es gibt Menschen, die
gleich ganz aus der Welt hinauslaufen, wenn es ihnen auf
dem Plätzchen nicht mehr behagt, auf welchem der Zufall
sie anklebte; aber solche Leute haben vergessen, daß die
Welt hübsch groß ist, und daß, wenn man auf der einen
Stelle mit Sorge und Mühe nur Dornen erzieht, auf
einer andern Stelle die Rosen wild wachsen.«

»Wer mit der Liebe Aug' im Auge kämpfen will, der
ist ein Thor; nur fliehend, wie die Parther, muß man
gegen sie fechten; denn so gewaltig sie auch sein mag, so
hat sie doch nur schwache Füße, ermüdet leicht im Verfol=
gen. Darum, Herr Doktor, wenn du nicht eben Schutz=
pocken gegen die Liebe erfunden hast (welches allerdings
eine Wohlthat für die Menschheit wäre), so laß uns fliehen
über Hals und Kopf! — Du hast dir einen Nothpfennig

erfpart, ich auch; wie können wir den beffer anlegen, als wenn wir die verlorne Ruhe damit zurück erkaufen?"

Theodor, auf den in diesem Augenblicke die Wände seines Zimmers, die Stadtmauern und das Himmelsgewölbe drückten, fand seines Freundes Vorschlag sehr vernünftig. Ja, wir wollen fort, sagte er, wir wollen nach Frankreich reisen, und die neuen Wunder dort anschauen, das wird uns heilsam zerstreuen.

»Bewahre der Himmel!" antwortete Florio, »Wunder muß man nur von ferne sehen, in der Nähe wird man ungläubig. Was sollen wir überhaupt in einem Lande, wo es Weiber gibt? — Fort aus Europa! fort in die Morgenländer, dort ist man noch so vernünftig, sie zwischen vier Mauern zu sperren, dort kann ein ehrlicher Mann noch sicher seine Straße wandern. D'rum ist mein Rath, wir ziehen in die Türkei."

»Mir Alles gleich," erwiederte Theodor, »nur bald, bald!" — Florio schlug den Kalender auf, fand, daß noch diesen Abend ein Postwagen nach Wien abgehe, und wollte sogleich auf das Posthaus eilen, um Plätze zu bestellen. Aber so bald war seinem Freunde doch zu schnell. Ottilie hatte ja gestanden, sie liebe ihn noch. Zwar hatte sie ein Vielleicht hinzu gefügt; doch das Wort gehörte hier offenbar zu den unnützen, von welchen die Menschen einst Rechenschaft geben sollen. Ihre zarten Bedenklichkeiten mußten seiner Liebe weichen, und ihre Eifersucht von selbst verschwinden, sobald sie sein wahres Verhältniß zu Emma erfuhr. Die ewige Kluft zwischen Beiden hatte also nur des Vaters Fluch gegraben, und sein Segen konnte sie wieder ausfüllen. Alle diese Betrachtungen reihten sich natürlich an einander, nachdem Theodor den Brief zum zweiten, und zum zwanzigsten Male gelesen hatte.

»Ich muß doch erst mit dem Vater sprechen,« sagte er zu seinem Freunde. Unwillig rief dieser: »Du bist unheil= bar! willst du nicht mit, so reise ich allein.«

Mit vieler Mühe brachte es Theodor dahin, daß er ihm versprach, noch einige Tage zu warten, und aus den Ta= gen wurden Wochen, denn immer hoffte der aufmerksame Arzt, einen hellen Augenblick zu finden, in welchem der seelenkranke Gefangene seiner Besinnung mächtig sein, und durch einige Zeilen von seiner Hand der Tochter kindliches Herz beruhigen werde. Er nahm sich vor, den alten Klumm so selten als möglich zu verlassen, und jedesmal, wenn seine Berufsgeschäfte ihn dazu zwingen würden, Emma auf die Lauer zu stellen, um keine günstige Minute ent= schlüpfen zu lassen. Ach! er wußte nicht, daß in den weni= gen Tagen, seit er das Gefängniß nicht besucht, ein neuer Zufall des Mannes schwachen Geist vollends zerrüttet hatte.

Als er nämlich an einem schwülen Abend, von Emma geführt, mit freierem Geiste als gewöhnlich, auf einem Grasplatz wandelte, auf dem auch andere Gefangene bis= weilen Luft schöpfen durften, da begegnete ihnen ein Mensch in Ketten, mit einem langen verwilderten Bart, bleichen Wangen und brennenden Augen. »Das ist der Schlimmste unter allen Bewohnern dieses Hauses,« sagte Emma zu

ihrem Vater, und wollte ihn schnell vorüber führen. Aber
plötzlich vertrat der Kerl ihnen den Weg:

»Sieh da, Herr Bankdirektor,« sagte er hämisch lä=
chelnd, »willkommen, Herr Kamerad! Sie kennen mich
wohl nicht mehr? — Wir haben uns freilich Beide sehr ver=
ändert, sind nicht mehr die rüstigen Gesellen, die wir wa=
ren, da Sie noch als Baron Sonnenstern den Leuten die
Beutel fegten, und als Kaufmann Schneider unschuldige
Mädchen verführten. — Nun, Sie wollten mich ja todt
schlagen, wenn ich Ihnen wieder vor die Augen käme.
Ha! ha! ha! jetzt sind wir Beide Galgenkandidaten. Aber
die Lust an hübschen Mädchen hat, wie ich sehe, den alten
Sünder noch immer nicht verlassen.«

Kaum hatte der Bösewicht zu reden angefangen, als
Klumm schnell seinen vormaligen Bedienten erkannte, den
treuen Helfershelfer bei jedem Bubenstück. Das gräßliche
Gemälde seines Lebens, welches der Kerl mit wenigen
kräftigen Pinselstrichen ihm so plötzlich vor die Augen stellte,
der empörte Stolz, die zermalmende Scham, und vielleicht
mehr als alles, der Umstand, daß es gerade in der Gegen=
wart des unglücklichen Kindes geschah, welches die Frucht
jener Verbrechen war, wirkten so heftig auf ihn, daß er
taumelnd in's Gras sank, und Emma's Arm zu schwach
war, seinen Fall zu verhüten. Sie gab der Wache einen
Wink, den Bösewicht fortzuführen, und rief den nahen
Gefangenwärter zu Hilfe, um ihren bewußtlosen Vater
auf sein Zimmer zu bringen.

In der folgenden Nacht ging sein Wahnsinn zum erſten Male in Raſerei über, und obgleich die Anfälle der Wuth nach und nach wieder ſeltener wurden, ſo ſchien doch ſeit jenem Augenblicke jede Hoffnung zu gänzlicher Wieder= herſtellung ſeiner Vernunft verſchwunden, und die jam= mernde Tochter mußte froh ſein, wenn er nur wahnſin= nig war.

Theodor meldete Ottilien den traurigen Zuſtand ihres Vaters, und bot Alles auf, ſie zu überreden, daß er ſeinen Fluch gewiß zurücknehmen würde, wenn er ſeiner Vernunft Meiſter wäre. Aber er erhielt keine Antwort. Was blieb ihm jetzt übrig, als den ſtürmiſchen Wünſchen ſeines unge= duldigen Freundes nachzugeben.

»Das Schickſal trennt mich von Ihnen," ſagte er zu Emma, »wir werden uns lange nicht wiederſehen, viel= leicht nie! — In Ihrer Macht hätte es geſtanden, durch Beglückung meines Freundes auch mir das Leben in mei= ner Vaterſtadt wenigſtens erträglich zu machen. Sie, die Sie ſo viel kindliches Wohlwollen gegen einen fremden alten Mann äußern, der ſein Schickſal nur zu ſehr ver= ſchuldet hat, Sie konnten einen Jüngling verſchmähen, der Ihre Liebe verdiente! Doch es ſei ferne von mir, Ihnen Vorwürfe zu machen. So unbegreiflich Ihr Betragen mir bleibt, ſo iſt doch Eigenſinn der letzte Grund, den ich ver= muthen möchte. Meine Achtung für Sie iſt unerſchütter= lich, wie meine Bruderliebe. Ich bin beſorgt um Ihre Zu= kunft. Der gute Inſpektor iſt alt, Sie könnten in Kurzem Ihren Pflegevater, und, wenn ich abweſend bin, mit ihm

Ihre einzige Stütze verlieren. Darum erlauben Sie mir wenigstens in dieser Abschiedsstunde, daß ich mit Ihnen theile, was ich habe."

Mit niedergeschlagenen Blicken ergriff er ihre Hand, und wollte ihr einen Beutel mit Gold hinein drücken. Tief bewegt schob sie ihn hastig zurück. »Um Gotteswillen!« rief sie, »nicht diese Beschämung! Ach! es drückt mich ohnehin so schwer, durch meine Verschlossenheit in Ihren Augen undankbar scheinen zu müssen, und nicht einmal Rechtfertigung nach meinem Tode hoffen zu dürfen, denn mein Geheimniß geht mit mir zu Grabe. Doch wie könnte ich in dieser Lage noch Geschenke von meinem Wohlthäter empfangen? — Nein, Gott wird für mich sorgen, denn ich werde meinen harten Pflichten treu bleiben, so lange ich athme, und darum traue ich auf die Verheißung meines sterbenden Großvaters. Reisen Sie glücklich, edler Mann, und gedenken Sie meiner nicht mit Unwillen. Bitten Sie auch Florio, daß er es nicht thue — ach! ich liebe ihn ja so herzlich! — Leben Sie wohl!« — Mit Thränen entwich sie aus dem Gemach, und es blieb Theodor'n nichts anders übrig, als sein Geschenk zu Robert zu tragen, und ihn zu bitten, es für Emma zu verwahren. Aber auch der biedere Greis nahm es nicht an.

»Was denken Sie von mir?« sagte er mit edlem Unwillen, »das Mädchen ist meine zweite Tochter, ich liebe sie, wie mein eig'nes Kind. Reich bin ich zwar nicht, aber so viel kann ich ihr doch hinterlassen, daß sie, wenn auch nicht ohne fremde Hilfe, doch ohne fremde Gnade leben kann. So bald der Tod noch einmal leise bei mir anklopft, werde ich ein Testament machen, das meine gute Emma vor Mangel sichern soll." — Wider Willen mußte Theodor seine brüderliche Gabe wieder zu sich stecken; der alte Robert segnete ihn gerührt, und mit schwerem Herzen kam er nach Hause, um seinem Freunde anzukündigen, daß er zur Abreise fertig sei.

»Nun endlich!" rief Florio, und packte eilig zusammen, ein paar Kleider, Wäsche und eine Guitarre machten sein ganzes Gepäck aus. Für Theodor, der wie ein Träumer herum ging, und auf die Frage: was er mitnehmen wolle? nur verkehrte Antworten gab, sorgte Florio besser als für sich selbst, legte dessen chirurgisches Besteck in den Koffer, und vergaß nicht einmal ein Glas mit frischer Kuhpocken= Materie, die sein Freund erst Tages zuvor gesammelt hatte. „Sieh, man kann nicht wissen," sagte er sehr geschäftig, »in Konstantinopel hat man von Doktor Jenner's Erfin= dung wahrscheinlich noch nichts erfahren; es könnte leicht eine Pocken=Epidemie im Serail des Großsultans aus= brechen, da wärst du schnell bei der Hand, und könntest dir wohl den Orden vom halben Monde verdienen, Gold und Silber und Mocca=Kaffee nebenher. Dann verschafftest du mir Erlaubniß, mit meiner Guitarre die ewige Lange= weile der Sultaninnen zu verscheuchen; zwar sind das auch nur Weiber, aber der Neuheit wegen möchte ich es doch mit ihnen versuchen."

Theodor hörte nicht auf seine Possen, die er ohnehin sich selber mit Gewalt abkitzelte, denn im Grunde war ihm nicht beſſer zu Muthe, als ſeinem Freunde, und er wollte nur ſich ſelbſt verbergen, daß es ihm ſo ſchwer werde, den Ort zu verlaſſen, wo die grauſame Geliebte hauſte.

---

2. Die Türken.

Glücklicher als Chenevix, ohne Sturm auf dem ſchwarzen Meere, ohne räuberiſche Anfälle in Servien, kamen beide Freunde nach Konſtantinopel. Auch geſunder als Chenevix, das ſchleichende Herzens=Fieber abgerechnet, erblickten ſie die vergoldeten Kuppeln der Minarets, mit dunkeln Cypreſſen maleriſch wechſelnd. »O wie ſchön! wie freundlich!« rief Florio aus, indem ſein Auge über den belebten Kanal nach der aſiatiſchen Küſte ſchweifte, »hier laß uns Hütten bauen.« — Aber bald wurde ſein Entzücken ſtill, als ſie das Innere dieſer ungeheuern Stadt betraten, und durch ſchmutzige übelriechende Straßen, zwiſchen elenden Hütten ſich durchwanden; ja, es verwandelte ſich in lauten Unmuth, da der Zufall ſie über den Sklavenmarkt führte, wo ganze Reihen von Jammergeſtalten, durch habgierige Juden zum Verkauf geſchleppt, von fühlloſen Käufern beſehen, betaſtet, und gleich erhandeltem Vieh hinter ſich her getrieben wurden. Ein Glück für Florio, daß die Türken kein Deutſch verſtanden, denn ſeine kräftigen Flüche hätten ihm ſicher die Ehre des Märtirerthums für die Menſchheit zugezogen.

Die Reiſenden meldeten ſich bei dem Geſandten ihres Hofes, und hatten das überraſchende Vergnügen, ſchon im Vorzimmer deſſelben eine alte Bekanntſchaft zu erneuern.

Denn als sie bereits länger als eine Stunde der Hoffnung entgegen gähnten, bei Sr. Excellenz vorgelassen zu werden, siehe, da hüpfte ein junger Herr durch das Zimmer, den sie augenblicklich für den edlen Kammerassessor von Stolzenbeck erkannten. Er stutzte, als er sie gewahr wurde, und es schien sogar, als ob ein Blutstropfen der Scham, der lange in irgend einer Ader einsam stockte, sich bei dieser Gelegenheit auf seine Wange verirren wollte; aber ein spöttisches Lächeln, das dem jungen Helden immer zu Gebote stand, jagte das verirrte Tröpflein schnell wieder zurück, und mit vornehmen Blicken die Fremden messend, ging der Gesandtschafts = Kavalier unangemeldet zu Sr. Excellenz.

»Freund,« flüsterte Theodor, »was sagst du zu dieser Erscheinung?«

»Ich sage, daß uns Gott mit diesem Schurken straft, den wir überall in unserm Wege finden. Gib Acht, er wird uns bei dem Gesandten einen kühlen Empfang bereiten.«

Florio irrte nicht. Stolzenbeck's Vater, von den Ausschweifungen seines Sohnes unterrichtet, hatte für dienlich erachtet, ihn nach Konstantinopel auf einen sogenannten Ehrenposten, eigentlich aber unter die Aufsicht des dortigen Ministers zu senden, dem er ihn jedoch zugleich, als den einzigen edlen Sprößling der Familie, mit so zärtlicher Vaterliebe empfohlen hatte, daß der schlaue Gesandte wohl begriff, er müsse dem Sohne schmeicheln, wenn er des Vaters Freundschaft sich erhalten wolle. Darum durfte Stolzenbeck nach wie vor sein Wesen treiben, und schon längst gab es keine leichtfertige Jüdin mehr in Stambul,

mit der er nicht in vertrauter Bekanntschaft gestanden hätte.
Bei dem Gesandten schien er etwas zu gelten, denn diese
Herren müssen sich, während ihrer ganzen Laufbahn, daran
gewöhnen, nur das, was irgend Einfluß hat, zu schätzen,
zu suchen, zu bezahlen, und weder Verdienst noch Moralität
dabei in Betrachtung zu ziehen. Sehr merklich war daher
die Kälte, mit welcher die Fremden aufgenommen wurden;
der Herr Minister untersuchte ihre Pässe sehr scharf, und
da er nichts dagegen einwenden konnte, so fragte er wenig=
stens mit spöttischem Scherz: ob sie auf Abenteuer ausge=
zogen wären?

»Warum nicht?« erwiederte Florio mit funkelnden
Augen, »immer besser, als wenn man wegen liederlicher
Streiche uns hieher verbannt hätte.« Bei diesen Worten
richtete er seine Blicke starr auf den Gesandtschafts=Kavalier,
der, sich brüstend, der Audienz beiwohnte, und durch den
unvermutheten Ausfall seines schon bekannten Gegners ein
wenig in Verwirrung gerieth. Der Minister stellte sich, als
habe er nichts bemerkt, und entließ die Reisenden mit der
Warnung, sich während ihres Aufenthaltes wohl vorzu=
sehen, da man leicht in schlimme Händel mit den Türken
gerathen könne, und auf seine Verwendung in solchen Fäl=
len wenig zu rechnen sei. Die beiden Freunde empfahlen
sich mit dem Vorsatz, Sr. Excellenz wo möglich nicht wieder
beschwerlich zu fallen.

Aber auch ohne diese abschreckende Aufnahme, mußten
sie bald gestehen, daß Konstantinopel nicht der Ort sei, wo

ein ehrlicher, verliebter Deutscher sein Vaterland, oder gar
sein Mädchen vergessen könne. Freilich war die Aussicht
auf den See von Marmora vortrefflich; das Gewühl im
Hafen ein unterhaltendes Schauspiel; eine Säule mit Hie=
roglyphen bedeckt, merkwürdig für den Alterthumsforscher;
aber wenn die Neubegier nach wiederholtem Anschauen
befriedigt war, so stellte sich die Leere wieder ein, und
machte nur der Sehnsucht nach der Heimath Platz.

»Nein,« sagte Florio, »diese Türken mögen ganz gute
Menschen sein (wenigstens sind sie wohlthätig, denn sie
vermachen ihr Geld sogar an arme Hunde und Katzen),
aber wer kann sich daran gewöhnen, mit Leuten umzu=
gehen, die von Allem, was wir thun, gerade das Gegen=
theil verrichten? Wir entblößen unser Haupt, indem wir
grüßen, sie würden das für schimpflich halten; wir nehmen
den Hut ab, wenn wir in ein fremdes Zimmer treten, sie
ziehen die Pantoffeln aus; wir tragen kurze enge
Kleider, sie lange weite; unser Kopfputz ist schwarz, der
ihrige weiß oder grün; wir umwickeln den Hals, sie
tragen ihn bloß; wir scharren mit dem Fuße bei einer
Reverenz, sie bewegen Kopf und Hand; wir tragen lange
Degen an der Hüfte, sie einen kurzen Dolch an der Brust;
statt unserer Ordensbänder, haben sie Pferdeschweife; wir
schenken Ringe und Dosen, sie Pelze und Kaftane; kurz,
sie scheinen es sich zum Gesetz gemacht zu haben, Alles
anders zu thun als wir. Der Henker mag mit den Leuten
zu rechte kommen, zumal, da ihre Musik abscheulich ist.«

XV.   16

Ein kleiner Zufall vermehrte Florio's Widerwillen gegen den längern Aufenthalt in Konstantinopel. Er wollte eine Spazirfahrt auf dem Waſſer machen, und hatte ſich dazu ein artiges Boot, Kaike genannt, mit ſechs Ruber=knechten gemiethet. Als er eben im Begriff war, vom Ufer abzuſtoßen, näherte ſich ein brutaler Polizeibeamter, fragte ihn, wer er ſei? und auf die Antwort: ein reiſender Franke, erwiederte er ihm ſehr ungeſtüm, daß er nicht das Recht habe, mit ſechs Rudern zu fahren, ſondern höchſtens nur von einem ſich dürfe fort bewegen laſſen. »Meinetwegen mag nur Einer rudern,« ſagte Florio, »wenn ich nur von der Stelle komme.« — Der Tag war ſchön, die Sonne ſchien heiß, kein Lüftchen bewegte die Wellen. Florio hatte einen Sonnenſchirm mitgenommen, um ſich während der Ueberfahrt gegen die ſenkrechten Strahlen zu ſchützen; kaum hatte er ihn aber über ſeinem Haupte aus=geſpannt, als ein Boot ihm pfeilſchnell nacheilte, und ein Verſchnittener ihn drohend befragte: warum er Seiner Hoheit, dem Großſultan, die gebührende Ehrfurcht ver=weigere?

»Bewahre der Himmel!« antwortete Florio, »ich habe allen Reſpekt vor Seiner ſultaniſchen Majeſtät.« —

»Nun, du elender Franke!« fuhr Jener ihn an, »wie kannſt du dich unterſtehen, in der Nähe des Serails einen Sonnenſchirm über dein Haupt zu halten?« —

»Ei zum Henker! hab' ich denn gewußt, daß man den türkiſchen Kaiſer ehrt, indem man ſein Gehirn von der Sonne ſchmoren läßt?«

Schwerlich würde seine Unwissenheit ihn von einem
Besuch in den sieben Thürmen befreit haben, hätte er nicht
zu rechter Zeit einige Zechinen für sich reden lassen, bei
deren Anblick der Schreier verstummte, und ihn ruhig seines
Weges fahren ließ. »Aber," brummte er vor sich hin,
»meint denn der Großsultan, mein Kopf sei noch nicht verrückt genug? mich soll der Teufel holen, wenn ich in dieser
Pestgrube länger verweile!"

Was seinen Unmuth vergrößerte, und ihn wirklich
bekümmerte, war die fehlgeschlagene Rechnung, daß Theodor
und er in Konstantinopel nicht blos ihr Brot verdienen,
sondern auch wohl Schätze sammeln würden. Kranke, dachte
er, und Leute, die gern Musik hören, gibt es ja überall,
doch ohne Ruhm zu melden, nicht überall Aerzte und Tonkünstler, wie mein Freund und ich. Von dem Vertrauen
auf sein eigenes Talent war er freilich zurückgekommen, so
bald er die demüthigende Erfahrung gemacht hatte, daß
die Türken ihre abscheuliche sogenannte Janitscharen-Musik
mit Bewunderung hörten, hingegen bei seiner Guitarre
mitleidig die Achseln zuckten. Nun gut, sagte er, der Geschmack ist verschieden, diese Menschen sind Barbaren; aber
Barbaren müssen doch auch krank werden, wie andere
vernünftige Leute. Die Blattern richten jährlich grimmige
Verwüstungen unter ihnen an. Wofür habe ich denn die
Kuhpockenmaterie so sorgfältig eingepackt? eine Wohlthat
wollte ich dem unmusikalischen Volke erzeigen, aber das
wanket nicht von seinem blinden Glauben an Prädestination,

16 *

und opfert lieber alle seine Kinder, ehe es die Sünde begeht, vernünftig zu werden.

Einmal nur machte er sich Hoffnung, daß ein Strahl der Aufklärung dennoch zwischen den Darbanellen durch=geschlüpft sei, als ein Pascha, der zufällig die Ankunft des fremden Arztes vernommen hatte, Theodor'n zu sich rufen ließ. Florio begleitete seinen Freund. Sie fanden einen wackern gebildeten Mann, der vormals einen Ge=sandtschafts=Posten an einem auswärtigen Hofe bekleidet, und dort die Vorurtheile seiner Nation abgeschüttelt hatte. Unter dem Siegel der Verschwiegenheit ersuchte er den Arzt, seinen Kindern die Schutzpocken einzuimpfen, bat ihn aber flehentlich, ihn nicht zu verrathen, weil eine solche Widerspenstigkeit gegen das Schicksal ihn zum Ge=genstand des Hasses unter seinem Volke machen würde.

»Aber du bist ja ein vornehmer Mann?« erinnerte Florio, »bei uns thut der Pöbel alles, was die vor=nehmen Leute thun, ist es bei euch denn anders?«

»Das wohl nicht,« erwiederte der Pascha, »wäre nur mein Einfluß noch der vormalige. Aber seitdem ich das Unglück habe, ein Schwiegersohn des Kaisers zu sein« —

»Das Unglück?«

»Allerdings.« —

»Bei uns würde eine solche Verbindung zu den höch=sten Ehrenstaffeln führen.«

»Ach! mich hat sie in's Elend geführt. Als es dem Großherrn beliebte, mich mit seiner zweijährigen Toch=ter zu verloben.« —

»Zweijährig! was macht man mit dem Kinde?«

»Nichts, man bekommt es nicht einmal zu sehen, muß ihm aber unaufhörlich kostbare Geschenke senden, die in des künftigen Schwiegervaters Beutel fließen. So ist in wenigen Jahren mein ansehnlicher Reichthum ge= schmolzen. Ach! wie gern hätte ich alles geopfert! aber daß ich auch eine geliebte Frau verstoßen mußte —«

»Verstoßen?« —

»Ja, der Eidam des Kaisers darf weder eine andere Gattin, noch ein Kebsweib unterhalten.«

»Auch wenn die Braut in Windeln liegt?«

»Gleich viel.« —

»Recht und Sitte erlaubten mir, mehrere Weiber zu heirathen, aber die Liebe fesselte mich nur an eines, an Fatimen; sie hatte mir Kinder geboren, die unser Band noch fester knüpften. Wir waren glücklich, als des Sultans unverlangte Gnade plötzlich unser Glück zertrümmerte. Großmüthig wollte Fatime sich opfern, auf einer fernen Insel unser Schicksal beweinen. Mein Herz konnte sich nicht entschließen, darein zu willigen. Ich bereitete ihr in meiner Nähe einen verborgenen Aufent= halt, wo ich sie insgeheim besuchte, auch zuweilen im Schutz der Nacht die Kinder in der Mutter Arme führte. Lauernde Verräther trugen es dem Sultan zu; ich wurde abgesetzt, und muß als Gnade betrachten, daß mir der seidene Strick noch nicht zu Theil geworden.«

»Eine schöne Gnade,« murrte Florio, »und was wird denn nun am Ende aus der Braut?«

»Ich bin ein alter Mann," fuhr der Pascha fort, »sterbe ich, ehe sie mannbar wird, so erbt sie alles, was ich besaß. Erlebe ich es aber, daß sie heranwächst, und schenkt der Sultan mir seine Gnade wieder — nun so wird sie meine Frau, und ich vermuthlich Gouverneur irgend einer fernen Provinz."

»Dann sperrst du sie hoffentlich ein?"

»Wollte ich auch, so stünde das nicht in meiner Ge= walt; denn ich allein muß Konstantinopel verlassen! sie, die Prinzessin, bleibt und lebt nach ihrem Gefallen."

»Eine vortreffliche Einrichtung; und wenn du Kinder mit ihr zeugst, was wird aus denen?"

»Ach! die nimmt mir der Sultan, unter dem Vor= wand ihrer erhabenen Geburt, und sie sterben alle eines frühen — unbekannten Todes."

»Ei so würde ich sagen: großen Dank für die Ehre!"

»Die kleinste Weigerung wäre ein todeswürdiges Ver= brechen."

Florio knirschte mit den Zähnen. Das Unglück des Greises rührte ihn tief.

»Ich bitte dich um Gotteswillen, Theodor, eile, daß wir fortkommen. Es könnte dem Sultan einfallen, mich zum Pascha zu ernennen, und mir ein Windelkind in's Ehebett zu legen, o dann griffe ich lieber nach der seidenen Schnur."

Theodor war bereit aufzubrechen, und ging, sich
bei dem Gesandten zu beurlauben, in dessen Wohnung
er alles in größter Bestürzung fand. Herr von Stol=
zenbeck hatte, mit Hilfe einer alten Jüdin, die allerlei
Waren vertrödelte, einen Liebeshandel mit einer Tür=
kin angesponnen, und sich endlich gar während der Stun=
de des Gebets in Weiberkleidern zu ihr führen lassen.
Dort wurde er von dem Vater des Mädchens ertappt,
der ihm ganz trocken erklärte, daß er sich kurz und gut
entschließen müsse, entweder ein Türk zu werden und
das Mädchen zu heirathen, oder sich stranguliren zu
lassen. Ohne Bedenken wählte der zagende Sünder das
erstere, und wurde sogleich einem Iman übergeben, um
ihn zur Beschneidung vorzubereiten. Der Gesandte war
außer sich, als er es erfuhr; er wollte Schritte bei der
hohen Pforte wagen, den Sohn seines Gönners zu
befreuen, allein man gab ihm zu verstehen, er werde
besser thun, zu schweigen, denn wenn die Sache ruch=
bar, und nicht auf vorgeschriebene Weise wieder gut ge=
macht werde, so könne man ihm für einen Besuch des
wüthenden Pöbels nicht Bürge sein.

Florio konnte nicht aufhören zu lachen, wenn er
an den beschnittenen Stolzenbeck dachte. »Wir sind
gerochen!« rief er aus, »jetzt soll unser Besuch bei den
Türken mich nie gereuen.«

»So ist der Mensch,« sagte der mildere Theodor, ihm
seine Schadenfreude verweisend, »lieber mag man ein=

mal das Laster bestraft, als zehnmal die Tugend be=
lohnt sehen." —

»Und da hat man Recht," fiel ihm Florio in's Wort,
»denn es gibt keine unbelohnte Tugend, weil keine
Macht auf Erden ihr das Bewußtsein rauben kann; aber
es gibt ungestraftes Laster, und jeden ehrlichen Kerl
muß es in der Seele freuen, wenn er einen Schurken
in der Klemme sieht. Fürwahr, ich gäbe eine Fußzeh
d'rum (denn die Finger kann ich nicht entbehren), wenn
ich bei dem Aktus der Beschneidung gegenwärtig sein
dürfte."

Die Erfüllung dieses Wunsches blieb freilich uner=
reichbar. Gern hätte Florio zum mindesten dem neuen
Türken Glück gewünscht, aber es verlohnte nicht die Mühe,
so lange in Konstantinopel zu verweilen, bis Mustapha
Stolzenbeck wieder öffentlich erscheinen konnte. Die
Freunde reisten ab nach Smyrna, und hatten eine lang=
weilige Fahrt, auf welcher Florio, so oft die Geduld
ihn zu verlassen drohte, lachend ausrief: Stolzenbeck
ist beschnitten.

―――――

3. Der taube Konsul.

Warum sie eigentlich nach Smyrna reisten? — weil
sie dort am sichersten ein Schiff zu finden hofften, das
sie nach Marseille bringen werde. Von dort über Nizza
durch die engen Pässe in Italien einzudringen, war Florio's
Lieblingsgedanke; denn er stand auch noch in den Wahn,
daß nur in Italien gute Musik gefunden werde, obgleich

das ſchmutzige Land auch dieſen Ruhm, ſo wie den
längſt überlebten Ruhm der Waffen, bald wird auf=
geben müſſen. Dort, bildete er ſich ein, viel Geld ver=
dienen zu können. Sein Reiſeſeckel, von Anbeginn weit
minder ſtrotzend, als der ſeines ſparſamern Freundes,
war ſchon beträchtlich zuſammengeſchrumpft, und der
Gedanke ihm unerträglich, auf Theodor's Koſten zu
zehren.

»Aber wie,« fragte dieſer, »wenn das Blatt ſich
wendete, du in Italien reiche Quellen fändeſt, und ich—«

»O, dafür ſorge nicht,« unterbrach ihn Florio, »für
Krankheiten ſteh' ich dir, ich kenne meine Italiener; die
würden ſich's zur Schande rechnen, wenn ſie nicht jähr=
lich wenigſtens ein paarmal aus den Armen der Venus
zu den Altären des Aeskulap hinkriechen müßten. Ueber=
dem biſt du ein fremder Arzt, und obendrein ein tedesco,
folglich kann es dir nicht fehlen.

Sie landeten glücklich in dem berühmten Smyrna,
das, an manchem Vorzug reich, ihnen mehrere Tage
hindurch zerſtreuenden Genuß gewährte. Ihre reizende
Wohnung in der Straße der Franken, die ſich an der
See hinabzieht, grenzte an Gärten, welche durch den
Fluß Meles gewäſſert wurden. An dieſem Fluſſe ſoll
Homer geboren ſein; darum lagerte ſich Florio ſo gern
an deſſen Ufer, und las mit Entzücken die tauſend=
jährigen Lieder des unſterblichen Sängers; oder er wan=
delte nicht fern zwiſchen den Marmortrümmern, die
einſt am Janus=Tempel prangten; oder er beſtieg den

anmuthigen Bergrücken, den vormals ein herrliches Thea=
ter schmückte, dessen Steine von den Barbaren nun
schon längst in Kaufgewölbe vermauert sind. Wollte er
seinen Aerger darüber vergessen, so eilte er nach dem le=
bendigen Hafen, und mischte sich in das Gewühl der Juden,
Christen, Türken, Griechen, Armenier, und wie die
Nationen alle heißen, welche die Gewinnsucht von allen
Seiten hier zusammenweht. Da gab es Waren aller
Art hoch aufgeschichtet. Da gesellten sich die persische
Seide und das angorische Ziegenhaar zu den Gewürzen
der Molucken und dem Campesche=Holz des mexikani=
schen Meerbusens; das Opium der Türken zu den Tü=
chern aus Languedoc, die levantische Wolle zu dem Zinn
der Engländer. Stunden lang konnte Florio sich gaffend
herumtreiben, und müde kehrte er Abends mit dem
Wunsch nach Hause: »möchte doch ein guter Dichter
mir eine Oper schreiben, d e r M a r k t zu S m y r n a
betitelt, das sollte C h ö r e geben!«

Indessen währte dies Vergnügen nur so lange, bis
auch hier ein kleiner Zufall ihm den reizenden Aufent=
halt verleidete. Eines Tages nämlich hatte er den Gipfel
des Berges erklettert, auf dem ein elendes Schloß, wel=
ches die Türken eine Festung zu nennen belieben, die
Stadt beschützt. Vor dem Thore dieser Festung wandelte
ihn die Lust an, sich einen Spazirstock von einem alten
Baume zu schneiden, als ihn plötzlich von hinten ein
derber Knüttel, von einer nervichten Faust geführt, zwi=
schen die Schultern traf. Er sah sich um, und erblickte

einen vierſchrötigen Griechen, der von der Urbanität
ſeiner Vorfahren nichts geerbt zu haben ſchien, und ſeine
unhöfliche Begrüßung ſo eben wiederholen wollte. Flo‐
rio fiel ihm in den Arm, und rang mit ihm. Doch jener
war ihm an Stärke weit überlegen, warf den Tonkünſt‐
ler zu Boden, und würde ihn vielleicht zu Tode ge‐
prügelt haben, wenn nicht ſein zurückgebliebener Dol‐
metſcher noch zu rechter Zeit herzu geſprungen wäre, und ihn
aus den Fäuſten des wüthenden Menſchen gerettet hätte.
So bald Florio wieder zu Athem kommen konnte, trat
er vor ſeinem Gegner hin, ſtemmte die Arme in die
Seite und ſprach mit komiſchem Zorn: »Nun erkläre
mir wenigſtens, du Satan! warum haſt du mich ge‐
prügelt?«

Der Dolmetſcher überſetzte dem Griechen die Frage,
und alſobald zeigte dieſer auf den Baum: »der gottloſe
Franke,« rief er, »hat eine Ruthe von dieſem Baume
geſchnitten.« —

»Nun zum Teufel!« polterte Florio, »der Baum iſt
halb verdorrt, die Ruthe iſt keinen Aſper werth.«

»Um Vergebung,« erwiederte der Dolmetſcher, »da
haben Sie allerdings, wiewohl unwiſſend, ein großes Ver‐
brechen begangen, denn dieſer ehrwürdige Baum iſt aus
dem Stabe des heiligen Polycarpus entſproſſen.«

»So?« — ſagte Florio beſänftigt, indem er ein Lachen
verbiß, »das habe ich freilich nicht gewußt, und habe auch
nicht die Ehre, den heiligen Polycarpus zu kennen; aber
wenn dem ſo iſt, mein Freund, ſo haſt du ganz Recht gehabt

mich zu prügeln, und ich bitte dich, diesen Piaster von mir anzunehmen, um dem lieben Heiligen eine dicke Wachs= kerze dafür zu kaufen.»

Dies Argument machte den Griechen so geschmeidig, daß er sich erbot, ein ganzes Bündel Ruthen von dem Baume zu schneiden, wenn der fremde Herr sie etwa als Reliquien mitnehmen wolle. Florio dankte, ging seiner Wege, und war herzlich froh, als er bei seiner Nachhause= kunft vernahm, daß in wenigen Tagen ein Schiff nach Marseille absegeln werde. Doch die Rechnung war abermals ohne den Wirth gemacht, und der Wirth, der hienieden den großen Gasthof zur Weltkugel hält, ist bekanntlich der Zufall.

Am Abend vor der bestimmten Abreise waren Theodor und Florio zu dem Konsul ihres Hofes eingeladen worden; ein guter ehrlicher Mann, der zwar das Unglück hatte, stocktaub zu sein, sich aber der Fremden um so treuer an= nahm, da er aus ihrer Vaterstadt gebürtig war. Erst seit wenigen Wochen war er von einer Reise in sein Vaterland zurückgekehrt, und hatte nebenher auch einen alten Oheim in Grafenrode besucht. Das entfiel ihm zufällig bei der Tafel, ohne zu ahnen, welch ein hohes Interesse das Städtlein Grafenrode für einen seiner Gäste hatte. Theodor erblaßte, als er es nennen hörte, und hätte vor sein Leben gern nach Ottilien gefragt, aber der geliebte Name wollte nicht über die Lippe. Florio errieth seines Freundes Wunsch, und schrie dem Tauben in die Ohren:

»haben Sie unsere schöne Landsmännin, die Mamsell Klumm, dort nicht gesehen?"

»O ja," versetzte der Konsul, »ich war noch am Tage vor meiner Abreise auf ihrer Hochzeit."

„Hol' Sie der Teufel!" fuhr Florio hastig heraus. Zum Glücke verstand der ehrliche Konsul ihn nicht, wurde auch nicht gewahr, daß Theodor todtenbleich den kalten Schweiß sich von der Stirn trocknete. Unbefangen fuhr er zu erzäh= len fort:

„Es war eine sonderbare Hochzeit. Die schöne Braut schien sehr niedergeschlagen, und bei der Trauung fiel sie gar in Ohnmacht. Das Hochzeitmahl wird eben nicht sehr fröhlich gewesen sein. Ich war froh, daß meine Reiseanstal= ten mir einen Vorwand liehen, gleich nach der Trauung mich zu entfernen. Ich denke so, die Ohnmacht war nur eine kleine Ziererei. Es hieß, die Braut habe einen Gelieb= ten gehabt, dem sie den Korb gegeben, und es hintennach bereut. Jetzt wird sie ihn wohl schon vergessen haben, denn ihr Mann wollte, gleich nach der Vermählung, eine Reise mit ihr nach Italien machen. Apropos, Sie reisen ja auch dorthin, vielleicht begegnen Sie ihr irgendwo."

Den armen Theodor erstickte fast die Angst, und kaum vermochte er, bis zu aufgehobener Tafel auf seinem Sessel sich zu erhalten. Florio veränderte so schnell das Gespräch, daß er darüber vergaß, nach den Namen von Ottiliens Gemahl zu fragen. Kaum wurden die Stühle gerückt, als beide auch schon nach ihren Hüten griffen, und sich hastig empfahlen. So bald sie im Freien waren, sank Theodor an

seines Freundes Brust, und weinte bitterlich. »Laß die Un=
getreue fahren,« brummte Florio, »sie war deiner Liebe nicht
werth. Und wo lebt ein Weib auf Erden, das eines braven
Mannes ganze Liebe verdiente? Nur zu unserer Qual sind
sie geboren, und in der Türkei fangen sie gar schon mit
dem zweiten Jahre an, das Elend der Männer zu gründen.
Fort nach Welschland! dort wollen wir uns auf das Grab=
mahl der Metella lagern, und ihrer Asche fluchen, weil sie
auch ein Weib war!«

»Um Gotteswillen! jetzt nicht nach Italien!« stammelte
Theodor. »Du hast gehört, daß wir sie dort finden würden.
Ihr Anblick, an der Seite eines fremden Mannes, würde
mich zur Verzweiflung bringen!«

»Nun in Gottes Namen, wohin du willst,« erwiederte
Florio, »ich verlasse dich nicht.«

Nach langem Ueberlegen wurden sie eins, nach Persien
zu ziehen. Warum? das wußten sie selbst nicht recht. Dem
unglücklichen Liebenden war jedes Land gleichgiltig, wenn
es nur weit, weit von seinem verhaßten Vaterlande lag.
Florio meinte, in Persien sei das Gebirge Ararat zu finden,
auf welchem Noah den ersten Wein gepflanzt. Die Trau=
ben von Schiras habe er rühmen hören, die möchten
wohl in gerader Linie von jenen noabitischen Reben abstam=
men, er wolle sie kosten, und wenn sie gut wären, sich täg=
lich einen Rausch trinken, um die eigensinnige Emma ganz
zu vergessen.

Dieser veränderte Reiseplan verursachte einen Aufschub
von einigen Tagen, den Florio benutzte, um, ohne seines

Freundes Wissen, noch einen Besuch bei dem tauben Kon=
sul abzustatten, und ihm den Namen von Ottiliens Gatten
abzufragen. Den erfuhr er nun zwar nicht, denn der Kon=
sul hatte ihn vergessen, und wußte sich weiter nichts zu er=
innern, als daß er ein Fremder und ein reicher Mann ge=
wesen. Hingegen erfuhr er etwas anders, das er lieber nicht
gewußt hätte. Von Ottilien nämlich fiel das Gespräch ganz
natürlich auf ihren Vater. »Man schreibt mir,« sagte
der Konsul, »daß der alte Sünder wieder in Freiheit gesetzt
worden, und ein hübsches junges Mädchen, welches ihn
schon im Kerker bediente, als Maitresse bei sich hat.«

»Hol' Sie der Teufel! Unglücksrabe!« rief
der erschütterte Florio.

»Ich danke Ihnen,« versetzte der Konsul, »reisen
Sie glücklich.«

Florio taumelte nach Hause. »Freue dich, Brüderchen,
ich bringe dir ein Solamen miserum. Der Satan bläut
auch mich mit Fäusten. Ich weiß nun, warum die unschul=
dige Emma mich verschmähte, sie war bereits vom alten
Klumm verführt.«

»Das ist nicht wahr!« sagte Theodor.

Florio lachte bitter und erzählte, aber Jener blieb bei
seinem es ist nicht wahr!

»Ei zum Henker! warum könnte es nicht wahr sein? —
wenn die Gemahlin des armen Uzim Dschantey, der
bekanntlich ein schöner Prinz war, mit einem häßlichen
Neger buhlen konnte, warum nicht Emma mit dem alten
Klumm? — Ich muß noch Gott danken, daß es nicht in

ihrer Macht steht, mir Beine von Marmor anzudrechseln;
aber mein Herz, das hat sie in Marmor verwandelt, und
damit bin ich wohl zufrieden. Fort! fort nach Persien!"

---

4. Die Glückssonne.

Diesmal geleitete ein wohlwollender Genius die beiden
Abenteurer, und wenn es gleich vergebens war, Blumen
auf ihren Pfad zu streuen, weil derjenige, dem die Dornen
in den Fersen stecken, überall auf Dornen tritt; so schüttelte
er hingegen Goldstücke auf ihre Häupter herab, die Theo=
dor redlich mit seinem Freunde theilte, obschon er sie allein
verdiente. In Mingrelien war es, wo zuerst der fremde
Arzt von einer Fürstin, die Vapeurs hatte, zu Rathe gezo=
gen wurde. Er half, und schnell verbreitete sich sein Ruf
durch ganz Persien. Die Großen schickten Boten über Bo=
ten; er wurde vom Euphrat zum Tigris, vom Araxius
zum Indus berufen, und da er überall neue Lebensquellen
öffnete, so sprudelten auch für ihn überall nur Goldquellen
hervor. »Ach! wozu nutzt mir das?" rief er oft schwer=
müthig, wenn er mit vollen Taschen nach Hause kam,
»wäre Ottilie mir treu geblieben, und hätte ich mit der
Hoffnung sammeln dürfen, ihren Vater mit dem durch
mich Erworbenen zu lösen; ja dann würden diese Gold=
stangen, diese Perlen und Diamanten einen Werth für
mich haben."

»Sammle du immer d'rauf los," sagte Florio, »die
Säckelchen behalten dennoch ihren Werth, wenn auch keine
Ottilie dadurch erkauft wird. Unabhängigkeit ist mehr

werth, als ein Weib, und ich begreife nicht, wie man die=
sen höchsten Schatz des Menschen zu einem genus foemi=
ninum hat stempeln können. Unabhängigkeit soll in Zu=
kunft mein Liebchen sein. Jetzt liege ich freilich dir zu Liebe
auf der faulen Bärenhaut, denn mit der Musik ist leider
in Persien eben so wenig zu verdienen, als in der Türkei;
auch werd' ich armer Musensohn es nie so weit bringen,
als du Aeskulaps Jünger, dessen Kunst einen goldenen
Boden hat; aber ich begehre auch nicht mehr, als nöthig
ist, um immer in meiner Tasche einen blanken Thaler, und
in meinem Keller eine blinkende Flasche zu haben. Jenen
will ich denn gern mit dem Armen, diese mit dem Freunde
theilen, und so hole der Henker alle Mädchen!"

Mit solchen Verwünschungen war es dem guten Florio
doch nie rechter Ernst, denn der Anblick eines jeden schönen
Mädchens wirkte auf ihn, wie der Anblick der Karten auf
einen Spieler, der sein Geld verloren, und es gern wieder
gewinnen möchte. Theils dieser natürliche Hang, theils
Langeweile, verwickelten ihn auch in Persien in manche
kleine Abenteuer, die den Leser vermuthlich besser unterhal=
ten werden, als die Krankengeschichten seines Freundes.

Theodor lächelte zweifelmüthig, aber Florio, im Ver=
trauen auf die National=Sitten der Mingrelier, suchte
einen Liebeshandel mit einem hübschen Weibe anzuspinnen,
brachte es auch in Kurzem so weit, daß sie Wangen und
Augenbraunen um seinetwillen greller färbte, und hinter
ihrem Schleier ihm brennende Blicke zuschoß, die ihn auf=

XV.   17

munterten, einen Besuch zu wagen. Aber — war es Zu=
fall oder Bosheit der schönen Morgenländerin — gerade
in dem Augenblicke, als er zum ersten Male seinen Arm
um ihren weißen Nacken schlang, stürzte vor Wuth schäu=
mend, der Ehemann herein, mit Dolch und Schwert be=
waffnet, von handfesten Dienern seiner Rache begleitet.
An Gegenwehr war nicht zu denken, der ertappte Liebha=
ber hielt seines Lebens sich verlustig.

»Franke!« schrie der beleidigte Mingrelier ihn an, »du
bist mir Genugthuung schuldig, nach unsern Sitten und
Rechten.«

Florio, herzlich froh, daß es noch zu einer Erklärung
kam, ehe man ihm den Kopf spaltete, erbot sich zu jeder
landüblichen Genugthuung, wobei er wenigstens an Ket=
ten und Bastonaden dachte. Allein, wie angenehm wurde
er überrascht, als der gekränkte Gatte nichts mehr und
nichts weniger als ein Schwein forderte, und zugleich
den Vorschlag hinzufügte, es auf der Stelle zu braten und
in Gesellschaft zu verzehren. Florio fiel ihm gerührt um
den Hals. »Heute,« rief er, »werde ich vollends über=
zeugt, daß die Mingrelier allein die Weiber nach Würden
zu schätzen wissen. Ja, mein Freund, du sollst ein Schwein
haben, und zwar das fetteste, das sich nur immer auftrei=
ben läßt.« — Er hielt Wort, der brave Ehemann war
zufrieden, und beide wurden die besten Freunde. Auf den
Nothfall kaufte Florio eine ganze Herde fette Schweine,
und so lange er in Mingrelien war, thaten sie ihm gute
Dienste.

Auch in Jspahan fand er die Gewohnheit sehr ver=
nünftig, junge Mädchen auf Monate oder Jahre zu ver=
miethen. Der Preis war mäßig, und es wurde ein förm=
licher Kontrakt darüber geschlossen, den jedoch der Mann
nicht länger zu halten verbunden war, als ihm beliebte,
wenn er nur, indem er das Mädchen verstieß, die im
Kontrakt festgesetzte Summe ihm auszahlte. Er hörte, daß
es gewöhnlich sei, eine hübsche Frau auf neunzig Jahre
zu miethen, daß es aber nur von ihm abhängen werde,
die Dauer des Kontraktes zu bestimmen. Er schränkte diese
klüglich auf neunzig Tage ein, und ließ sich, so lange
sein Freund in Jspahan Geschäfte hatte, von einer schönen
Georgierin Gesellschaft leisten.

Anfangs glaubte er wirklich im Strom der sinnlichen
Freuden den wahren Lethetrank gefunden zu haben; doch
die Unbehaglichkeit, die er bald empfand, die Scham, die
ihn ergriff, wenn Emma's Bild wider seinen Willen vor
ihm schwebte, die Achtung vor sich selbst, dies zarteste
beruhigendste Gefühl, das ihn zu verlassen drohte, und
ohne welches keine Freude einem edlen Manne Genuß
gewährt; Alles das erinnerte ihn nur zu oft, daß er auf
diesem Wege seine Ruhe nicht wieder finden werde, und
daß es leichter ist, den Glauben an weibliche Tugend weg=
zuspotten, als seiner zu entbehren. Außerdem erlebte er
noch manche kleine Abenteuer, die ihm, der sich nun ein=
mal an fremde Sitten nicht gewöhnen konnte oder mochte,
den Aufenthalt in Persien bald eben so unleidlich machten,

17 *

als den in Konstantinopel. Einst ritt er spaziren auf einem
schönen Rosse, das er gekauft hatte und liebte; da begegnete ihm ein Perser auf einer elenden Mähre, der ihn ohne
Umstände mit der Pistole in der Hand nöthigte, den herrlichen Gaul gegen jenes Gerippe zu vertauschen.

»Guter Freund,« sagte Florio, »du treibst ein schlech-
tes Handwerk, und wagst viel, so nahe bei der Residenz
auf offener Landstraße zu rauben.«

»Franke! wahre deine Zunge!« versetzte der Perser,
»ich bin kein Räuber, sondern heiße Bagrat Mirza,
du darfst nur bei Hofe nach mir fragen.«

Mit diesen Worten schwang er sich ohne weitere Erklärung auf das wiehernde Roß, und ritt in gestrecktem
Galopp davon. Den armen Florio und seinen Verdruß trug
die Mähre Schritt vor Schritt nach Ispahan zurück, wo
er sich sogleich bei einem Richter meldete, und den Bagrat Mirza auf Straßenraub anklagte.

»Unmöglich!« sagte der Richter, »Bagrat Mirza ist
ein Günstling unsers Königs.«

»Aber er hat mich mit Gewalt gezwungen, mein Pferd
mit ihm zu tauschen.«

»Dann war vermuthlich das seinige schlechter als das
deinige?«

»Allerdings, sein verdammter Ackergaul ist keinen
Schuß Pulver werth, ein echtes Seitenstück zu den Post-
pferden am memelischen Strande. Bemühe dich nur heraus
vor die Pforte, da steht er und hängt die Ohren.«

»Ich brauche mich deshalb gar nicht vor die Pforte heraus zu bemühen; mir genügt an deinem eigenen Ge=ständniß; denn je schlechter sein Gaul war, und je besser der deinige, je gewissenhafter hat Bagrat Mirza seine Pflicht erfüllt.«

»Eine saubere Pflicht —«

»Franke,« unterbrach der Richter ihn zornig, »rede dich nicht um den Hals. Du sollst wissen, daß Bagrat Mirza ein Eilbote unsers Königs ist, und daß solche Eilboten das Recht haben, jedes Pferd zu nehmen, wel=ches mehr Schnelligkeit verspricht als ihr eigenes. Auf diese Weise wird der Dienst des großen Königs befördert, und seine Herrlichkeit sei gepriesen! Du aber packe dich fort!«

Florio fluchte, ging und ließ die Mähre dem Richter vor der Thür.

Ein andersmal bekam er Händel, weil er über einen Talisman lachte, der, aus Sprüchen des Korans ver=fertigt, in einem seidenen Beutelchen am Halse eines vor=nehmen Persers hing, und gegen eine Schar von Uebeln schützen sollte. Fast täglich zog seine spottende Laune ihm Verdruß zu, und fast täglich ermahnte ihn Theodor, zu bedenken, daß ein Perser im deutschen Vaterlande nicht minder Anlaß zum Spott finden werde, und daß es zum Beispiel auf eins hinauslaufe, ob ein Europäer mit dem von einem Fürsten ihm geschenkten Ringe in allen Ver=sammlungen prahlt, oder ob ein Perser den Falken, den ihm der König verehrt, acht Tage lang auf allen Straßen herum trägt.

Sogar fein Lieblingsthema, Schmach der Wei=
ber, fand in einem Lande nicht überall Beschützer, wo
man Mieth=Kontrakte auf neunzig Tage schließen konnte.

»Es ist wahr," sagte einst ein frommer Iman zu
ihm, »unsere Gesetze begünstigen dergleichen Unsittlich=
keiten, aber ein edler Mann pflegt diese Erlaubniß nicht
zu benützen. Denn so lautet ein trefflicher Spruch in einem
unserer heiligen Bücher: Am Tage des Gerichts
wird die Erde, auf welcher ein Eheloser ge=
schlummert hat, gegen ihn aufstehen und
sprechen: was habe ich Böses gethan, daß
mich ein solcher Feind der Natur mit Füßen
getreten?" Florio lachte, aber sein besseres Gefühl
strafte den Spötter Lügen, und stand im marternden Wi=
derspruch mit seinen trostleeren Grundsätzen.

Zu all diesem Verdruß gesellte sich endlich noch der
Mangel an gewohnten Bequemlichkeiten des Lebens, der
einem solchen echten Lebemann bald unerträglich wurde.
Zwar rühmte er den Wein von Schiras, und that sich
gütlich an den herrlichen Fasanen, die sich wild in Per=
sien finden, und nach Martial's Zeugniß, zuerst von den Argo=
nauten nach Griechenland gebracht wurden; desto weni=
ger konnte er sich hingegen mit dem Gom vertragen,
eine Art von Hirsenbrei, die ihm statt des Brotes auf=
gedrungen wurde; und vollends die Art in Persien zu
reisen, brachte ihn oft zu komischer Verzweiflung. Da
mußte er bei Nacht zu Pferde steigen, um Hitze und Unge=
ziefer zu vermeiden; da mußte er kleine Kästchen an den

Sattel hängen, die Lebensmittel enthielten, ja sogar ein
Schlauch mit Wasser wurde seinem Pferde unter den Bauch
geschnallt. Denn wenn sie des Morgens, müde und schläf=
rig, ein berühmtes Wirthshaus, Caravanserei ge=
nannt, erreichten, so war das freilich kein Hôtel de Ba-
viere in Leipzig; vier nackte Wände, ein schmutziger Bo=
den, und ein rauchender Kamin, um sich selbst das Essen
zu bereiten, mehr wurde da nicht gefunden.

Darum war Florio herzlich froh, als Theodor eines
Abends ihm erklärte, er habe nun des Goldes genug, und
sei entschlossen, in sein Vaterland zurückzukehren. Dort wolle
er künftig mit seiner Kunst nur den Armen dienen, zu
seinem Vetter, dem Leineweber, in's Haus ziehen, und
dessen Kinder zu Erben einsetzen.

»Recht so!« sagte Florio, »auch ich will nur noch ein
paar Jahre in der Welt herumschwärmen, und mir ein
Kapitälchen zusammen leiern, das hinreicht, täglich eine
Flasche Wein zu bezahlen. Dann komme ich wieder zu
dir, unterrichte deine Vettern in der Musik, und, wenn
von meinen Pfennigen etwas übrig bleibt, so mögen sie es
auch in Gottes Namen erben. Straft der Himmel uns mit
einem hohen Alter, nun, so liefern wenigstens die verliebten
Thorheiten unserer Jugend uns Stoff genug zum Schwa=
tzen.« — Mit solchen Schattenbildern einer faden Zukunft,
nahmen die Freunde, in Ermanglung besserer Aussichten
vorlieb, und Florio half emsig dem Arzte seine Schätze
zusammenpacken. Ungern entließ der persische Monarch
den letztern, denn ihn selbst hatte Theodor einigemal von

königlichen Vapeurs befreut. Um ihm daher noch einen
rührenden Beweis von seiner Gnade mit auf den Weg
zu geben, ernannte er ihn zum Culom Schah, welches
so viel bedeutet, als Sklave des Königs. Florio
wünschte dem Hofrath Glück zu dieser neuen Würde,
und versprach, dieselbe gleich nach ihrer Zurückkunft in's
Vaterland, durch die bekannte Klatsch-Zeitung der eleganten Welt verkündigen zu lassen.

5. Die Muhme.

So froh als Florio nur immer sein mochte, jene Morgenländer zu verlassen, wo es für ein Majestätsverbre-
chen galt, einen Sonnenschirm über seinem Haupte zu
entfalten; wo man durchgeprügelt wurde, wenn man eine
Ruthe von einem Baume schnitt; wo man arabische Heng-
ste gegen elende Postgäule vertauschen mußte, und wo die
eifersüchtigen Ehemänner durch Schweine beruhigt wurden;
eben so froh ist auch der Schreiber dieser wahrhaften Geschichte, daß er seine Helden glücklich wieder auf dem Weg
zur Heimath gebracht hat, und sie vor der Hand ruhig
verlassen darf, um die holden Mädchen wieder aufzusu-
chen, nach deren Gegenwart vermuthlich der Leser, gleich
ihm, Verlangen trägt.

Noch ist ja nicht einmal das artige Landstädtchen Grafenrode beschrieben worden, in dessen Mauern Ottilie
eine Zuflucht fand. Ja, wäre das Haus ihrer Muhme
eben so freundlich gewesen, als das Städtchen, in dem
es lag, so hätte sie wenigstens ihren geheimen Kummer

ungestörter nachhängen mögen. Die gute Frau Bartels war zwar eine ehrliche Frau, gehörte aber zu den
Leuten (wie es deren leider nicht wenige giebt), die mit ihrem Wohlwollen blos solche Menschen beschenken, welche
einzig und allein mit den Augen des Gönners sehen, in
seine Seele denken, nach seiner Ansicht handeln. Sie
konnte es durchaus nicht leiden, wenn irgend Jemand auf
seine eigene Weise und nach seiner Ueberzeugung, glücklich oder unglücklich sein wollte. Wer sich ihr ganz hin-
gab, sich ganz von ihr abhängig machte, den liebte sie
nach ihrer Art recht herzlich, und that ihm Gutes, so viel
sie vermochte. Aber wehe dem Beschützten, wenn er eine
andere Meinung oder andere Freunde hatte, dann zog
sie ihre Hand sogleich von ihm ab. Jedermann hat erfahren,
oder begreift auch leicht ohne Erfahrung, wie lästig ein
solcher Charakter selbst dann ist, wenn man Wohlthaten
von ihm empfängt; darum hatten die Menschen sich nach
und nach von Frau Bartels zurückgezogen, sie war
im Alter allein geblieben, und vertrieb sich die Zeit mit
Schmähungen über den Undank der Menschen. Der letzte,
der sich ganz von ihr beherrschen ließ, war ihr Mann gewesen, und sie konnte es ihm noch jetzt nicht verzeihen,
daß er ohne ihre Erlaubniß gestorben war. Seitdem be-
schränkte sich ihr Umgang fast allein auf ihre alten
Mägde, die außerordentlich mit ihr zufrieden waren; denn
da diese ihr nicht widersprechen durften, auf ihre höhern
Einsichten jederzeit vertrauten, so ging sie übrigens mit
ihnen um, wie eine liebende Mutter. Hunde oder Katzen

hielt sie nicht, weil diese Beester nie Raison annahmen. Mit Gewalt wollte sie aber weder Menschen noch Vieh zu ihrer Meinung zwingen, sondern man mußte einsehen, daß sie Recht hatte, und freiwillig folgen. Mit des al= ten Klumm's Mutter war sie ziemlich nahe verwandt ge= wesen; den Sohn hatte sie nie leiden mögen, denn er war ja auch ein Mensch, der alles nach seinem eigenen Ko= pfe that. Doch machte sie wirklich mehrere Versuche, Ottilien schon als Kind in ihre Pflege zu bekommen, den letzten noch vor einigen Jahren, als die wackere Gou= vernante gestorben war. Aus Liebe konnte sie dies Verlan= gen nicht äußern, denn sie hatte das Mädchen nie gesehen; die häßliche Langeweile sollte es ihr vertreiben, täglich einsehen lernen, daß ihre gute Pflegemutter immer Recht, und alles schon voraus gewußt habe; auf welchen Fall sie auch Ottilien ihr Vermögen hinterlassen wollte.

Ja, wäre sie reich gewesen, so würde Herr Klumm sich keinen Augenblick bedacht haben, den Vorschlag einzugehn; aber ob sie gleich in ihrem Landstädtchen für eine wohlha= bende Frau galt, und nach dortigem Zuschnitt es auch wirk= lich war, so konnten doch einige tausend Gulden einen Mann nicht blenden, der täglich in Goldstücken wühlte, und einst gewohnt war, mehr auf eine Karte zu setzen, als diese gan= ze Erbschaft betragen mochte. Daher wurde das Anerbie= ten der Frau Bartels mit einem so kalten Danke zurückge= wiesen, daß der verarmte, gefangene Klumm jetzt befürch= ten mußte, Ottilie werde eine eben so kalte Aufnahme finden. Allein darin hatte er sich geirrt.

Zagend betrat die Fliehende das Haus der unbekann=
ten Muhme; doch kaum hatte sie sich genannt, und das
Schicksal ihres Vaters schluchzend erzählt, als die gute
Frau Bartels ihr um den Hals fiel, eben so laut schluchzte
als sie selbst, und sie auf der Stelle zu ihrer Tochter an=
nahm. Freilich mußte sie dagegen schon in der nächsten Vier=
telstunde hören und einsehen, daß die Frau Muhme längst
alles vorhergesagt, wie es kommen werde, und daß man
sehr übel gethan, ihren Rath zu vernachlässigen. Diese
Punkte schweigend zu bejahen, war nicht genug, Ottilie
mußte sie ausdrücklich zugestehen; so bald aber nur diese
Präliminär=Artikel zwischen ihnen festgesetzt waren, er=
klärte Frau Bartels ihr schönes Mühmchen für ihre liebe
Tochter, und räumte ihr alle mit diesem Namen verbun=
denen Rechte ein. Dagegen forderte sie aber auch unbe=
schränktes Vertrauen und kindliche Hingebung.

Von dem Unglücklichen ist beides zu gewinnen. Ottilie
selbst fühlte das Bedürfniß, ihr Herz zu erleichtern, und
ehe zwei Tage vergingen, wußte Frau Bartels schon ihre
ganze Geschichte bis auf den kleinsten Umstand. Dieses
Vertrauen entzückte die geschwätzige Dame, der schon lange
Niemand etwas vertraut hatte. Welch ein reicher Stoff,
ihre Meinung zu sagen, und wie sie es gemacht haben
würde. Daß Ottilie ganz ohne ihre Zustimmung einen
Liebeshandel angesponnen, wurde ihr verziehen, weil
ihr ja damals die weise Frau Muhme noch unbekannt
war; wenn sie nur jetzt in Allem ihren Rath befolgte, ihre
Schritte lenken ließ. Aber ach! da gab es bald die erste

Mißhelligkeit, die durch Theodor's schriftliche Anwerbung veranlaßt wurde.

Ottilie ermangelte nicht, ihr des Geliebten Brief sammt den Gründen mitzutheilen, die sie bestimmten, ihre Hand ihm zu verweigern. Schon das war ein Vergehen, daß sie einen Entschluß faßte, und sogar Gründe dafür aufstellte, ohne zuvor die Meinung der Pflegemutter vernommen zu haben. »Kind,« sagte sie, »in solchen Dingen verlaß dich ganz auf mich, und höre, wie ich es machen würde. Was deinen Vater betrifft, der hat seine Rechte über dich ver= wirkt; auch wäre es unvernünftig, wenn er sich der Ver= sorgung einer Tochter widersetzen wollte, für die er selbst nichts mehr zu thun im Stande ist. Der junge Mann ist Arzt; unser alter Doktor Quirinus ist glücklicherweise gestor= ben, es fehlt uns hier an einen guten Practicus; ich be= sitze zwar vortreffliche Hausmittel und habe große Kuren damit gethan, aber das dumme Volk will sich mir nicht an= vertrauen. Darum wird dein Freiwerber sich hier recht wohl befinden, besonders wenn er bei schweren Fällen sich meines Raths bedient, denn ich kenne die hiesigen Naturen. Du hei= rathest ihn, ihr wohnt in meinem Hause, ihr beerbt mich einst, und so werdet ihr recht gut zu rechte kommen. Sieh', das ist meine Meinung, und darnach richte deine Antwort ein.«

Ottiliens Herz widersprach dem Grundsatz, daß ihr Vater seine Rechte über sie verloren habe, obgleich Frau Bartels wiederholt versicherte, er müsse den Verstand ein= gebüßt haben, wenn er nicht mit beiden Händen zugreife. Als nun vollends einige Tage nachher die Nachricht von

feinem ausgebrochenen Wahnsinn die Tochter zu Boden
warf, da rief die Alte triumphirend: habe ich es nicht gesagt? der Mann hat den Verstand verloren." —

»Gleichviel," erwiederte Ottilie, mit einiger Heftigkeit,
»als er seinen Fluch auf diese Verbindung legte, da war
er vollkommen bei Sinnen, und so lange er lebt, ja selbst
nach seinem Tode, werde ich mir nie erlauben, mein Gewissen mit jenem Fluche zu beladen." — Diese Widerspenstigkeit gab der mütterlichen Liebe in dem Herzen der
Frau Bartels den ersten Stoß. Sie wurde kälter, schneidender, und ließ schon dann und wann den Wink fallen,
daß man nur bei gebührender Folgsamkeit in ihrem Hause
auf Unterstützung rechnen dürfe.

Ach! gern würde Ottilie dieses Haus sogleich verlassen
haben, aber wohin? — zu ihrem unglücklichen Vater, dahin
zog sie freilich ihr Herz, doch woher sollte sie die Mittel nehmen,
um ihre Heimreise zu bestreiten? Schon als sie ihre Vaterstadt verließ, hatte sie sich von Allem entblößt, und kaum
so viel übrig behalten, als zur höchsten Noth erforderlich
war, um den Wohnort der Frau Bartels zu erreichen. Ein
Geschenk von dieser durfte sie bei Ausführung eines solchen Plans nicht hoffen. Sich an Theodor zu wenden,
war, wie jetzt die Sachen standen, unmöglich, und gegen
den Gedanken, von ihrem gewesenen Kammermädchen Geld
zu leihen, empörte sich ihr Stolz; auch hätte Theodor
dann leicht erfahren können — nein, die Arme wußte keinen Menschen auf der Welt, von dem sie Unterstützung
hoffen, oder den sie darum ansprechen dürfte.

»Aber wie?" flüsterte plötzlich ein romantisch-kindlicher Enthusiasmus ihr zu, »kann es die Tochter beschimpfen, wenn sie sich auch allenfalls bis zu ihrem Vater hin betteln muß?" — Diese Vorstellung bemeisterte sich ihrer ganzen Seele; sie fand Süßigkeit in dem Gedanken, zu Fuß nach Hause zu wandern, unterwegs recht viel zu leiden, und — nebenher allen guten Menschen, die ihr begegnen würden, recht sehr interessant vorzukommen. Sie würde augenblicklich zur Ausführung dieses Vorsatzes geschritten sein, hätte sie nicht die Bedenklichkeit zurückgehalten: ob man sie auch im Kerker ihres Vaters aufnehmen werde? — Geschah das nicht, wohin sollte sie dann? — zu Minchen? die jetzt Theodor's Muhme war? die er besuchte? bei der sie seine Gegenwart nicht vermeiden konnte? — nein, das ging nicht. Aber wohin sonst? ihr blieb ja dann keine andere Zuflucht? — Diese Ueberlegung bestimmte sie, an Emma zu schreiben, bevor sie sich wirklich auf den Weg machte, und Emma's Antwort, von Robert diktirt, benahm ihr gänzlich die Hoffnung, ihres Vaters Gefängniß ohne höhere Erlaubniß theilen zu dürfen. »Aber sein Sie b'rum ganz ruhig," fügte Emma hinzu, »was nur eine Tochter für ihren Vater thun kann, das thue ich mit Freuden für diesen Unglücklichen, und so lange ich eine Hand zu rühren vermag, soll es ihm an nichts fehlen." Ottilie seufzte und beneidete die Fremde, welche geboren schien, ihrem Herzen weh zu thun.

Es blieb ihr jetzt nur noch eine ferne Aussicht übrig. Sie verstand außerordentlich schön zu sticken, und diese

Kunst wollte sie jetzt anwenden, um sich nach und nach eine
kleine Summe zu ersparen, dann in ihrer Vaterstadt, so
nahe als möglich dem väterlichen Kerker eine kleine Woh=
nung zu miethen, dort ihr Gewerbe fortzusetzen, und in
jeder Feierstunde, den Vater pflegend, ihm durch das Er=
worbene gütlich zu thun. — Ach! so weit aussehend diese
Hoffnung war, so ließ das Schicksal ihr doch nicht einmal
den Trost, mit später Erfüllung derselben sich schmeicheln
zu dürfen. Denn Einmal gab es im ganzen Städtchen
Niemanden, der ihre Arbeit ihr abkaufen oder bezahlen
wollte. Zweitens erklärte Frau Bartels sehr bestimmt, daß,
wer in ihrem Hause wohne, nicht für Geld arbeiten dürfe;
daß sie Gott sei Dank Vermögen genug besitze, um ihre
Pflegetochter mit allem Nöthigen zu versorgen, es aber für
überflüssig halte, Grillen und Launen zu unterstützen.

So sah die arme Ottilie sich gezwungen, einen Plan
aufzugeben, der allein in kummervoller Einsamkeit ihr Herz
und ihre Einbildungskraft durch tröstende Bilder erheitern
konnte. Sie versank in tiefe Schwermuth, die für jeden
Lebensgenuß ihr eine stumpfe Gleichgiltigkeit einflößte. Was
um sie her geschah, und wie es geschah, es war ihr alles
einerlei; ein Zustand, aus welchem für die Leidende wenig=
stens der Vortheil entsprang, daß sie die Gunst ihrer Pflege=
mutter völlig wieder gewann, denn sie nahm sich nie die
Mühe einer andern Meinung zu sein, als Frau Bartels,
sondern that und sprach Alles, was jene wollte.

———

6. Der Sonderling.

Das Haus der Muhme Bartels stieß an einen schönen großen Garten, der sich weit in's Feld hinaus erstreckte, und die Fenster von Ottiliens Zimmer gingen auf ein dichtes Lustgebüsch, aus welchem Linden und Acacien ihr Wohlgeruch zudufteten, und die Nachtigall ihr Frühlingslied hinauf schmetterte. Darum war das Plätzchen am offenen Fenster Ottilien lieb geworden, sie saß da beständig mit ihrer Arbeit, und auch ihr Klavier, das beste, welches Frau Bartels in dem Städtchen hatte auftreiben können, stand nicht fern.

Der Besitzer dieses Gartens und des schönen dazu gehörigen Hauses, war ein Mann von fast sechzig Jahren, ein Fremder, der seit langer Zeit sich hier angesiedelt, und im Städtchen für einen Goldmacher galt, denn er hatte immer Gold vollauf, und Niemand wußte, wo er es hernahm. Daß er Pfersberg hieß, war Alles, was man von ihm erfahren konnte; allein sein Vaterland, sein Gewerbe und Stand blieb Jedermann verborgen, weil er überhaupt nur selten sprach, und von jenen Dingen nie. Umgang suchte er nicht, und wenn man den seinigen suchte, wich er aus. Den ganzen Tag pflegte er in den Gebirgen herumzuklettern, und wenn man auf dem Heimwege ihm begegnete, sah man gewöhnlich einen großen Bündel Kräuter in seiner Hand. Was konnte er mit den Kräutern anders thun, als Zaubertränkchen davon kochen, vielleicht sich gar dadurch verjüngen; wenigstens äußerte der Bürgermeister, ein wohlhabender Bäcker, er habe auf seiner Wan-

derſchaft gar viel von einem gewiſſen Grafen St. Germain
reden hören, und die Beſchreibung jenes Wundermannes
treffe vollkommen mit dieſem Frembling überein. Wozu
konnten ihm denn auch die einfältigen Kräuter nützen? Sein
alter Bedienter und einziger Hausgenoſſe verſicherte zwar,
er trockene ſie blos, und lege ſie dann zwiſchen Bogen Löſch=
papier, aber das mochte ihm der Henker glauben! es hing
ja auch ein ausgeſtopfter Krokodil in ſeinem Vorhaus an
der Decke, und man wollte ſogar wiſſen, daß er mehrere
Schlangen im Weingeiſt verwahre. Alſo ein Zauberer und
nebenher ein Goldmacher, das blieb entſchieden.

Ein ſolcher verdächtiger Mann konnte freilich nicht ge=
liebt zu werden hoffen, zumal, da er die Ehre verweigert
hatte, in die Schützengilde aufgenommen zu werden, auch
nicht einmal durch ein patriotiſches Geſchenk ſeine Achtung
für die ſchießende Bürgerſchaft an den Tag zu legen wußte.
Außerdem ging er auch nie in's Gotteshaus, noch weniger
zum Abendmahl, ja er hatte ſogar zu einer Kollekte für eine
abgebrannte Kirche nichts beigeſteuert, darum wurde ſeiner
nicht ſelten auf der Kanzel verblümt erwähnt, und die wach=
ſamen Hirten hielten es für ihre Pflicht, ihre fromme Herde
vor einem räubigen Schafe zu warnen, das unter dem
Deckmantel heidniſcher Tugenden in den chriſtlichen Stall
zu ſchleichen drohe.

Die erwähnte heidniſche Tugend nämlich, die man dem
Sonderling nicht abſprechen konnte, war die Wohlthätigkeit.
Bettlern, die anfangs ſein Haus beſtürmten, gab er zwar

XV.   18

nichts, aber manchem verarmten fleißigen Bürger hatte er
schon wieder aufgeholfen, im Stillen würde ich hinzu=
ſetzen, wenn in einer kleinen Stadt ſich irgend etwas im
Stillen verrichten ließe. Alſo wußte es Jedermann, und ob
es ihm gleich kein Menſch als ein Verdienſt anrechnete, ſo
fand man doch gerathen, einen Frembling nicht zu verdrän=
gen, bei dem, trotz ſeiner Gottloſigkeit, jeder wahrhaft Noth=
leidende ſchnelle Hilfe fand. Man ließ ihn alſo endlich ruhig
ſeinen Weg gehen, und hörte nach einigen Jahren ganz
auf, von ihm zu ſprechen. Die Kinder nannten ihn nur den
blauen Kräutermann, weil er immer dunkelblau ge=
kleidet ging und Kräuter aus den Bergen holte. Sie liefen
nicht vor ihm, denn er war beſonders freundlich gegen
Kinder, beſchenkte ſie auch wohl bisweilen, und ihre Eltern
hoben dann die geſchenkten Groſchen heilig auf, weil ſie
meinten, es wären Heckethaler. In den erſten Monaten
ſeines Aufenthaltes hatte der blaue Kräutermann ſein Auge
beſonders auf einen muntern ſechsjährigen Knaben gewor=
fen, den er herzlich liebkoſte, ihn an ſich zu ziehen ſuchte,
und nie unbeſchenkt von ſich ließ. Das Kind kam auch
recht gern zu ihm; aber der dicke Herr Diaconus Pumpfel
warnte deſſen Eltern, ihr Söhnlein vor den Stricken des
Satans zu hüten, und die Erſchrockenen ließen den Buben
nicht mehr aus den Augen.

Pfersberg ſchien im Ernſt darüber zu trauern, daß
der Knabe ihn vermied, ja er ſprach ſogar wider ſeine Ge=
wohnheit mit den Eltern darüber, und that ihnen den Vor=
ſchlag, ihm das Kind zu überlaſſen, er wolle für deſſen

Erziehung und Fortkommen väterliche Sorge tragen; allein er wurde schnöde abgewiesen, und ihm zu verstehen gegeben, daß man, bei aller Armuth, den Knaben doch lieber in der Furcht Gottes wolle aufwachsen lassen. Der Fremdling zuckte die Achseln und schwieg. Ein Menschenkenner würde deutlich in seinen Zügen die Worte gelesen haben: „Ich bin ja schon so oft verkannt worden, und habe es gelassen er= tragen, warum sollte ich jetzt murren?" — So zog er sich in sein Schneckenhaus zurück, wußte nicht, was man von ihm sprach, wollte es auch nicht wissen, sondern lebte blos für die schöne Natur in den Bergen, und die nachahmende Kunst in seinem Garten.

Bald nach seiner Ansiedelung in dem Städtchen Gra= fenrode, hatte Frau Bartels, als Nachbarin, seine Be= kanntschaft gesucht, um über die Einrichtung seines Haus= standes ihm ihre Meinung zu eröffnen; ja sie lud ihn aus= drücklich deswegen zu einer Abendmahlzeit ein, zu welcher sie, um ihn zu ehren, auch den Herrn Bürgermeister gebe= ten hatte. Der Grobian! er schlug die Einladung aus, schützte nicht einmal Kopfschmerzen vor, und dachte gar nicht daran, wenigstens durch einen förmlichen Besuch seine Ungeschliffenheit wieder gut zu machen. Natürlich war Frau Bartels seit dieser Zeit sehr übel auf den blauen Kräutermann zu sprechen, und nannte ihn gewöhnlich einen Narren, der leicht noch etwas Schlimmeres sein möchte.

So war er denn auch Ottilien geschildert worden, und sie hatte eine Menge verkleinernder Anekdoten von ihm hö=

18 *

ren müssen, die sie zwar augenblicklich wieder vergaß, deren
Nachhall aber doch so viel bei ihr wirkte, daß sie nicht den
geringsten Trieb empfand, ihn kennen zu lernen, oder auch
nur zu sehen. Das letztere konnte ohnehin sich schwerlich
zutragen, da sie fast nie ausging, und wenn sie auch bisweil-
len im Garten eine Gestalt zwischen den Bäumen wandeln
sah, so hinderte doch das dicke Gebüsch, des Mannes Züge
zu erkennen. Pfersberg hingegen hatte Ottilien wohl erblickt,
und die Schwermuth auf dem schönen Gesichte war ihm
seltsam auf das Herz gefallen. Ohne zu wissen warum,
lenkte er seine Schritte öfter nach dem Gebüsch unter ihrem
Fenster, lauschte hinter dem grünen Blätter = Vorhang,
wenn sie, wie gewöhnlich, saß und emsig arbeitete, oder
horchte, in's Gras gestreckt, wenn sie am Klaviere traurige
Melodien mit der schmelzenden Stimme begleitete. Einst
sah er sie sogar an einem frühen Morgen am Fenster stehen
und weinen. Diese Thränen bewegten ihn so tief, daß er
dem Verlangen nicht mehr widerstehen konnte, das holde
Geschöpf näher zu kennen, das so unglücklich schien. Zum
ersten Male ließ er sich herab, seinem verwunderten Bedienten den Auftrag zu ertheilen, sich nach der Fremden in Frau
Bartels Hause zu erkundigen.

Der alte Philipp brachte ihm die Antwort: sie sei eine
unglückliche Verwandte von der Frau Nachbarin, deren
Vater ein vornehmer Mann gewesen, aber den Galgen
verdient habe, und im Zuchthause sitze. »Wer hat dir befohlen, nach ihrem Vater zu fragen?" antwortete Pfersberg
trocken. Im Grunde war es ihm aber doch lieb, die Art

ihres Unglücks zu erfahren, denn er hatte sie für liebekrank gehalten; und ob er gleich auf jeden Fall beschlossen hatte, ihr wo möglich Hilfe zu leisten, so fühlte er doch, daß es ihm so lieber war. Der Kummer einer guten Tochter hat für einen alten Mann mehr Rührendes, als die Leiden einer zärtlichen Liebhaberin. Die Frage war jetzt, wie es anzustellen sei, um Ottiliens nähere Bekanntschaft zu machen? — Ohne sich lange zu besinnen, ging Pfersberg gerade zu Frau Bartels, die über den Besuch nicht wenig erstaunte, und insgeheim davon gekitzelt wurde, denn der blaue Kräutermann besuchte ja sonst niemand. Er nahm zum Vorwand eine Mauer zwischen ihren beiden Häusern, welche ausgebessert werden mußte. Aus seinem Kauf=Kon= trakt war ihm wohl bekannt, daß die Kosten für diese Aus= besserung der Frau Nachbarin allein zur Last fielen; allein er stellte sich unwissend, und bat sich die Erlaubniß aus, die Mauer auf seine eigenen Kosten, ein wenig solider als bisher, aufführen zu lassen. Schon dieser Vorschlag mußte Frau Bartels zu seinem Vortheil einnehmen, als er aber vollends sie um Rath fragte, welches Maurers (es waren deren zwei im Städtchen) er sich dazu bedienen solle? und sie ihm folglich ihre Meinung sagen konnte, da hatte er ihr ganzes Herz gewonnen. Die gute Frau wußte nicht, daß er blos das Gespräch zu verlängern strebte, weil Otti= lie nicht gegenwärtig war, und er immer noch hoffte, sie herein treten zu sehen. Aber sie erschien nicht, man mußte endlich aufbrechen, und es blieb ihm in der Eil nichts an= ders übrig, als die Frau Nachbarin in seinen Garten ein=

zulaben, wo er fie gerabe jetzt mit ſchönen reiſen Kirſchen be=
bienen könne. Die Einlabung wurde bankbar angenom=
men, boch von ber Pflegetochter kein Wort erwähnt, unb
Pfersberg kam verbrießlich nach Hauſe, benn zu ber fehl=
geſchlagenen Hoffnung geſellte ſich bie unangenehme Aus=
ſicht, bieſen Nachmittag noch einige Stunben bei ber wort=
reichen Frau Bartels verlieren zu müſſen.

Allein biesmal war fein Stern ihm günſtiger, benn ſchon
bei ber Mittagstafel wurde Ottilien eröffnet, ſie ſolle ſich
ein wenig putzen, weil man gegen Abenb einen Beſuch bei
bem Herrn Nachbar Pfersberg abſtatten wolle. Ottilie
machte große Augen, benn ſie hatte ihre Muhme nie anbers
als mit Geringſchätzung von bieſem Manne reben hören,
ſie äußerte baher ihre Befrembung über bieſen Entſchluß.
»Kinb,« ließ Frau Bartels ſich vernehmen, »man muß
nicht über Menſchen urtheilen, wenn man ſie nicht kennt.
Ich habe es immer zum Herrn Bürgermeiſter geſagt: wer
weiß, was bahinter ſteckt; unb ſiehſt bu! meine Meinung
hat mich abermals nicht betrogen. Der Frembe iſt bei mir
geweſen, ein reputirlicher, manierlicher Mann, ich kann
nicht anbers ſagen. Er will bie Mauer zwiſchen unſern
Häuſern auf ſeine Koſten ausbeſſern, hat mich auch in ſei=
nen Garten eingelaben, um Kirſchen zu eſſen, unb ich ver=
ſichere bich, er hat bie beſten Kirſchen in ber ganzen Gegenb,
benn zu ſeines Vorfahrs Zeiten bin ich oft in bem Garten
geweſen. Ja, hätte ber m e i n e n Rath befolgt, er wäre
nicht bankerott geworden, unb hätte bas ſchöne Grunb=
ſtück nicht verſchleubern bürfen.«

Nun war die gute Frau Bartels im Zuge und erzählte lang und breit die Geschichte des vormaligen Besitzers, wie wunderlich der es angefangen, und wie oft sie ihm vergebens ihre Meinung gesagt. »So geht es," schloß sie endlich, als die Uhr schon fünfe schlug, »wenn man verständiger Leute Rath verachtet. Jetzt, Ottchen, geh' und mach' dich schnell ein wenig zurecht." Ottilie ging, fand aber nicht für nöthig, außer einem Strohhut, ihrem einfachen Anzuge noch etwas beizufügen. Daß die Frau Muhme diese nachlässige Befolgung ihres Rathes nicht weiter bemerkte, rührte von dem Umstand her, daß sie mit ihrer eigenen Toilette zu beschäftigt war, denn es hatte sich ihr plötzlich die vernünftige Betrachtung aufgedrungen, daß sie doch erst in ihrem fünfzigsten Jahre und Herr Pfersberg vielleicht in seinem sechzigsten stehe; sie eine muntere Frau, er ein rüstiger Mann sei; daß ihre Häuser dicht an einander stießen, und noch hundert dergleichen Dinge, die einen Finger Gottes vermuthen ließen. Darum hatte sie, trotz der Sommerhitze, ihre schöne schwarze Sammtkappe hervorgesucht, nebst einem großen Fächer, auf dem des Dauphins Wiegenlied: Marlborough s'en va-t-en guerre geschrieben stand, und so ausgerüstet, trat sie mit Ottilien in den Garten des Sonderlings.

Sobald Pfersberg von ferne die schöne Begleiterin gewahr wurde, eilte er, seine Gäste zu empfangen, und führte sie in eine Laube, wo die reifsten Kirschen in kostbaren Porzellan=Schalen aufgeschichtet standen. Das Verlangen, Ottilien zu gefallen, machte ihn, wider seine

Gewohnheit, geschwätzig; doch hütete er sich auch wohl,
der Frau Nachbarin die Gelegenheit zu rauben, über Alles,
was vorkam, ihre M e i n u n g zu sagen, wie es nämlich
b e f f e r zu machen sei, und wie f i e es schon vor vielen
Jahren besser gemacht h a b e. Niemand konnte ihr vorwer=
fen, daß sie solche Gelegenheiten nicht redlich benutzte.
Aber auch Pfersberg ließ die kurzen Pausen nicht entschlü=
pfen, die dann und wann durch ihren Husten entstanden;
er redete Ottilien an, verwickelte sie in ein Gespräch über
die Musik, und wußte mit Geistes =Gewandtheit ihr in
wenigen Minuten so viel abzugewinnen, daß er sich über=
zeugen konnte, sie sei ein sehr gebildetes Frauenzimmer.
Vielleicht klingt das unwahrscheinlich, doch nur für solche,
die nie bemerkt haben, daß die Weiber zwar ihre Herzen,
nicht aber ihre Köpfe tief zu verbergen wissen. Wenn ein
Mädchen schüchtern f c h w e i g t, so ist freilich schwerer zu
errathen, ob es richtig d e n k t; so bald es aber r e d e t,
über irgend eine Materie in ein ordentliches Gespräch sich
einläßt, so ist derjenige, der sie noch nicht zu beurtheilen
versteht, entweder verliebt, oder ein Dummkopf.

Verliebt war Pfersberg nicht, und ein Dummkopf
wahrlich auch nicht. Des Mädchens Thränen und ihre
Schönheit — (denn warum sollte ein alter Mann seinem
Gefühl für die Schönheit absterben?) — hatten ihm ein
warmes Interesse für sie eingeflößt, er wünschte ihr Freund
zu werden, wünschte aber auch sie dieser Freundschaft wür=
dig zu finden, und darum gewährte es ihm ein süßes Ver=
gnügen, als sie, obgleich mit sparsamen Worten, Gedan=

ken und Empfindungen äußerte, die mit den feinigen im Einklang standen. Noch zu hundert kleinen, fein erstes günstiges Vorurtheil rechtfertigenden Bemerkungen bot sich ihm Gelegenheit dar, als er feine Gäste in fein Haus durch feine Zimmer führte. Frau Bartels bewunderte Alles, besonders die zierlichen Möbeln, und das köstliche Por= zellan, und erinnerte blos, wie Dies und Jenes anders zu stellen fei, damit es beffer in's Auge falle. Ottilie ging an alle dem vorüber, als an Dingen, deren Anblick ihr nicht neu war. Hingegen schien fie mit Vergnügen feine Kräuterfammlung zu betrachten, und es entfuhren ihr dabei die Worte: »ach! wäre ich nicht von Jugend auf in den Mauern einer großen Stadt erzogen, vielleicht würde ich etwas davon verstehen.«

Als Pfersberg die Thür zur Bibliothek öffnete, warf die Frau Nachbarin mit stummen Kopfnicken einen Blick hinein, und wollte sogleich wieder umkehren, weil der fel= tene Fall eintrat, daß fie nichts weiter darüber zu fagen wußte, als daß die vergoldeten Bände doch wohl zu kost= bar wären, fie lasse ihre wenigen Bücher nur in Pappe binden. Ottilie hingegen trat haftig hinein, denn fie hatte nun schon so lange diese Geistesnahrung entbehren müssen. Ihr Blick flog von Titel zu Titel, und wenn er auf einem verweilte, so bemerkte Pfersberg mit geheimen Entzücken, daß es immer ein gutes Buch war. »Ach! nun wundere ich mich nicht mehr,« rief fie aus, »daß Ihnen die Zeit nie lange wird. Ich hätte nicht geglaubt, in Grafen= rode solche Bücher zu finden.« — »Närrchen,« unter=

brach Frau Bartels sie spöttisch, »auf unserer Bodenkam-
mer liegen noch Bücher genug von meinem seligen Manne,
nur freilich nicht so schön gebunden als diese.«

»Es würde mich unendlich freuen,« sagte Pfersberg
zu Ottilien, »wenn meine Büchersammlung künftig zu
Ihrer Unterhaltung beitragen könnte. Wählen Sie nach
Gefallen.« —

Ottilie dankte freundlich und benützte das Anerbieten
auf der Stelle. Sie wählte le voyage du jeune Ana-
charsis und Tiedge's Urania. Durch diese Wahl, die
von ihrem Geschmacke und von der Richtung ihres Geistes
zeugte, wurde dem Fremdling der Gedanke noch lieber,
daß er ein Mittel gefunden habe, den angeknüpften Faden
zwanglos weiter zu spinnen. Er ließ sogleich die verlangten
Bücher zu der Nachbarin hinüber tragen, und legte ein
Verzeichniß seiner ganzen Sammlung bei, damit Ottilie
die Bücher anzeichnen könne, die sie künftig zu lesen begehre.

Weit interessanter als die ganze Bibliothek war der
Frau Muhme das blanke Silbergeschirr, in welchem jetzt
der Thee aufgetragen wurde. Sie fand den Mann immer
liebenswürdiger, äugelte bald nach ihm, bald nach dem
Silber, erinnerte sich selbst verschiedene Mal, daß es Zeit
sei, aufzubrechen, riß sich endlich mit sichtbarem Widerwillen von der angenehmen Unterhaltung los, und betheu-
erte noch beim Schlafengehen: sie habe lange keinen so
frohen Tag verlebt, ob sie gleich in ihrer schwarzen Sammtkappe tüchtig habe schwitzen müssen.

———

7. Die Geschichte des blauen Kräutermannes.

Nur eben so viel Zeit ließ Frau Bartels verstreichen, als nöthig war, um Kuchen zu backen, und sonstige An= stalten zu einer leckern Mahlzeit zu treffen, dann erfolgte eine feierliche Einladung an den Herrn Nachbar, welche diesmal nicht zurück gewiesen wurde. Alles, was die Witwe an Silber und feinem Tischzeug besaß, wurde prunkend dabei aufgestellt, und Herr Pfersberg, als ein Mann von Welt, ermangelte nicht zu bemerken, was bemerkt werden sollte. Auch aß er über Vermögen von allen Schüsseln, welche Frau Bartels eigenhändig zubereitet hatte, und setzte sich dadurch immer fester in ihrer Gunst.

So war nunmehr ein nachbarliches Verhältniß ent= standen, dem, um es enger noch zu knüpfen, nach Frau Bartels **Meinung** nichts weiter fehlte, als eine deut= liche Erklärung von Seite des Fremden, das aber Pfers= berg blos benutzte, um unvermerkt immer tiefer in Otti= liens Herz zu schauen. In der That gelang es ihm, in die= sem schönen Herzen Alles zu lesen, was Natur und Erzie= hung hinein geschrieben, nur nicht die feurigen Worte, welche die Liebe darein gegraben hatte; denn die Schrift der Liebe gleicht der geheimen Schreibekunst mit Citronen= saft, nur er wärmt wird sie sichtbar. Pfersberg hielt sich überzeugt, daß Ottilien's Schwermuth allein von dem Unglück ihres Vaters herrühre, er wünschte sich ein Recht zu erwerben, dessen Schicksal zu mildern, und mit dem ihrigen sie auszusöhnen; ein wohlwollendes Vertrauen, welches sie ihm oft bewies, machte ihn noch kühner, und

als Ottilie eines Tages Bücher zurückgesandt hatte, um
andere dagegen einzutauschen, fand sie, beim Aufschlagen
der letztern, einen an sie gerichteten Brief. Verwundert
erbrach sie denselben, und mit wachsendem Erstaunen las
sie Folgendes:

»Mademoiselle!"

»Niemand in Grafenrode kennt meine Geschichte. Nur
zu Ihnen habe ich Vertrauen, erlauben Sie, daß ich sie
Ihnen erzähle, und den Grund, warum ich das thue,
bis zum Schluß dieses Briefes aufspare.«

»Einst verwaltete ich einen kleinen Dienst in **, hatte
Frau und Kind, und war ein glücklicher Mann. Die un=
selige Jakobiner=Riecherei, welche aus der französischen
Revolution, jener wahren Büchse Pandorens, entsprang,
stürzte auch mich in's Verderben. Einige grabsinnige und
eben darum unbesonnene Aeußerungen, die mir entschlüpf=
ten, zogen mir die heftigste Verfolgung zu. Vierzehn
Monate lang mußte ich in einem Kerker schmachten, dann
wurde ich Landes verwiesen. Mein treues Weib war in=
dessen vor Gram gestorben; meinen sechsjährigen Sohn,
einen lieblichen muntern Knaben, hatte ein barmherziger
Verwandter zu sich genommen. Ich drückte ihn, ach!
zum letzten Mal an mein Herz und floh nach Ostindien.«

»Dort lernte ich einen braven Engländer kennen, den
Eigenthümer einer ansehnlichen Handlung, in der ich Ar=
beit und Brot fand — Ruhe nicht! denn auch mein letztes
Kleinod, das ich in Europa zurückgelassen, meinen lieben
kleinen Ludwig, mußte ich beweinen. Durch einen Schif=

fer aus meiner Heimath erfuhr ich, daß jenes Städtchen,
in welchem sein Pflegevater wohnte, von der großen Na=
tion zerstört worden sei, weil man einen ihrer raubsüchti=
gen Marodeurs in demselben erschlagen hatte. Die wehr=
losen Einwohner waren theils ermordet, theils zerstreut,
und Niemand wußte, wo mein Kind geblieben.”

»Finstere Schwermuth war mein Loos, bis das Be=
dürfniß jedes guten Menschen, etwas auf der Welt zu
lieben, mich nach und nach an die Kinder meines Freundes
fesselte, zwei liebenswürdige Knaben, ungefähr in glei=
chem Alter mit meinem verlornen Ludwig. Sie waren
ihres Vaters einzige Freude und mein einziger Trost. Ein
Scharlachfieber raffte sie Beide in wenig Tagen hinweg.
Ihre gute Mutter, deren schwache Brust ohnehin schon
lange gegen das heiße Klima kämpfte, folgte den Lieblin=
gen bald in's Grab. Wilson und ich sanken einander
bleich in die Arme, und suchten vergebens Trost in der
Freundschaft. Um von den Gegenständen sich zu trennen,
deren Anblick täglich seinen Schmerz erneuerte, beschloß er
eine Reise nach China, wohin er bisher in seinen Geschäf=
ten nur Bevollmächtigte zu senden pflegte. Ich begleitete ihn.”

»Seine dortigen Handels=Spekulationen schlugen so
glücklich ein, daß seine Reichthümer sich in Kurzem ver=
doppelten. »Ach wozu! für wen!” rief er oft bekümmert,
»ich habe Niemanden mehr auf der Welt!” — Ich suchte
den Gedanken in ihm zu erwecken, die leidende Menschheit
an Kindes Statt anzunehmen, und er ergriff diese Idee
mit Wärme. »Ja,” sagte er, »ich habe nun Gold genug,

um unserm braven Howard gleich), irgend einen großen,
wohlthätigen Zweck dadurch erreichen zu können. Den will
ich fest in's Auge fassen, und so den einsamen Gang zum
Grabe mir mit Blumen bestreuen. Laß uns in mein Vater=
land zurückkehren, bleibe bei mir, auf unserer Insel bist du
sicher vor Bosheit und Dummheit. Theile, was ich habe,
und hilf mir Menschen beglücken." — Mit diesem Vorsatz
schifften wir uns ein, aber Wilson trug den Keim des
Todes schon im Busen. Er kränkelte und schien von Tage
zu Tage seinem erwünschten Ziele, der Vereinigung mit
Weib und Kind, sich zu nähern. »Ich fühle es," sagte er
eines Abends zu mir, »ich werde mein vaterländisches
Ufer nicht wieder sehen. Sterbe ich, Freund, so bist du
mein einziger Erbe, denn es lebt Niemand auf der Welt,
der ein Recht an mein Erworbenes hätte. In der Tasche,
die ich immer um den Leib geschnallt trage, wirst du reiche
Wechsel und andere Papiere finden, zu welchen ich zum
Ueberfluß noch diesen Morgen eine Schrift gefügt habe, die
dich für ihren Eigenthümer erklärt. Ich weiß, auch du
bedarfst des Reichthums nicht, aber du wirst das Gute
damit ausrichten, was mir das Schicksal zu vollbringen
untersagt. Und wer weiß, vielleicht findest du noch einst
deinen Ludwig wieder, dann erzähle ihm, daß du einen
Freund hattest, den in seinen letzten Augenblicken die Hoff=
nung froh machte, für den Sohn seines Freundes gesam=
melt zu haben."

»So sprach mein edler Wilson, und das Vorgefühl
eines nahen Todes hatte ihn leider nicht betrogen. Er starb

in meinen Armen am Vorgebirge der guten Hoffnung,
und ich sah mich plötzlich im Besitz einer Erbschaft, die meine
Erwartungen weit übertraf. Ach! welch ein elender Ersatz
für einen seltenen Freund! — Allein mit schwerem Herzen
setzte ich meine Reise fort. In England blieb ich länger als
ein Jahr, um arme Verwandte von Wilson auszuforschen,
mit denen ich theilen könnte. Meine Mühe war vergebens.
Nur die leidende Menschheit, an die er mich verwiesen
hatte, war ihm noch verwandt, und mit ihr habe ich bis
diesen Augenblick redlich getheilt.»

»Daß ich bei meiner Zurückkunft in's Vaterland die
ängstlichsten Nachforschungen angestellt, um von meinem
verlornen Kinde etwas zu erfahren, brauch' ich wohl kaum
zu erwähnen. Wo ich nur immer einen vormaligen Ein=
wohner jenes erwähnten Städtchens zu finden wußte, dahin
reiste ich, und es blieb kein Ort zwanzig Meilen in die
Runde übrig, durch dessen Thore ich nicht mit hochklo=
pfendem Herzen gefahren wäre, den ich nicht mit Thränen
getäuschter Hoffnung wieder verlassen hätte. Alles was
ich mit Gewißheit ausmittelte, war, daß der gutherzige
Verwandte, der Pflegevater meines Ludwig, unter den
Trümmern seines einstürzenden Hauses begraben worden,
als er zu spät noch einige seiner besten Habseligkeiten aus
den Flammen retten wollte. Ob meinen Sohn ein gleiches
Schicksal betroffen, wußte niemand. Vergebens nahm ich
zuletzt zu den Zeitungen meine Zuflucht, keine meiner drin=
genden Fragen ist jemals beantwortet worden, so an=
sehnlich auch der Preis war, den ich darauf setzte.»

»Endlich mußte ich die Hoffnung aufgeben, daß noch ein Mensch in der Welt lebe, der meinem Dasein wieder neuen Werth leihen könne. Ich suchte mir ein Plätzchen, von der Natur mit Reizen ausgestattet, die fähig waren, meinen nagenden Kummer in sanftere Schwermuth zu verwandeln. Hier fand ich eine freundliche Gegend, die mich anzog und den Entschluß in mir erweckte, hier den Tod zu erwarten. Die Berge, von welchen Grafenrode umgeben ist, begün= stigten meine alte Liebhaberei, die Kräuterkunde. Diese und das Bestreben, meines Freundes letzten Willen an Un= glücklichen zu vollziehen, füllten alle meine leeren Stunden. Auch an Menschen versuchte ich noch einmal mich zu ketten, an Kinder nämlich, die allein noch wahre Menschen sind. Ich hatte mir einen Knaben auserlesen, der durch einige Aehnlichkeit mit meinem Ludwig, mein Herz tief bewegte, so oft ich ihn sah. Ich wollte ihn an Kindesstatt annehmen, ihn, wie man es zu nennen pflegt, glücklich machen; eigent= lich mir selbst noch eine Freude im Alter bereiten. Doch auch diesen letzten Wunsch mußte ich aufgeben, denn des Knaben Vater, ein hiesiger Bürger, schlug mir meine Bitte mit Härte ab, und das Kind, das sich bereits an mich gewöhnt hatte, durfte nicht mehr zu mir kommen.«

»So blieb ich denn allein auf den Genuß der Natur beschränkt, zu dem man freilich, um durch ihn beglückt zu werden, ein zufriedenes Herz mitbringen muß. So hab' ich unter Pflanzen ein Pflanzen=Leben geführt, bis ich Sie, Mademoisell, erblickte. Es wäre lächerlich, wenn ich Ihnen sagen wollte, ich sei verliebt in Sie. Mein Alter, Ihre

Jugend, ich werde beides nie vergeſſen. Aber daß Ihre
ſtillen Leiden, die Thränen, die Sie oft an Ihrem Fenſter
vergoſſen, wenn Sie unbelauſcht ſich wähnten, die rüh=
renden Töne, welche Sie täglich aus Ihrem Klavier her=
vorzauberten, daß alles dieſes einen lebhaften Eindruck
auf mich gemacht hat, das darf ich doch wohl ohne Er=
röthen Ihnen erklären. Ich ſuchte Ihre perſönliche Bekannt=
ſchaft, es gelang mir, und ſeitdem geſellte ſich zu meinem
Intereſſe für Ihre Perſon eine hohe Achtung für Ihre ſchöne
Seele. Der Wunſch, Ihr Freund, Ihr Bruder zu werden,
der ſtolze Wunſch, Ihr Schickſal zu erleichtern, drängte
ſich mit auf. Ich forſchte nach Ihrer Lage, ich erfuhr, daß
Sie um einen unglücklichen Vater weinen, und alſobald
war mein Entſchluß gefaßt, den ich jedoch Wochen lang
mit mir herum trug, um durch keine Unbeſonnenheit mein
Alter zu entehren.”

»Jetzt endlich darf ich mit Bewußtſein erklären: ich
habe den Schritt reiflich überlegt; ich trete als ein ehr=
licher, beſonnener Mann vor Sie, und frage Sie mit
Freimüthigkeit: wollen Sie mir das Recht einräumen, Ihren
Vater auch den meinigen zu nennen? wollen Sie durch
das Geſchenk Ihrer Hand mir und ihm Lebensglück im
Alter gewähren?” —

»Sie kennen mich nur wenig, aber doch wohl genug,
um überzeugt zu ſein, daß nicht die thörichte Hoffnung,
die Liebe eines jungen reizenden Mädchens zu gewinnen,
mein Herz berücken konnte. Freundſchaft, Achtung, Ver=

XV.   19

trauen, iſt Alles, was ich von Ihnen erwarte. Ich kann
und werde keine Pflicht Ihnen auflegen, die mit Ihrem
Herzen im Widerſpruch ſtünde. Den Jammer Ihres Vaters
wenden, den Dornen=Pfad eines ehrlichen Mannes am
Ziele mit Roſen beſtreuen, die Thränen der Armuth trocknen,
das werden an meiner Seite die einzigen, Ihrem Herzen
entſprechenden Beſchäftigungen ſein. Für ein anderes Mäd=
chen als Ottilien, würde ich noch Manches hinzufügen kön=
nen, allein für S i e habe ich genug geſagt.“

»Jetzt prüfen Sie — antworten Sie mir nicht ſchnell
— es gilt die Ruhe Ihres Lebens — aber vergeſſen Sie,
daß es auch die meinige gilt.“

8. Die Hochzeit.

Heftig war der Sturm, den dieſer Brief in Ottiliens
Buſen erregte. Durch Thränen und Gebet ſuchte ſie ihr
beklommenes Herz zu erleichtern, mit Thränen und Gebet
flehte ſie kindlich zu einer höhern Macht, ihr Schickſal zu
beſtimmen, und wenn ſie ermüdet auf ihr Lager ſank, ſtand
zur Rechten ihr alter wahnſinniger Vater, Hilfe, Rettung
von ihr heiſchend; zur linken der edle Pfersberg, der ihr
den Schlüſſel zu des Vaters Kerker reichte. Aber ach! zu
den Füßen des Bettes ſchwebte eine traurende Geſtalt, die
ſich ängſtlich verhüllte, um nicht, Liebe und Mitleid er=
regend, das edle Opfer zu hindern. Tage und Nächte lang
kämpfte das arme Mädchen, um ſich von der letzten Hoff=
nung los zu reiſſen, die ihr noch im Stillen dann und wann

mit einer frohen Zukunft geschmeichelt hatte. »Entsage!
entsage!" rief die Tugend ihr zu. »Wird Theodor jemals
wiederkehren? — und wenn er wiederkehrt, wird er dich
noch lieben?—und wenn er dich noch liebte, wird dein Vater
seinen Fluch widerrufen? O ergreife die Gelegenheit, um
seinen Segen zu verdienen! Glücklicher könntest du einst
werden, glücklicher machen nie!"

Entschlossen ging Ottilie zu Frau Bartels, und zeigte
ihr des Nachbars Brief. Anfangs wurde die gute Frau
Muhme freilich sehr unangenehm überrascht, und sie bedauerte insgeheim die vielen Schweißtropfen, die sie in der schwarzen Sammt=Kappe so unnützerweise vergossen hatte. Ihre
erste Antwort war, Pfersberg sei ein alter Geck, und ihre
Meinung sei, man müsse ihn auslachen und fortschicken.
Nachdem sie aber die Sache ein wenig näher überlegt hatte,
fand sie zwar keinen Grund, ihn nicht auszulachen, doch
manchen, ihn nicht fortzuschicken. Er war denn doch der
einzige, der eine lange verdrießliche Einsamkeit durch seinen
Umgang unterbrach; der einzige, der ihre Meinungen hörte
und auch schon einigemal befolgt hatte; der reichste Mann
im Städtchen, der gleichsam ihr Schwiegersohn wurde,
dessen Wirthschaft sie einrichten konnte. Das Letztere ist bekanntlich (das Leinewand=Sammeln ausgenommen), der
liebste Zeitvertreib altender Frauen, die gar zu gern einem
jungen Ehepaar erzählen, wie man es machen müsse, und
wie sie es einst gemacht haben. Auch Frau Bartels konnte
dieser Versuchung nicht widerstehen, und sie sprach daher

19 *

zu Ottilien am andern Morgen: »Befferer Rath kommt über Nacht. Ich habe die Sache reiflich überlegt, und meine Meinung ist, du nimmst den blauen Kräutermann, nota bene, wenn er dich zur Erbin seines Vermögens einsetzt, das ist Conditio sine quano, wie mein seliger Mann zu sagen pflegte. Schlimm ist es freilich, daß er noch ein so rüstiger Mann ist, und schwerlich bald sterben wird.«

„Das wünsche ich auch nicht,“ versetzte Ottilie, »wenn ich einmal meine Hand ihm reiche; und was die Erbschaft betrifft, so bitte ich Sie, Frau Muhme, erwähnen Sie kein Wort davon. Nach einem solchen Briefe wäre es sehr unzart von mir, wenn ich mein Jawort gleichsam verkaufen wollte. Er ist ein edler Mann, und wird schon für meine Zukunft sorgen.“

»Kind, das verstehst du nicht,“ sagte Frau Bartels altklug lächelnd, und nahm sich vor, trotz Ottiliens Wi= derspruch, vor allen Dingen darüber mit dem Nachbar zu reden.

Pfersberg kam ihr zuvor, denn, als er eingeladen wurde, um Ottiliens Antwort aus ihrem Munde zu vernehmen, wiederholte er seine Anwerbung, ehe er sie noch zum Worte kommen ließ, und fügte derselben sogleich jenes Anerbieten hinzu, welches er, um Frau Bartels zu gewinnen, für eben so nöthig erachtete, als er bei Ottilien es für über= flüssig gehalten hatte. Nach dieser Erklärung führte Frau Bartels die schüchterne Braut ihm ohne Bedenken zu, und Ottilie reichte ihm die zitternde Hand, und ihre blasse Lippe stammelte das Versprechen, heilig zu erfüllen, was er von

ihr begehrt, wenn ihm daran genüge. Mit einem Hände=
druck antwortete der Biedermann: »ich bin so stolz, mir
mit der Hoffnung zu schmeicheln, daß Sie mir einst sagen
werden, es hat mich nicht gereut.«

Nun hatte Frau Bartels alle Hände voll zu thun, um
Anstalten zur Hochzeit zu treffen, denn es sollte — wie
man in Grafenrode es zu nennen pflegte — eine große
vornehme Hochzeit werden. So lästig das auch im
Grunde sowohl der Braut als dem Bräutigam war, so
wollte doch Pfersberg der guten Muhme die Freude nicht
verderben. Lächelnd billigte er alles, lobte alles, bewun=
derte alles, und gab Geld her, so viel sie nur immer ver=
langte. Endlich waren die Kleider fertig, die Kuchen ge=
backen, die Gäste gewählt, und der feierliche Tag wurde
angesetzt.

Je näher er rückte, je beklommener wurde Ottiliens Herz.
Am Tage zwang sie sich zu lächeln, die Nacht durch weinte
sie, und ob ihre Seele gleich mit festem Muthe auf dem
Entschluß beharrte, das schwere Opfer zu bringen, so war
ihr Körper doch zu schwach, um durch den unaufhörlichen
Kampf nicht bis in jede Nerve erschüttert zu werden. Ihre
Gestalt schwand sichtbarlich, Aug' und Wange wurden
hohl, ihre Kräfte nahmen bedenklich ab. Mehr als einmal
beschwur sie Pfersberg, ihm freimüthig zu bekennen, wenn
ihr Entschluß sie gereue; aber dann reichte sie ihm, durch
Thränen lächelnd, die Hand, und bat ihn, nur Geduld
mit ihr zu haben, es solle und müsse bald anders werden.
Die Nacht vor ihrem Hochzeittage betete sie unablässig

mit einer solchen Inbrunst, daß sie, als der Morgen an=
brach, sich ruhig und gestärkt wähnte. Mit ziemlicher Fassung
ließ sie von der Muhme nach Gutdünken sich herausputzen,
und trat ohne Wanken unter die Hochzeitsgäste, zu welchen
auch jener taube Konsul zu Smyrna gehörte, der zufällig
anwesend, und als Honoratior mit eingeladen worden war.

Der Herr Diaconus Pumpfel ertheilte nunmehr
den feierlichen Wink, sich ihm zu nähern, und hielt eine
Rede, deren Länge er nach dem zu erwartenden ansehn=
lichen Honorar abgemessen hatte. Er rühmte darin beson=
ders die F r ö m m i g k e i t des Herrn Bräutigams, und pries
dessen Wohlthätigkeit und übrige christlichen Tugenden,
die ihm sämmtlich an diesem ergiebigen Tage zum ersten
Male einleuchteten.

Hätte er es k u r z und g u t, ja hätte er es nur k u r z,
wenn auch s c h l e c h t gemacht, Ottilie würde mit dem letzten
Rest ihrer Kräfte ausgelangt, und als Madame Pfersberg
den Altar verlassen haben. Allein von solchen Gefühlen be=
stürmt und zerrissen, an der Hand des ungeliebten Mannes,
dem sie jetzt auf ewig sich verloben sollte, länger als eine
halbe Stunde vor diesem Saalbader zu stehen, und durch
kein herzliches, wahre Frömmigkeit athmendes Wort von
den Gegenständen abgezogen zu werden, über welchen sie im
Innern brütete; das war zu viel für ein krankes Mädchen,
das seit vielen Wochen weder durch Schlaf noch Nahrung,
sondern allein durch seiner Seele überspannte Kraft sich
aufrecht erhalten hatte. Was Wunder also, daß in dem
Augenblicke, da endlich der geistliche Ehrenmann des Braut=

paars Ringe wechseln wollte, Ottilie ohnmächtig zu seinen
Füßen sank. Die Trauung wurde unterbrochen, die Braut
in ein Nebenzimmer getragen, ausgekleidet, und immer
noch als eine Leiche auf's Bett gelegt. Aerzte und bejahrte
Damen erschöpften ihre Kunst, um sie in's Leben zurück=
zurufen. Es gelang ihnen endlich, aber ein heftiges Fieber
hatte sie ergriffen, sie fantasirte. Trauernd, in sich gekehrt
stand der Bräutigam an ihrem Lager; und fing an zu
ahnen, daß in Ottiliens Herzen noch etwas vorgehen müsse,
was ihm bisher verborgen geblieben. Den Wirrwarr unter
den Gästen, zumal in Grafenrode, mag der Leser sich denken.
Nur allein der taube Konsul blieb ruhig, denn er hatte von
alle dem nichts verstanden. Auch Frau Bartels verlor den
Kopf nicht so ganz, daß sie nicht weislich bedacht hätte, der
Hochzeitschmaus sei doch einmal veranstaltet, und es sei
unschicklich, die Gäste mit trockenem Munde heimziehen zu
lassen. Die Speisen wurden also zu gehöriger Zeit aufge=
tragen. Sobald der taube Konsul das gewahrte, empfahl
er sich im Stillen, weil er noch in derselben Nacht abreisen
wollte, und er reiste wirklich, mit der Ueberzeugung, daß,
trotz der Ohnmacht, die Vermählungsfeier nicht unterbro=
chen worden sei. Daher sein Bericht zu Smyrna, der den
armen Theodor so unglücklich machte.

Ottilie schwebte mehrere Wochen lang am Rande des
Grabes, und war nur in seltenen Augenblicken ihrer Be=
sinnung mächtig. Pfersberg verließ ihr Lager fast nie; er
selbst reichte ihr jeden Tropfen Arznei, und wachte, trotz
seines Alters, mehrere Nächte hintereinander. Aus der Ferne

verfchrieb er einen berühmten Arzt, den er mit den kofibar=
ften Geschenken überhäufte; das Seltenfte schaffte er herbei,
mit einer Verschwendung, über welche Frau Bartels den
Kopf schüttelte; kurz, er that Alles, was nur der zärtlichfte
Gatte zu thun vermag — und er that es ohne Eigennuh,
denn die Hoffnung, Ottiliens Gemahl zu werden, hatte er
faft aufgegeben. In ihren Fieberträumen war ihr der Name
Theodor öfter entschlüpft; er wußte nun, daß nicht blos
das Unglück ihres Vaters, daß auch eine hoffnungslose
Liebe an ihrem Herzen nage. Diese Entdeckung beftimmte
ihn, selbst als die erfte Gefahr für Ottiliens Leben schon
vorüber war, gänzlich über ihr Verhältniß zu ihm selbft
zu schweigen, und auch nicht durch die leisefte Anspielung
das unterbrochene Hochzeitfeft in Erinnerung zu bringen.
Eben so sehr hütete er sich, die Kranke merken zu lassen,
daß sie ihr Geheimniß verrathen habe. Ein zärtlicher, be=
forgter Vater am Krankenbette seiner Tochter, das allein
war die Rolle, die sein edles Herz ihm vorschrieb. Ob sie
selbft nach ihrer Genesung seine zarte Liebe belohnen, ob sie
ihn zum Vertrauten ihres Kummers machen wolle? das
überließ er ihrem eigenen Gefühl.

Frau Bartels dachte weniger schonend, denn so bald
Ottilie nur wieder in einem Sessel sitzen konnte, beftürmte
sie das arme Mädchen täglich, die Verbindung zu vollziehen.
Tief gerührt war die Kranke von ihres edlen Bräutigams
Betragen; sie fühlte, daß sie einem solchen Manne Wahrheit
schuldig sei, und ergriff den erften Augenblick, in dem sie
Stärke genug sich zutraute, ihm ihr ganzes Herz offen dar=

zulegen. »Ich habe Sie hintergangen,« so schloß ihr Bekenntniß, »werden Sie mir verzeihen? und wollen Sie noch
jetzt es wagen, ein Mädchen zu Ihrer Lebensgefährtin zu
machen, über deffen frömmſten Willen das wunde Herz
den Meiſter spielt?«

Pfersberg, entzückt von ihrem Vertrauen, drückte ihre
abgemagerte Hand mit Thränen im Auge an sein Herz.
»Ich bin der Ihrige auf ewig!« rief er aus, »doch wie
Sie mich künftig nennen wollen, ob Gatte, Bruder oder
Vater, darüber laſſen Sie uns in dieſem Augenblicke
noch nichts entscheiden. Ich darf Ihnen nicht verhehlen,
daß Ihr Zuſtand noch immer bedenklich iſt; ſelbſt die heftige
Bewegung, in der Sie ſich nach dieſem Geſpräche befinden,
Ihre zitternde Hand, Ihre unnatürlich brennende Wange,
beweiſen hinlänglich, wie wenig noch die Kräfte Ihres
Körpers mit denen Ihrer Seele im Verhältniß ſtehen.
Haben Zeit und Ruhe die erſtern wieder hergeſtellt, und ſind
Sie dann noch entschloſſen, der kindlichen Liebe ein Opfer
zu bringen; so wird der leiseſte Wink mich zu Ihnen führen.
Bis dahin betrachten Sie meine Perſon als Ihren treueſten
Freund, doch mein Vermögen als das Ihres Gatten, über
welches Sie gleiche Rechte haben. Schalten Sie damit
nach Ihrem Gefallen. Jede Wohlthat, zu deren Werkzeug
Sie mich machen wollen, wird auch für mich eine Wohl-
that sein.«

Nach dieser Erklärung wurde der Vermählungsfeier,
zu großem Aergerniß der Frau Nachbarin, für's Erſte nicht
weiter erwähnt. Denn daß Ottiliens Krankheit in ein ſchlei-

chendes Fieber sich verwandelt, war für Frau Bartels noch
kein Grund, die Ceremonie aufzuschieben. Das Mädchen
konnte doch herumgehen, oder vielmehr wanken, es konnte
essen, trinken, schlafen, ja sogar bisweilen spaziren fahren;
darum war nach ihrer Meinung Ottiliens Kränkeln bloße
Hypochondrie, von der sie, wie die meisten Leute, behauptete,
man könne sie bezwingen, wenn man nur wolle.

Daß man durch festen Willen seiner krankhaften Empfindungen Meister werden könne, hat freilich sogar der
große Kant behauptet, und Ottilie gab sich in der That
alle Mühe, ein beweisendes Beispiel zu dieser Behauptung
zu liefern; auch besserte es sich merklich mit ihr, als der
warme Frühling sie anhauchte, und die verjüngte Natur
zu ihrem Herzen sprach. Eine Nachricht aber, welche die
Frau Muhme ihr ohne alle Vorbereitung zutrug, hätte sie
fast in den vorigen Zustand zurückgeworfen. Man meldete
nämlich der Frau Bartels, Theodor und sein Freund seien
in der Türkei Renegaten geworden, und man begleitete
diese Neuigkeit mit so vielen erläuternden Umständen, daß
es fast unmöglich schien, an der Wahrheit derselben zu zweifeln. Eigentlich lag blos eine Verwechslung zum Grunde,
denn die Rede war von Stolzenbeck. Weil aber Theodor
und Florio zu gleicher Zeit in Konstantinopel waren, und
weil man diese eher zu nennen wagte, als den Sohn des
gebietenden Ministers, so hatte man ihre Namen an die
Stelle von jenem geschoben, und Alles, was der Wollüstling verschuldet hatte, kam auf ihre Rechnung.

»Auch das noch!« rief Ottilie mit bitterem Schmerz. »Ach! wenn ich ihn nicht mehr lieben darf, muß ich ihm denn auch meine Achtung entziehen?«

Pfersberg, dem Frau Bartels die skandalöse Geschichte lang und breit mittheilte, und mit allerlei giftigen Rand= glossen würzte; Pfersberg war der Einzige, der das Gerücht auf der Stelle für lügenhaft erklärte, und seinen Wider= spruch durch Beweise unterstützte, die er aus Ottiliens Er= zählungen von dem Charakter des jungen Arztes schöpfte. Er that das mit so unverstellter Wärme, daß die Kranke ihm gerührt die Hand drückte, und mit Wehmuth sprach: »Sie sind ein sehr edler Mann!«

»In diesem Augenblicke,« versetzte Pfersberg, »verdiene ich Ihr schönes Lob nicht. Ich selbst wurde einst ein Opfer der Verleumbung; welch ein elender Mensch müßte ich sein, wenn ich Verleumbungen unterstützte, weil sie vielleicht mir Nutzen bringen könnten.«

---

9. Kindlicher Wettstreit.

Während in Grafenrode Ottilie nach Genesung seufzte, und sich Kraft vom Himmel erflehte, die kindlichen Pflichten wie die der Dankbarkeit zu erfüllen, ereigneten sich in ihrer Vaterstadt bedeutende Veränderungen. Den guten alten Robert überraschte der Tod, noch ehe er, seinem Verspre= chen gemäß, für Emma's Zukunft gesorgt hatte, denn er verschob, wie es zu gehen pflegt, die Anfertigung seines Testaments von einem Tage zum andern. Vielleicht ver= ließ er sich auch auf den ihm bekannten Edelmuth seiner

Tochter, welche die Pflegerin seines Alters nicht hilflos lassen würde. Er hatte nicht bedacht, daß auch die besten Mädchen nach und nach die Gesinnungen ihrer Männer annehmen, oder wußte nicht, daß sein Eidam dem niederträchtigsten Geize ergeben war. Kaum hatte Robert die Augen geschlossen, als der Schwiegersohn erschien, die Erbschaft in Besitz nahm, und der armen Emma höflich andeutete, daß er unter den Papieren des Verstorbenen keinen Auftrag gefunden, ihr ein Legat auszuzahlen.

Dem guten Mädchen war diese Behandlung weniger schmerzhaft, als die Nothwendigkeit, das Gefängniß, und folglich auch ihren Vater verlassen zu müssen. Wer sollte hinfort den wahnsinnigen Alten pflegen? und wenn vielleicht ein harter Mann an Roberts Stelle trat, welch ein Schicksal stand ihm bevor! — In dieser Noth wandte sie sich zuerst an die wackere Madame Saalfeld, und da diese bereitwillig ihr Wohnung und Arbeit versprach, so suchte sie sich durch Bitten und Thränen, die Erlaubniß eines freien Zutritts bei den Gefangenen auszuwirken. Die erstaunten Richter konnten nicht begreifen, warum ein so junges, blühendes Mädchen es für ein Glück zu halten schien, sich zu einem alten wahnsinnigen Manne in einen düstern Kerker einsperren zu lassen; aber ihre Jugend und Schönheit, ihre rührenden Bitten, bewegten auch die kältesten Herzen, und was sie begehrte, wurde ihr zugestanden. Nun brachte sie ihre Tage unausgesetzt bei dem Vater hin, die Nächte aber arbeitete sie, um sich selbst eine kärgliche Nahrung zu verschaffen. Madame Saalfeld warnte sie oft ver-

gebens ihrer Gesunheit mehr zu schonen; aber wenn die
wackere Frau sie gleich laut schalt, so konnte sie ihr doch
im Stillen ihre Bewunderung nicht versagen, obgleich
auch sie den Antheil sehr räthselhaft fand, den das fromme
Mädchen an einem alten Bösewicht nahm.

Vielleicht hätte Emma diese Lebensweise noch Jahre
lang ausgehalten, denn ihre Bedürfnisse waren nur gering,
und sie wußte sich für den nothwendigen Schlaf doch manche
Stunde abzusparen; doch jetzt starb der Fürst des Landes,
ein neuer Regent bestieg den Thron, und um wie gewöhnlich den Antritt seiner Regierung durch Gnadenbe-
zeugungen zu verherrlichen, befahl er alle diejenigen Gefangenen los zu lassen, welche Staats=Schulden halber
verhaftet waren, und nicht allein ohnehin ihre Schuld nie
bezahlen konnten, sondern auch noch obendrein durch ihren
Unterhalt dem Staate lästig wurden. Unter diese Anzahl gehörte auch Klumm. Seine Befreiung wurde ihm in Emma's
Gegenwart angekündigt. Er lächelte, und begriff nicht,
was man von ihm wollte. Emma hingegen umarmte ihn
mit heißen Thränen des Entzückens, und führte ihn jubelnd
aus dem Kerker in ihr kleines Dachstübchen. Daß künftig
seine Erhaltung ihre Kräfte übersteigen würde, daran dachte
sie in diesem Augenblicke nicht. Sie fühlte blos in vollem
Maße das Glück, ihren Vater nun ganz zu besitzen, mit
ihrer Hände Arbeit ihn ganz ernähren zu dürfen.

Ein neuer fröhlicher Geist schien sie zu beleben; mit
unverdrossenem Eifer ging sie an die saure Arbeit; bei ihr
gab es keine Feierstunden, keinen Wechsel von Tag und

Nacht; ihre einzige Erholung war ein täglicher Spazir=
gang mit dem Vater, den sie doch auch nur seinetwegen
sich erlaubte.

Durch solche Anstrengungen gelang es ihr nicht allein,
den Alten zu ernähren, sondern ihm auch noch manche
Bequemlichkeiten zu verschaffen, die er im Gefängniß
hatte entbehren müssen, und bald wurde ihr die unaus=
sprechliche Freude zu Theil, daß in dieser günstigeren Lage,
bei dem Genuß der reinern Luft, der reinsten kindlichen Liebe,
nicht allein der alte Mann an Gesundheit merklich zu=
nahm, sondern sogar zuweilen heitere Augenblicke hatte,
in welchen der verirrte Geist sich zu erkennen schien. Dann
weinte Emma Thränen der Wonne, verdoppelte ihren
Eifer, und verhehlte sich selbst die Abnahme ihrer Kräfte.

Aber unmöglich konnte diese Ueberspannung lange wäh=
ren, der starke kindliche Geist war dem schwachen Körper
zu weit vorausgeeilt; mit Schaudern mußte Emma sich be=
kennen, daß eine überhandnehmende Mattigkeit jedes ihrer
Glieder lähme, und der schreckliche Augenblick vielleicht
nicht fern mehr sei, wo sie, zur Arbeit gänzlich unfähig,
selbst verschmachtend, den Vater neben sich werde ver=
schmachten sehen. Von diesem furchtbaren Bilde ergriffen,
beschloß sie endlich (trotz dem Widerwillen, den sie em=
pfand, ihre Liebe und Sorge mit einander zu theilen), an
Ottilien zu schreiben, und sie einzuladen, mit ihr vereint,
des kranken Vaters Pflege und Erhaltung zu übernehmen.
Doch hütete sie sich wohl, auch nur ein Wort entschlü=
pfen zu lassen, welches Ottilien verrathen konnte, daß eine

Schwester es sei, von der sie aufgefordert werde. »Soll ich," dachte sie, »den Vater in den Augen der Tochter herabsetzen? — nimmermehr! — genug daß ich weis, ich bin ihre Schwester, und wenn sie erfährt, was die Fremde für ihren Vater that, so wird sie auch mich schwesterlich lieben.«

Emma's Brief goß wider Vermuthen neues Leben in Ottiliens Brust, und beschleunigte wohlthätig den Umlauf ihres schleichenden Blutes; denn welche Arznei ist kräftiger für einen Körper, der nur unter dem Drucke eines beladenen Herzens seufzt, als die Aussicht zu einer Thätigkeit, in welcher Pflicht und Liebe sich vereinen. Die Nachricht, welche Emma hinzugefügt hatte, daß zur völligen Genesung ihres Vaters Hoffnung vorhanden, und daß es bereits Augenblicke gebe, in welchen er seiner sich bewußt sei, versetzte die Kranke in eine taumelnde Freude. So verwandelt, mit dem Briefe in der Hand, mit glühenden Wangen und funkelnden Augen, fand sie der erstaunte Pfersberg. Sie flog ihm entgegen, und bat ihn, den Brief zu lesen. Er that es, betrachtete sie gerührt, und fragte sanft: »was wollen Sie thun?"

»Ist das noch eine Frage?" erwiederte Ottilie mit schönem Unwillen, »soll ich von der Fremden mich beschämen lassen? — Auch ich kann arbeiten, und dem Himmel sei Dank, mir hat in dieser Stunde Gott alle meine Jugendkräfte plötzlich wieder gegeben!" —

»Lassen Sie sich nicht täuschen, liebes Mädchen, durch die Lebhaftigkeit eines Gefühls, die nur durch Ueberspannung erzeugt wurde. Sie wollen Ihren Vater durch ihrer

Hände Arbeit ernähren, das ist schön, und würde allerdings
sehr belohnend für Ihr Herz sein; doch Sie dürfen sich auch
nicht verhehlen, daß Sie, bei diesem zarten Körperbau, dem
Unternehmen nicht gewachsen sind, darum müssen Sie
jenem süßern Lohn entsagen, und sich begnügen, zu Er=
reichung ihres frommen Zweckes, ein anderes Opfer zu
bringen, das Ihnen, ach! vielleicht noch schwerer wird.
Sie verstehen mich. Vergebens habe ich Sie bis jetzt gebeten,
über mein Vermögen zu schalten, und ich fühle wohl, daß
bei I h r e r Denkungsart meine Bitte stets unerhört blei=
ben wird, so lange Sie mir nicht ein Recht einräumen,
Ihnen meine Hilfe aufzubringen. Ich sage weiter nichts.
An Ihnen ist es, zu entscheiden. Das allein darf ich noch
hinzufügen, daß, wenn Sie meine Hand verschmähen, Sie
wenigstens d e n Ersatz mir schuldig sind, aus dieser ver=
schmähten Hand die Hälfte dessen zu empfangen, was mir
der Zufall gab.”

»Ich bin die Ihrige!” schluchzte Ottilie, indem sie von
seinem Edelmuthe überrascht, sich an seinem Busen warf.

»Doch Sie haben gelesen, mein Vater hat, Gott sei
Dank, wieder helle Augenblicke. Jetzt kann ich, ohne seinen
Segen, keine Verbindung schließen. Kommen Sie zu seinen
Füßen, und empfangen Sie dort den Schwur meiner Treue,
das Gelübde meiner zärtlichsten Freundschaft!” —

Nicht mit jugendlichem aufbrausenden Entzücken, aber
mit herzlichem Vergnügen, mit dankbarer Innigkeit, schüt=
telte er Ottiliens Hand und küßte sie auf die Stirn. Schnelle

Anstalten zur Reise wurden sogleich getroffen, obgleich
Frau Bartels der Meinung war, daß man durchaus die
Vermählung zuvor in Grafenrode feiern sollte; denn einmal
schicke es sich nicht, daß die Braut mit dem Bräutigam,
ohne copulirt zu sein, in den Wirthshäusern herumfahre;
und dann, was würde der Herr Bürgermeister, was der
Herr Diaconus Pumpfel dazu sagen?

Die erste Bedenklichkeit hob Ottilie durch den Vor=
schlag, die Frau Muhme mitzunehmen als Ehrenwäch=
terin, und dieser Gedanke hatte so viel Reizendes für die
muntere Frau Bartels, daß sie die zweite Bedenklichkeit
darüber vergaß. In Ottiliens Vaterstadt gab es ja noch so
viele Menschen, die ihre Meinung über dies und jenes noch
nicht gehört hatten, und der alte Klumm selbst; nun konnte
man ihm doch einmal mündlich sagen, wie man es an seiner
Stelle gemacht haben würde.

Die Reise wurde schnell und glücklich vollbracht, nur
die Muhme hatte das Unglück, eine Schachtel mit ihrer
schwarzen Sammtkappe auf einer Station zu vergessen. Sie
war untröstlich darüber. Als aber Pfersberg eine Stafette
zurücksandte, welche mehr kostete, als die ganze Kappe
werth war, kehrte auch ihre Heiterkeit schnell zurück, und
die Galanterie ihres Reisegefährten machte so tiefen Ein=
druck auf ihr verschrumpftes Gemüth, daß sie, vielleicht
zum ersten Male in ihrem Leben, bekannte, »besser hätte
sie selber es nicht zu machen gewußt.«

XV.   20

10. Der Knoten löst sich.

Ottiliens Empfindungen bei der Ankunft in ihrer Vater=
stadt, und als sie die enge, steile Treppe zu Emma hin=
auf stieg, und als sie die Thür des kleinen Zimmers öff=
nete, und ihren Vater erblickte, wie er emsig beschäftigt
war, einem Zeisig Wasser ziehen zu lehren — alles das
mit Worten zu malen, wäre kühn. Anfangs erkannte der
alte Klumm seine Tochter nicht; als aber Emma ihren
Namen nannte, und ihre Thränen heiß auf seine dürre
Hand fielen, da schien er nach und nach sich zu besinnen: »ei
Ottilie, lebst du auch noch?" sagte er freundlich, »wo bist
du gewesen? sieh ich bin alt und schwach geworden —
warum hast du mich verlassen? es wäre mir übel ergangen,
wenn mir Gott diesen Engel nicht gesandt hätte.—"

»Ihr Befehl," schluchzte Ottilie, durch seinen Vor=
wurf heftig erschüttert; und sogleich nahm Emma das
Wort, erklärte, erinnerte, weckte stufenweise sein Gedächt=
niß. Er war sehr aufmerksam, und schien dann und wann
wie aus einem Traume zu erwachen. »Ja, ja," sagte er
endlich, »ich weiß noch Alles; nun, nun, weine nur nicht"
— (er streichelte Ottilien mit der Hand über das Gesicht)
»es hat mir dennoch an nichts gefehlt. Ich hatte ja noch
eine Tochter" —

Schnell unterbrach ihn Emma wieder, um es zu keiner
weitern Aufklärung kommen zu lassen. »Ihr guter Vater,"
sagte sie hastig, »hat mir erlaubt, den Tochter=Namen
mit Ihnen zu theilen." —

»O meine Schwester!« stammelte Ottilie, und drückte die Edle schwesterlich an ihre Brust.

Nach den ersten stürmischen Augenblicken begann sie zu erzählen, wie es ihr in Grafenrode ergangen, und wie sie gekommen, um den Segen zu einer Verbindung zu er- bitten, durch welche sie ihm ein glückliches, sorgenfreies Alter zu bereiten hoffe. Mit Schrecken und Betrübniß hörte Emma, daß sie künftig keinen Theil mehr an dem Unter- halt ihres Vaters nehmen sollte, und zum ersten Male stand sie in Versuchung, ein Geheimniß zu verrathen, auf welches sie ein Recht zum Widerspruch gründen konnte. Der Alte murmelte unverständliche Worte in den Bart, hub einigemal an zu sprechen, brach wieder ab, rieb sich die Stirn, schien in seinem Gedächtniß etwas zu suchen. »Hm! hm!« sagte er endlich, wie ist mir denn, Ottilie? ich hätte darauf geschworen, du wärst schon verheirathet?«

»Mein Vater hatte einst die Absicht« — erwiederte Ottilie mit niedergeschlagenen Blicken, »mich mit dem Kammerassessor von Stolzenbeck —«

»Ach, nicht doch!« unterbrach sie Klumm, »das war ja längst vorbei. Ich meinte, ein Anderer — doch das hat mir wohl nur geträumt.«

Emma zog Ottilien bei Seite, um ihr zu erklären, daß der Alte wahrscheinlich von Theodor spreche, der noch im Gefängniß um sie geworben.

»Und Sie wußten das?« fragte Ottilie mit großen Augen. —

20 *

»Ich war gegenwärtig.« —

»Und Sie hatten nichts dagegen?« —

»Ich sollte das Glück meines Wohlthäters
verhindern? ich, die ich seine unaussprechliche
Liebe zu Ihnen kannte?« —

Ottilie wollte antworten, die Scham verschloß ihr
den Mund. »Aber,« stotterte sie endlich, »mein Vater hatte
diese Verbindung mit seinem Fluche bedroht?«

Bebend erfuhr sie von Emma, wie schon längst mildere
Gesinnungen in der Brust des Alten die Oberhand gewon=
nen, und wie er dem Jüngling in ihrer Gegenwart versi=
chert habe, er überlasse die Wahl eines Gatten dem Herzen
seiner Tochter.

Jetzt bedurfte Ottilie ihre ganze Kraft, um das Opfer
zu vollbringen, zu dem sie entschlossen war. Doch, der Ge=
danke, daß Theodor, von dem auch Emma nichts wußte,
schwerlich jemals zurückkehren werde, und mehr als Alles,
die Vorstellung, durch abermaliges Wanken des edlen
Pfersbergs Achtung zu verlieren, stärkten sie in dieser bit=
tern Stunde, und muthig bat sie ihren Vater um die Er=
laubniß, ihm Nachmittags den Eidam zuzuführen. Es ge=
schah, und Pfersberg gewann den Alten sehr bald durch
seine Treuherzigkeit. Mit Frau Bartels hingegen konnte er
sich nicht vertragen, denn sie wollte ihn in der ersten Viertel=
stunde eine neue Manier lehren, um seinem Zeisig das Was=
serziehen beizubringen.

Ottiliens Vermählungstag wurde nur noch auf einige
Wochen hinausgeschoben, um indessen eine bequeme Woh=

nung für die ganze Familie einzurichten. Daß auch Emma
zu derselben gezählt wurde, obschon sie keinen Anspruch
geltend machte, wird der Leser Ottiliens Herzen zutrauen.
Seitdem Emma ihre ganze Geschichte, mit Ausnahme des
Geheimnisses, der Schwester mitgetheilt, ihr Verhältniß zu
Theodor aufgeklärt hatte, seitdem wurde sie aufrichtig von
ihr geliebt, ja, Ottilie trug um so zärtlichere Sorgfalt für
Emma, da sie dieselbe gleichsam als ein Vermächtniß ihres
Theodor betrachtete. Auch ihr gutes Minchen vergaß sie
nicht, und würde sie nicht vergessen haben, wenn sie auch
nicht mit Theodor verwandt gewesen wäre. Aber freilich
mußte sie sich selbst bekennen, daß sie ihr ehemaliges Kam=
mermädchen vielleicht einige Tage später würde aufgesucht
haben, wenn sie nicht die leise Hoffnung genährt hätte,
durch sie etwas von den Schicksalen des Geliebten zu erfah=
ren. Leider wußte Minchen auch nichts weiter, als Stadt=
klatschereien: »ach! rief sie seufzend, er soll seinen Glauben
verläugnet haben!« —

»Das ist nicht wahr!« sagte Ottilie heftig. —

»Das gebe Gott!« erwiederte die wackere Frau, und
seit diesem Augenblicke wurde Theodors Name nicht mehr
zwischen ihnen genannt, und Ottilie sah den Tag ihrer
Vermählung, zwar beklommen, aber mit Entschlossenheit
heranrücken.

»Was gibt's gutes Neues?« fragte Florio den Posthal=
ter auf der letzten Station vor seines Freundes Geburtsort.
Der geschwätzige Mann erzählte Allerlei, was die Reisen=

ten wenig interessirte. Endlich hub er an: »wenn Sie
etwa bekannt im Klumm'schen Hause sind, so können Sie
Morgen einer großen Hochzeit beiwohnen.« —

»Schon wieder eine Hochzeit im Klumm'schen Hause?
vermuthlich heirathet er seine Maitresse?« —

»Maitresse? hä! hä! hä! nein, die Sünde ist ihm ab=
gestorben, aber übrigens sitzt der alte Bösewicht dem Glücke
schon wieder im Schooße, denn er hat einen reichen
Schwiegersohn gefunden, der ihn fürstlich hält. Morgen,
wie gesagt, wird die Vermählung gefeiert.«

»Ist Mamsell Klumm so bald zur Witwe geworden?«

»Witwe? sie war ja noch nie verheirathet.« —

Theodor glühte und erblaßte wechselsweise. Florio be=
rief sich auf den tauben Konsul zu Smyrna, der bei ihrer
Vermählung gegenwärtig gewesen. Der Posthalter wußte
dieses Räthsel nicht zu lösen. »Aber ist sie denn nicht nach
Italien gereist?« —

Auch das war ihm unbekannt. Seines Wissens sei sie
blos in Grafenrode gewesen, von wo sie vor einigen Wochen
in Gesellschaft ihres Bräutigams hier durchpassirt sei.
»Eine bildschöne Person,« fügte er hinzu, »ich habe mir sie
recht betrachtet, als sie da auf der nämlichen Stelle saß,
wo jetzt der Herr Doktor zu sitzen belieben.«

Theodor sprang auf und rannte in den Garten.

»Wie heißt denn der Bräutigam?« fragte Florio.

Der Posthalter schlug sein Buch auf, und nannte den
Namen Pfersberg. —

»Pfersberg?” rief Florio erstaunt, »was Teufel! gibt's auch noch einen Pfersberg in der Welt? — wer ist er? woher kommt er?” —

»Damit weiß ich nicht zu dienen.” —

»Jung oder alt? —”

»Ein Mann bei Jahren, aber noch rüstig.” —

Florio eilte seinem Freunde nach, der, als er ihn er= blickte, ihm schon von ferne zurief: »wenn du mich liebst, so laß uns umkehren.”

»Mit nichten,” erwiederte Jener, »zuvor laß uns die wunderliche Geschichte aufklären. Ein Mädchen ist unver= loren, so lange sie noch nicht in die Brautkammer ver= schlossen worden. Und überdies habe ich selbst vielleicht ein größeres Interesse bei der Sache als du denkst. Doch dafür hast du jetzt keinen Sinn. Ich will dir auch keineswegs zu= muthen, bei der Entwickelung des Knotens gegenwärtig zu sein, denn es wäre doch möglich, daß es schief damit ab= liefe. Allein, erwarten sollst du mich hier. Ich fliege in die Stadt, noch in dieser Nacht kehre ich zurück, und bringe ich dir eine Hiobspost, so machen wir auf der Stelle linksum.”

Ohne seines Freundes Antwort abzuwarten, sprang er in den Wagen und jagte nach der Stadt. Dort nahm er sich nicht einmal so viel Zeit, die Reisekleider zu wechseln, sondern ließ sich alsobald Klumm's Wohnung zeigen, trat mit Herzklopfen in das Haus, und begehrte den Bräuti= gam ohne Zeugen zu sprechen. Er wurde in ein abgelegenes Zimmer geführt, und Pfersberg erschien. Florio betrachtete

ihn lange mit großen Augen, in welchen ein seltsames
Gemisch von Empfindungen schwamm. Pfersberg, erstaunt
über sein Schweigen, und durch seine Blicke auf etwas
Wichtiges vorbereitet, fragte endlich nach seinem Begehren.

»Gott sei Dank!« hub Florio an, »Ihre Gestalt flößt
mir Zutrauen ein,« — und nun erzählte er ihm kurz und
bündig Alles, was er von Theodors und Ottiliens Liebe
wußte.

»Sie erzählen mir nichts Neues,« sagte Pfersberg
gelassen, »aber dieser Theodor ist verschwunden und scheint
seine Geliebte vergessen zu haben.«

»Das hat er wohl bleiben lassen,« erwiederte Florio
haftig, »er sitzt auf der nächsten Station; dort erfuhr er
Ihre Vermählung, gerade in dem Augenblicke, als er
eilte, ein mühsam erworbenes Vermögen ihr zu Füßen zu
legen, und ich möchte kaum dafür stehen, daß er nicht eben
jetzt sich aus Verzweiflung vor den Kopf schießt.«

Pfersberg wurde heftig durch diese Nachricht erschüttert.
Er saß lange stumm und betäubt; auch Florio schwieg, ver=
wandte aber kein Auge von ihm.

Nach einem schweren, sichtbaren Kampfe ermannte
sich Pfersberg und erklärte mit Würde: »Wenn es sich so
verhält, so eilen Sie zurück, und sagen Sie Ihrem Freunde,
daß ihn Ottilie noch liebt. Er soll kommen, sie aus meiner
Hand zu empfangen.«

»Bravo!« schrie Florio mit Thränen in den Augen,
und drückte den edlen Mann mit Ungestüm an seine Brust.

»Sehen Sie, Herr, wenn Sie sich anders benommen hät=
ten, ich wäre davon gegangen und hätte nicht einmal wif=
fen mögen, ob Sie mein Vater find?« —

»Ihr Vater?« stammelte Pfersberg.

»Nun, ich meine nur fo. Wenn Sie aus Bergheim
gebürtig find —«

»Das bin ich.« —

»Wenn Sie durch verdammte Schikane Landes ver=
wiefen wurden —«

»So ift es.« —

»Weiß Gott! fo bin ich Ihr Sohn Ludwig.«

Die Schilderung der nächsten Stunde gebührt keiner
Feder, sie will nur empfunden sein. Daß dem verlornen
Ludwig kein Aufruf seines Vaters jemals zu Gesichte ge=
kommen, war sehr natürlich zugegangen, denn er las nie
Zeitungen. Daß er den harten Namen Pfersberg gegen
den harmonischen Florio vertauscht, war eine mufikalische
Grille gewesen; denn er hatte wahrgenommen, daß, um
in der großen Welt ein sicheres Fortkommen zu finden, der
Tanzmeister einen französischen, und der Tonkünstler einen
italienischen Namen tragen muß.

Schon war über dem Entzücken der Wiedergefundenen
die Nacht hereingebrochen, als sie sich erst erinnerten, daß
noch außer ihnen Jemand auf der Welt sei. Ottilie hatte
herüber gesandt und Pfersberg erfuchen lassen, den Frem=
den mit zur Gesellschaft zu bringen; allein er antwortete
lächelnd: »heute kann der Fremde nicht erscheinen, doch

ich habe ihn auf morgen zur Hochzeit gebeten.« Darauf unterrichtete er seinen Sohn, wie er Ottilien zu überraschen wünsche, und trieb ihn selbst an, eilig dahin zurückzukehren, wo der hoffnungslose Liebende seiner harrte. Florio war fast närrisch vor Freuden und accompagnirte auf dem ganzen Wege das Posthorn mit seinem Jubelgeschrei. Als er um Mitternacht vor dem Posthause hielt, war sein erstes Wort: **Champagner!** und da keiner zu haben war, nahm er seinen Freund beim Kopf und schrie: »Ich wette, ich mache dich betrunken auch ohne Champagner!«

Wohl taumelte Theodor wie ein Betrunkener, als Florio seine Neuigkeiten auspackte. Taumelnd stieg er in und aus dem Wagen; nur lautes Lachen und lautes Schluchzen machten dem Uebermaße des Entzückens Luft.

Ottilie bemerkte schnell eine Veränderung an Pfersberg, als er wieder zur Gesellschaft kam. Er war so still, so ein= silbig, sein Auge ruhte oft mit so freundlicher Wehmuth auf ihr. »Es muß etwas vorgegangen sein,« sprach sie zu sich selbst, als sie am späten Abend zum letzten Mal ihre jungfräuliche Zelle betrat; aber was? das vermochte sie nicht zu enträthseln.

Der Hochzeittag brach an. Schon am frühen Morgen hatte sich Ottilie in ihres Vaters Kammer gestohlen, hatte den blassen Greis unruhig schlummern sehen, und war an seinem Bette niedergekniet, um betend Kraft und Muth aus dem Anblick des Greises zu schöpfen, dem sie heute das Opfer ihrer ersten Liebe bringen wollte. Gestärkt erhob sie sich, und mit der Ruhe, welche das Bewußtsein des nahen Vollbringens einer guten That gewährt, ließ sie sich von Minchen festlich kleiden, die an diesem Tage die Freude sich nicht wollte nehmen lassen, ihr Amt noch Einmal zu verwalten.

Einfach, doch reizend geschmückt, saß sie an Emma's Seite, als man ihr die Ankunft des Bräutigams meldete. Mit hochklopfendem Herzen stand sie auf, ihn zu empfangen. Doch wer malt ihr Erstaunen, als die Thüren sich öffneten, und Pfersberg mit Theodor an der Hand herein trat?

Während Ottilie in süßer Ohnmacht in des Geliebten Armen lag, hatte auch Florio seine Emma fest an das Herz gedrückt, und im ersten Schrecken erwiederte sie laut schreiend seinen feurigen Kuß. Alles Mißtrauen war verschwunden. Der bloße Anblick des alten Klumm hatte Florio von der Lächerlichkeit seines Argwohns überzeugt. Schon gestern fachte seines Vaters Zeugniß den nie erloschenen Funken seiner Liebe wieder an, und er sagte ihr kurz und gut: jetzt dürfe sie ihn nicht zum zweiten Male abweisen. Sie schien es auch gar nicht zu wollen, obwohl sie erröthend schwieg.

Die Vermählungsfeier mußte freilich abermals verschoben werden, zu großem Aergerniß der Frau Bartels, die viel sprach und von Niemanden gehört wurde. Zwar, der eingetauschte Bräutigam war bereit, noch diesen Abend mit Ottilien vor den Altar zu treten, allein Florio prote

ſtirte und beſtand darauf, daß beide Hochzeiten an einem
Tage gefeiert werden müßten. Das geſchah wenige Tage
nachher, und bei der Tafel behauptete der Vetter Leine=
weber einen Ehrenplaß, was auch die Muhme Bartels
dagegen einwenden mochte.

Der edle Pfersberg erreichte ein hohes, zufriedenes
Alter, von Enkeln umgaukelt, im Genuß des ungetrübten
häuslichen Glücks zweier Familien. Auch dem alten Klumm
friſtete Theodor's Kunſt das Leben noch einige Jahre, doch
den himmliſchen Funken konnte er nicht wieder in ihm an=
fachen; der kindiſche Alte wurde zum Geſpött ſeiner Enkel.
Er ſtarb, von ſeinen Töchtern pflichtmäßig beweint
und betrauert, kein Segen folgte ihm in's Grab.

Erſt als er todt war, vertraute Emma ihrem Gatten
in einer herzlichen Stunde den Grund ihres vormaligen
räthſelhaften Betragens, doch nicht eher, bis er durch einen
theuern Eid ihr Schweigen gelobt hatte. Er hielt ſeinen
Schwur, und die erhöhte Achtung für das Herz ſeiner
Gattin war der Lohn ihres Zutrauens. Ottilie erfuhr nie,
daß Emma, die ſie ſo gern Schweſter nannte, wirklich
ihre Schweſter ſei.

━◆━

Einladung zur Pränumeration

auf

Iffland's sämmtliche Theaterstücke

in einer neuen, höchst eleganten, sehr wohlfeilen,

und zum ersten Male

ganz vollständigen Ausgabe,

unter dem Titel:

Theater

von

Aug. Wilh. Iffland.

Mit Biographie des Verfassers, dann Porträt u. Facsimile im Stahlstiche.

———

Diese neue, erste ganz vollständige Ausgabe erscheint

in 24 Bänden, Schiller-Format, klein 8.,

auf feinstem Maschinen-Velinpapier, mit deutlichen Lettern und größter typographischer Eleganz auf Schnellpressen in der rühmlich bekannten Sollinger'schen Officin correct gedruckt, der äußeren Ausstattung nach ganz gleich der neuesten Original-Ausgabe der Kotzebue'schen Theater.

Die Verlagshandlung wird für die ansprechendste und schönste Ausstattung, so wie für das präcise Erscheinen die-

selbe Sorgfalt tragen, die sie schon bei der von ihr gelie=
ferten neuesten Original=Ausgabe der Kotzebue'schen Theater
2c. 2c. bewiesen hat.

Der Inhalt des ganzen Werkes wird folgender sein:

Meine theatralische Laufbahn.

Verbrechen aus Ehrsucht. — Be=
wußtseyn.

Reue -versöhnt. — Albert von
Thurneisen.

Der Veteran. —(Die Jäger.

Das Vaterhaus. — Liebe um Liebe.

Achmet u. Zenide. —(Leichter Sinn.

Der Spieler. — Die Kokarden.

Der Hausfrieden. — Friedrich von
Oesterreich.

Der Herbsttag. —(Die Hagestolzen.

Die Mündel. — Die Geflüchteten.

Die Erinnerung. — Das Gewissen.

Figaro in Deutschland. — Die
Verbrüderung.

Die Aussteuer. — Das Ver=
mächtniß.

Der Mann von Wort. —Quasan.

Elise von Balberg —(Dienstpflicht.

Die Advocaten. —(Frauenstand.

Selbstbeherrschung. — Allzuscharf
macht schartig.

Der Fremde. —(Der Vormund.

Alte und neue Zeit. —(Die Reise
nach der Stadt.

Die Höhen. —(Scheinverdienst.

Familie Lonau. — Eichenkranz.

Die Künstler. — Die Vaterfreude.

Das Erbtheil des Vaters. — Mag=
netismus.

Die Hausfreude. —(Der Komet.

☞ **Ferner:**

1. Der Oheim.
2. Die Marionetten.
3. Die Brautwahl.
4. Wohin?
5. Die Einung.
6. Liebe u. Wille.
7. Rückwirkung.
8. Die Nachbarschaft.
9. Der Taufschein.
10. Die erwachsenen Töchter.
11. Duhautcours, oder der Ver=
gleichungs=Contract.
12. Heinrich V. Jugendjahre.
13. Der Flatterhafte, oder die
schwierige Heirath.
14. Frau v. Sevignè.
15. Der gutherzige Polterer.
16. Der Müßiggänger.
17. Der Haustyrann.

☞ Die letzteren 17 Theaterstücke sind in keiner andern Ausgabe der dramatischen Werke Iffland's enthalten!

Zwei Bände sind schon erschienen und zu haben.

Alle 14 Tage wird ein neuer Band, beiläufig 250 Seiten stark, im Umschlag broschirt, ausgegeben, und das Ganze wird schon im nächsten Sommer vollendet sein.

Jeder Band kostet nur 20 kr. C. M.!!!

Bei Empfang des ersten Bandes ist der letzte, welcher s. Z. als Rest geliefert wird, vorauszuzahlen.

Wer sogleich für das Ganze vorausbezahlt,

erhält dasselbe

☞ um 2 fl. C. M. billiger!

d. i. alle 24 Bände

anstatt um 8 fl. C. M. für 6 fl. C. M.!!!

☞ Ein Preis, der mehr als beyspiellos billig ist, aber nur bis zum Erscheinen des 10ten Bandes Statt findet.

Iffland! welchem Freunde des Theaters, der Literatur, ja der Bildung überhaupt ist nicht dieser Name ehrwürdig? Seine „Jäger — Dienstpflicht — Elise von Valberg — Hagestolzen — Aussteuer — Selbstbeherrschung — sein Spieler — Mann von Wort — Herbsttag" u. s. w. sind unzählige Male auf unserer Hofbühne mit immer gleichem außerordentlichem Beifalle wiederholt worden. Die modernsten Dramen zeigen wieder ein Bestreben, auf den Weg der Natur zurückzukehren, den Iffland zuerst so erfolgreich eingeschlagen, und so wird keine Zeit und kein Wechsel jemals seinen Werth vermindern oder vertilgen.

Der Wunsch,

die sämmtlichen dramat. Werke Iffland's

in einer schönen, dem jetzigen Geschmack angemessenen, billigen Ausgabe besitzen zu können, ist, da keine der bisher erschienenen Ausgaben weder vollständig ist, noch diesen Anforderungen auch nur entfernt entspricht, so oft ausgesprochen worden, daß wir uns zur Veranstaltung dieser **ersten ganz vollständigen, durch ihre Eleganz und Wohlfeilheit für alle Stände und Vermögens-Verhältnisse gleich geeigneten Ausgabe, hinlänglich veranlaßt und entschlossen haben.**

Pränumeration und Vorausbezahlung wird in der Verlagshandlung und in allen soliden Buchhandlungen der Oesterreichischen Monarchie angenommen.

Buch- und Verlagshandlung
von Ignaz Klang in Wien,
Dorotheergasse Nr. 1105.